D1071747

De verborgen geschiedenis van Courtillon

Van dezelfde auteur

Het lot van de familie Meijer

Wilt u op de hoogte worden gehouden van de romans en literaire thrillers van uitgeverij Signatuur? Meldt u zich dan aan voor de literaire nieuwsbrief via onze website www.uitgeverijsignatuur.nl.

Charles Lewinsky

De verborgen geschiedenis van Courtillon

Vertaald door Elly Schippers

SIGNATUUR

2010

© Nagel & Kimche im Carl Hanser Verlag München 2007
Oorspronkelijke titel: Johannistag
Vertaald uit het Duits door: Elly Schippers
© 2010 uitgeverij Signatuur, Utrecht en Elly Schippers
Alle rechten voorbehouden.

Omslagontwerp: Wil Immink Design
Omslagfoto: Plainpicture / Hollandse Hoogte
Foto auteur: Reyer Boxem
Typografie: Pre Press Media Groep, Zeist
Druk- en bindwerk: Koninklijke Wöhrmann, Zutphen

ISBN 978 90 5672 321 7
NUR 302

swiss arts council

pr:helvetia

Deze vertaling kwam mede tot stand dankzij een
subsidie van Pro Helvetica, Swiss Arts Council

Mixed Sources
Productgroep uit goed beheerde
bossen, gecontroleerde bronnen
en gerecycled materiaal.
www.fsc.org   Cert no. CU-COC-802528
© 1996 Forest Stewardship Council

Dit boek is gedrukt op papier dat het keurmerk van de Forest Stewardship Council (FSC) mag dragen. Bij dit papier is het zeker dat de productie niet tot bosvernieti- ging heeft geleid. Een flink deel van de grondstof is afkomstig uit bossen en plantages die worden beheerd volgens de regels van FSC. Van het andere deel van de grondstof is vastgesteld dat hiervoor geen houtkap in de laatste resten waardevol bos heeft plaatsgevonden. Daarom mag dit papier het FSC Mixed Sources label dragen. Voor dit boek is het FSC-gecertificeerde Munkenprint gebruikt. Dit papier is 100% chloor- en zwavelvrij gebleekt en wordt geleverd door Arctic Paper Munkedals AB, Zweden.

Behoudens de in of krachtens de Auteurswet van 1912 gestelde uitzonderingen mag niets uit deze uitgave worden verveelvoudigd, opgeslagen in een geautomatiseerd gegevensbestand, of openbaar gemaakt, in enige vorm of op enige wijze, hetzij elektronisch, mechanisch, door fotokopieën, opnamen of enige andere manier, zonder voorafgaande schriftelijke toestem- ming van de uitgever. Voor zover het maken van reprografische verveelvoudigingen uit deze uitgave is toegestaan op grond van artikel 16 h Auteurswet 1912 dient men de daarvoor wet- telijk verschuldigde vergoedingen te voldoen aan Stichting Reprorecht (Postbus 3060, 2130 KB Hoofddorp, www.reprorecht.nl). Voor het overnemen van gedeelte(n) uit deze uitgave in bloemlezingen, readers en andere compilatiewerken (artikel 16 Auteurswet 1912) kan men zich wenden tot de Stichting PRO (Stichting Publicatie- en Reproductierechten Organisatie, Postbus 3060, 2130 KB Hoofddorp, www.cedar.nl/pro).

A la mémoire de Jean Hory,
raconteur et ami

*D*e wereld is duizend passen lang. Als je kwam (maar je komt niet), zou je de hoofdweg moeten verlaten, je herkent de afslag makkelijk, ze hebben de weg daar rechtgetrokken en de oude rijstrook loopt dood in het onkruid, je zou uitstappen en me volgen, duizend passen ver, een wereld ver.

Eerst komt het bord COURTILLON 0,1. Samen zouden we gniffelen om de goedbedoelde, bureaucratische rechtlijnigheid die het nodig vindt een afstand van honderd meter aan te kondigen naar een dorp waar je al bent, want het eerste huis staat direct aan de straat, het knipoogt met kleine raampjes naar het verkeer, met spinnenwebben op de kozijnen als de aan elkaar geplakte wimpers van een langslaper. De oude vrouw die hier woont, hoort me niet als ik haar groet, ze praat met niemand, alleen – 'tok, tok, tok' en 'zo, zo, zo' – met haar kippen, die als schoothondjes achter haar aan lopen. Soms loopt er eentje de straat op en wordt overreden, maar de kippenvrouw – ik heb het al twee keer geobserveerd – toont dan geen enkele emotie, ze pakt alleen een hengselmand, waarvoor ze speciaal naast de deur een haak in de muur heeft geslagen, zo'n lange haak die ze hier anders gebruiken om bloempotten aan op te hangen, en met de mand aan haar arm, alsof ze boodschappen gaat doen, loopt ze doodgemoedereerd de straat op, zonder op het verkeer te letten, ze raapt het dode dier op, stopt het in de mand en brengt het naar binnen. Hopend op een handjevol maïs als op een uitgestrooide zegen trippelen haar kippen, een klein, oudevrouwtjesachtig zwart ras met een wilde bos veren op hun kop, in een opgewonden stoet achter haar aan, tot de vrouw de voordeur achter zich dichtdoet, de sleutel omdraait en verschillende grendels dichtschuift. Drie, vier minuten later komt ze weer naar buiten en hangt de gewassen, nog druipende mand weer aan de haak. Ze praat verder met haar kippen, waarvan er na het ongeluk niet minder zijn (zeg maar niets, ik weet dat dat niet kan kloppen, maar het past bij de wereld hier in het dorp, waar alles altijd bij het oude blijft), ze praat tegen haar hennen, die in een ongewijzigd aantal rond haar benen scharrelen, alsof ze bang zijn een woord van haar eindeloze monoloog te missen.

Aan de rechterkant (we zouden doorgelopen zijn, niet hand in hand, dat deed je niet graag, gewoon naast elkaar, zonder elkaar aan te raken, maar als je je hoofd omdraait, glijden je haren over mijn schouder), aan de rechterkant woont het echtpaar Brossard, met wie ik al menig glas wijn heb gedronken. Als je ze kende zou je ze aardig vinden, en zij zouden van jou houden, zoals iedereen wel van je móét houden, monsieur zou je de hand kussen en jij zou lachen omdat dat elegante gebaar niet past bij zijn opgelapte broek en bij het verkleurde overhemd dat strak om zijn buik zit. Madame zou je in haar armen nemen, in haar altijd open armen, ze zou haar wang tegen de jouwe leggen, links en rechts, en je zou de *fond de teint* ruiken die ze nog altijd uit Parijs laat komen; ze was ooit een dame en had dienstmeisjes. Monsieur Brossard was rechter, 'in de negentiende eeuw', zegt hij koketterend, terwijl hij nog maar net zeventig is geworden, we hebben er samen het glas op geheven en van pure dronkenschap deed hij deftiger dan ooit. In het dorp noemen ze hem *le juge* en als iemand een probleem heeft, met een instantie of wat dan ook, dan komt hij langs met een goede fles wijn en gaan ze in de tuin onder een boom zitten om de zaak te bespreken en te regelen.

Het huis van de Brossards gaat helemaal schuil onder wingerdbladeren, *vigne vierge*, een wingerd die geen druiven draagt, alleen harde zaadjes; als ze laat in de zomer op de grond vallen, klinkt het als regen. (Ja, ik ken de geluiden van alle jaargetijden, zo lang ben ik al hier, een herfst, een winter, een lente, een zomer, en nu is het weer herfst en ik denk nog steeds aan je.)

Dan – we hebben pas vijftig passen gelopen, of misschien zeventig – komt het huis met de heg, de heg met het huis. Een gebouw uit de jaren zestig, niet bijzonder mooi maar ook niet bijzonder lelijk. De eigenaar – Deschamps heet hij – was in de tijd dat het werd gebouwd nog maar pas bij de gendarmerie, intussen heeft hij carrière gemaakt en is hij chef van de politiepost in Montigny, onze minimetropool. Het huis staat te dicht bij de weg, het zou naar achteren verplaatst moeten worden om er beter zicht op te krijgen, en omdat er aan de voorkant geen plaats was, hebben ze de heg naast het huis geplant, buxus, in een halve cirkel zoals langs de oprijlaan van een kasteel. Maar er is geen kasteel en geen oprijlaan, alleen die eenzame heg die hun letterlijk boven het hoofd is gegroeid, hij beneemt de ramen van de bovenverdieping het licht. Ik heb monsieur Deschamps nog nooit met een heggenschaar in de weer gezien, en ook zijn kleine, overijverige vrouw niet, maar de buxus is altijd zo perfect in vorm dat het lijkt of hij rechtstreeks uit Versailles komt. (Weet je nog?) Het is een heg waarnaast hoepelrokken uit een koets zouden moeten stappen, maar er staat geen koets, alleen een gammele kruiwagen met geraniums. Je zou lachen als je de heg zag, je wijze, stille lach die zoveel ouder is dan jij.

Dan komt de boerderij van de paardenboer, een oude, dikke man die je al van verre hoort aankomen, zijn adem reutelt bij elke stap, metalig en raspend. Als je hem groet blijft hij staan, niet uit beleefdheid, maar omdat hij graag blijft staan om naar nieuwe adem te zoeken, in hem borrelt het, de woorden zijn allang verdronken in het water waarin hij zelf ook ooit zal stikken. Ze zeggen dat hij paardenhandelaar is, maar dat is alleen nog een etiket, zoals de rechter nog altijd rechter wordt genoemd en de baanwachter nog altijd baanwachter, ook al is hier in geen dertig jaar meer een trein gestopt. Twee paarden heeft hij nog, een zwaar, traag ras, gefokt om ploegen te trekken, geduldig en volhardend; nu hebben ze de wei voor zich alleen, en de lege dagen. Als de paardenboer op de weg aan komt sjokken, wachten ze al bij het hek om zich wortels of appels te laten voeren, en als er een tractor langsrijdt, op weg naar het land, dan tillen ze hun hoofd op en snuiven.

Ze zijn net als ik overbodig geworden.

(Nee, ik wil niet klagen. Ik wil je geen huilerige brieven schrijven. Als je mijn brieven dan niet beantwoordt, wil ik me tenminste voor kunnen stellen dat je er plezier aan beleeft.)

Als je de dorpskern nadert, schuiven de huizen dichter naar elkaar toe, ze hebben zich stads uitgedost en hun tuinen achter zich verstopt, alsof ze zich schamen voor de tomatenplanten en de woekerende komkommers. Wie naar de moestuin wil, moet door de garage, die vroeger een schuur was, en voor hij weer de straat op loopt, trekt hij andere schoenen aan. De percelen lijken door steeds weer nieuwe boedelscheidingen wel een lappendeken; je kent je buren als je hier woont, je hebt al generaties lang door hun ramen in hun leven gekeken.

Ze hebben me bijvoorbeeld (dat zul je leuk vinden) verteld over een man die niet tussen twee zussen kon kiezen, hij trouwde ten slotte met de een en nam de ander ook in huis, en telkens als de ongetrouwde zwanger was, moest de getrouwde haar jurk opvullen om het kind later voor haar eigen kind te kunnen uitgeven. Het verhaal werd verteld alsof het gisteren of eergisteren was gebeurd, maar toen ik doorvroeg, bleek dat het zich in de vorige eeuw had afgespeeld. Hoe de man en zijn twee vrouwen heetten, wisten ze me niet meer te vertellen, maar het huis waar die twee bij toerbeurt hun kinderen ter wereld brachten, konden ze nog aanwijzen.

Hoewel het maar een paar passen verder is, zijn de mensen in deze huizen anders dan aan de rand van het dorp, burgerlijker, ze hebben een baan ergens in de buurt, of ze kleden zich tenminste alsof ze werk zouden hebben, als er maar werk te vinden was. 's Morgens rijden ze met hun auto weg en laten de groengelakte schuurdeur openstaan, zodat je de stapels kratten met mineraalwater en de keurig opgeruimde werkbank kunt zien, 's avonds komen ze terug, uit hun keuken komt de geur van uien en knoflook en als je later nog een keer langsloopt, flikkeren achter de ramen de tv-schermen. In dit deel van het dorp kan ik de mensen niet uit elkaar houden, ik ben er nog niet lang genoeg, ook al ben ik er al veel te lang; ik hoor er niet bij, ik heb op hun begrafenissen niet gehuild en op hun bruiloften niet de *pot de l'amitié* gedronken. Je leert de gewone mensen trouwens toch veel moeilijker kennen dan de gekke.

Jojo bijvoorbeeld, de goedmoedige dikke Jojo, die honderd of honderdtwintig kilo weegt omdat hij niet kan stoppen met eten. Je moet tegen hem zeggen: 'Jojo, je hebt genoeg gehad.' Dan kijkt hij naar het hapje dat hij in zijn hand heeft, halverwege zijn mond, heel verbaasd kijkt hij ernaar, verwijtend bijna, alsof het daar ongemerkt is terechtgekomen, en hij legt het met een haast gracieus gebaar weg. 'Ik heb daar niets mee te maken,' zegt dat gebaar, 'ik heb geen idee hoe dat heeft kunnen gebeuren.' Ook Jojo heeft zijn geschiedenis, er komt een moeder in voor die zich dood heeft gedronken, maar eigenlijk is hij zonder geschiedenis, zonder verleden en zonder toekomst, hij kent alleen het heden waarin hij van 's morgens vroeg tot 's avonds laat door het dorp loopt en door de ramen en in de tuinen kijkt. Ik weet niet eens waar hij woont. Als ergens uit een radio of een tv muziek klinkt, begint Jojo met kleine stampende pasjes te dansen. Zijn gezicht, anders altijd vol rimpels omdat het denken hem zoveel moeite kost, zijn ernstige oudemannengezicht ontspant, hij hoort iets wat niemand anders in die domme hit hoort en is gelukkig.

Twee, drie keer per dag komen we elkaar op onze wandeling tegen en we voeren altijd hetzelfde gesprek. Ik zeg 'Hallo, Jojo', hij zegt 'Hallo', ik zeg 'Mooi weertje' of 'Het is koud vandaag' of 'Zou het nog ophouden met regenen?', en hij knikt wijs en antwoordt: 'Zo hoort het te zijn, het weer, zo hoort het te zijn.' Dan gaan we ons weegs, onze wegen lijken op elkaar, want ook ik heb niets anders te doen dan bij de mensen door de ramen en in de tuinen te kijken.

Als jij hier was en Jojo gelukkig wilde maken, zou je een doosje lucifers voor hem in je tas hebben, zoals je een klontje suiker bij je hebt voor een paard. Je zou hem een lucifer laten aansteken en hij zou hem tussen zijn vingers houden, steeds weer gefascineerd door het wonder van het vuur, en hij zou hem laten opbranden en niet gaan trillen als de vlam zijn vingers bereikte.

Misschien zou op dat moment de burgemeester langskomen, zoals altijd gehaast, hij zou zijn vaderlijke burgemeestersglimlach opzetten en Jojo over zijn bol aaien, hij zou zich moeten uitrekken en in zijn pasgepoetste schoenen op zijn tenen moeten gaan staan, en Jojo zou in elkaar krimpen, hij houdt er niet van als je hem aanraakt. Onze burgemeester (merk je dat ik 'onze' schrijf, alsof ik hier thuishoor, alsof ik ergens thuishoor?), onze burgemeester – Ravallet heet hij – heeft altijd een scheerapparaat in zijn bureaula, dat heb ik al van een paar mensen gehoord; hij heeft een sterke baard, en met donkere schaduwen op zijn gezicht ziet hij eruit als op een opsporingsfoto. Als je een afspraak met hem hebt, zeggen ze in het dorp, dan hoor je in zijn kantoor altijd eerst het scheerapparaat zoemen, en als hij dan '*Entrez!*' roept en je gaat naar binnen, dan ruik je de aftershave. Hij zou jou heel beleefd begroeten, onze burgemeester, hij heeft een speciale manier van buigen, meer Duits dan Frans, hij zou je een hand geven en zich afvragen wie je zou kunnen zijn. Eén of twee dagen later zou hij dan schijnbaar toevallig bij mij informeren: 'Bevalt het uw vriendin bij ons?' Als ze in Courtillon iets willen weten, vragen ze het niet rechtstreeks, en dat is maar goed ook, want hoe zou ik hem moeten uitleggen wie jij bent en wat je voor mij betekent?

De *mairie*, waar de burgemeester spreekuur houdt – twee keer per week, telkens een halfuur, hij heeft nog andere, belangrijker functies – is geen imposant gebouw, zelfs niet als op feestdagen de beide vlaggen voor het middelste raam hangen. Om de indruk van staatsmacht wat te versterken hebben ze de contouren van reusachtige zandsteenblokken op de voorgevel geschilderd, maar dat moet alweer jaren geleden zijn; onder de afbrokkelende pleisterlaag, afgespoeld door de regen, wordt het woord *ÉCOLE* weer zichtbaar. Toen er nog geen schoolbussen waren om die paar kinderen 's ochtends op te halen en 's avonds weer af te zetten, werd hier lesgegeven.

We zijn nu in het centrum van het dorp, vijfhonderd passen van het ene einde en vijfhonderd van het andere, de straat maakt een lichte bocht en precies in het midden staat het huis van mademoiselle Millotte. Je moet je daarbij een met meubeltjes en souvenirs volgepropt poppenhuis voorstellen, met daarin een gebrekkige oude dame, een kokette bejaarde vrouw, altijd met een groot, zilveren kruis om haar hals; ze flirt met Onze-Lieve-Heer zoals ze vroeger altijd met mannen flirtte. Haar huis moet ooit de pastorie geweest zijn, het heeft een klein portiek waar vaganten en bedelaars afgescheept konden worden zonder dat ze bij het eten stoorden, en in dat portiek zit mademoiselle Millotte van 's morgens tot 's avonds, van de lente tot de winter, in haar rolstoel de boel in de gaten te houden, de halve dorpsstraat links en de halve dorpsstraat rechts. Als het koud wordt, hult ze zich in dekens en sjaals, steeds komt er eentje bij, het lijkt of er in het huis een feestje gaande is en de gasten hun jassen achteloos op de rolstoel hebben gelegd, en midden in die berg kleren loert een vogelgezichtje met levervlekken en pientere ogen.

Veel van wat ik over Courtillon en zijn bewoners weet, heeft mademoiselle Millotte me verteld; ze ziet alles en vergeet niets. Ze heeft me nauwkeurig de bontjas beschreven die een dorpsbewoonster meer dan veertig jaar geleden uit Parijs had meegebracht en bij het zien waarvan haar meteen duidelijk was geweest dat dat slecht zou aflopen. 'Je draagt hier in het dorp geen bontjas, dat kunt u niet weten, monsieur, u bent hier niet geboren. Als je op een kantoor werkt, kun je je ook geen bontjas permitteren, zelfs in Parijs niet, je kon je wel voorstellen hoe ze eraan gekomen was, en toen ze met die man trouwde – hij was vrachtwagenchauffeur en veel onderweg – heeft ze hem natuurlijk bedrogen, tot hij een keer onverwachts thuiskwam. Het was een trieste geschiedenis, ze wilde de bontjas verkopen om de dokter te betalen en toen

13

bleek dat hij van inferieure kwaliteit was, samengesteld uit allemaal kleine stukjes.'

Het is niet de roddel die haar in leven houdt, daar zou ze afstand van kunnen doen, ongaarne, maar toch, zoals ze ook afstand heeft leren doen van het lopen en van zoetigheid, waar ze niet meer tegen kan. Maar haar wereld moet ordelijk zijn, overzichtelijk zoals de dorpsstraat: niet schoon, maar in elk opzicht verklaarbaar. Het stoort haar als iets onlogisch is, als het niet is zoals het zou moeten zijn, dan zit ze ermee te spelen zoals je met je tong met een loszittende tand speelt, dagenlang, ze denkt na, combineert en wordt weer een paar jaar jonger.

Wat zou ze denken als ze ons tweeën samen zag? Mij heeft ze in het systeem van het dorp opgenomen: ongehuwd, om gezondheidsredenen met vervroegd pensioen, iemand die zich heeft teruggetrokken in Frankrijk omdat het leven er goedkoper is – dat past allemaal bij elkaar. Maar als jij plotseling hier was (o, was je maar hier!), als we vriendelijk groetend langs haar uitkijkpost liepen, als we misschien zelfs bleven staan om de voorgevel van de naast haar huis gelegen kerk te bekijken – dat zou een raadsel zijn, dat zou zelfs mademoiselle Millotte niet kunnen doorgronden. Ik doorgrond het zelf niet eens, terwijl ik het heb beleefd.

Misschien zouden we ook niet voor de kerk blijven staan; die is niet de moeite van het bekijken waard, niet vanbuiten en niet vanbinnen. De grijze, brokkelige steen waarvan hier zoveel is gebouwd, verliest met de jaren zijn glans, zoals sommige mensen wel ouder worden, maar niet wijzer. Het patroon van de verschillend gekleurde dakpannen is rafelig en vertoont gaten; ze hebben na een storm niet de moeite genomen om naar de juiste pannen te zoeken.

De deur van de kerk is door de week op slot sinds een heimelijke bezoeker van *De Moeder Gods in het bos* op het grote schilderij een elegant opgekrulde snor heeft aangebracht, met een spuitbus. Men vermoedt de daders twee dorpen verderop, in Saint-Loup, waar een opvoedingsgesticht is voor minderjarige delinquenten die elke diefstal en elke lekke band in de regio in de schoenen geschoven krijgen. Ze komen uit de voorsteden van Parijs, de *quartiers chauds*, en als iemand daarvandaan komt, aldus de stem van het volk, dan kun je alles van hem verwachten. Bij de mis – slechts om de zes weken, de pastoor heeft zes dorpen onder zijn hoede en komt niet vaker naar Courtillon – staan er nu altijd bloemen voor het Mariaportret, strategisch neergezet, maar de kinderen zitten toch te giechelen, vooral omdat op het schilderij twee engelen een banderol dragen waarop staat: DOOR GEEN MAN AANGERAAKT, HAAR LEVEN LANG.

Ik ga niet naar de mis, maar in Courtillon weet je ook de dingen waar je zelf niet bij bent geweest.

Voor de kerk staat het oorlogsmonument, met namen die je in het dorp nog steeds hoort, er is een Millotte bij en een Brossard. Eén naam, Orchampt, komt zelfs twee keer voor: één keer boven op de steen, waar de gevallenen uit de Eerste Wereldoorlog veel plaats hebben, en één keer beneden op de sokkel, waar de later toegevoegde slachtoffers uit de Tweede Wereldoorlog elkaar verdringen.

Als we verder liepen, de tweede helft van de duizend passen, dan zou eerst het nieuwe huis je opvallen, het enige in het dorp, een prefabhuis uit een catalogus, waar het *rustique* of *champêtre* genoemd moet zijn. Met zijn houten bovendorpels staat het tussen zijn stenen buren als een stedeling die in de vakantie een Tiroler hoed opzet. Het is van Bertrand, die zijn geluk beproeft als wijnhandelaar, nadat hij zoals bijna iedereen in het dorp zijn geërfde akkers heeft verpacht aan de jonge Simonin, de zoon van de oude Simonin, die hier recht tegenover woont. De allerlaatste zelf binnengehaalde balen hooi hebben in de schuur van Bertrand vlam gevat en de boerderij in de as gelegd, zodat de verzekering een nieuw huis voor hem moest betalen, een degelijk en proper wijnhuis. Er is me verteld dat Jojo de hele nacht voor de plaats van de brand heeft gestaan, verbaasd en stralend en van het ene been op het andere springend, en tegen Bertrand heeft hij gezegd:

'Wat een mooi vuur, wat een mooi vuur, u bent een bofkont!'
Hij moet vreselijk geschrokken zijn toen de omstanders allemaal hard begonnen te lachen.

Simonin, die ze de oude Simonin noemen, hoewel hij nog
geen zestig is, heeft aan de overkant van de straat de mooiste
tuin die je je kunt voorstellen, een vuurwerk van dahlia's en
rozen die nooit lijken te verwelken. Hij heeft ruzie met zijn
zoon, die de landbouw bedrijft als industrie, met steeds meer
gepachte grond en steeds zwaardere machines. Hij komt niet
meer in de stal en gaat niet meer naar het land en al zijn over-
tollige boerenenergie, die hem om vijf uur uit bed jaagt en na
het invallen van de duisternis nog lang niet tot rust laat komen, steekt hij nu in zijn bloemen en zijn struiken. Als je
langsloopt is hij altijd aan het wieden of spitten, met emmers
tegelijk zeult hij mest naar zijn perken, elke perfecte bloem is
een argument temeer tegen zijn zoon, die alles beter weet en
niet meer naar zijn vader wil luisteren. Terwijl ik niet eens
zeker weet of Simonin wel van bloemen houdt; als je er met
hem over wilt praten, reageert hij kortaf en geïrriteerd.

Zijn vrouw (bij wie je de sleutel van de kerk zou kunnen
halen als je Maria met haar snor wilde zien) heeft in de tuin
niets te zoeken en ook in de stal is ze niet meer welkom. Ze is
in een oorlog tussen twee koppige mannen tussen de fronten
geraakt, en nu lacht ze altijd, zodat je niet merkt hoe ongelukkig ze is.

Meteen na Simonin is er een afslag naar rechts, ja, we hebben twee straten in Courtillon. Van de Grande rue kom je in
de Rue de la gare, waaraan maar twee gebouwen staan, de
koeienstal van de jonge Simonin en het oude station. We kunnen ons het uitstapje besparen; de koeienstal is niet meer dan
een rechthoekige, geprefabriceerde lelijke kast, die als nieuw-
bouw al verweerd is en waarvoor, zo zeggen ze in het dorp, de
jonge Simonin zich tot over zijn oren in de schulden heeft
gestoken. Om de rente te kunnen betalen moet hij te veel
koeien houden, en als hij ze elke dag tegen vijven voert, trekt
er een wolk van kuilvoerlucht over het dorp.

Het stationnetje zou interessanter zijn. Het lijkt wel of het is nagetekend uit een oud beeldwoordenboek, trefwoord 'station', compleet met hoofdgebouw, lokettenhal en zijvleugel, maar allemaal ineengeschrompeld tot dorpsmaten, niet groter dan een eengezinshuis. Vroeger stopte hier ook echt een trein, twee keer per dag, één naar de stad en één vanuit de stad, later ratelden er nog goederentreinen langs, de baanwachter kon dan zijn dienstpet opzetten en de slagboom dichtdoen. Daarna is het traject stilgelegd, voorlopig, naar het heet, maar niets is zo definitief als voorlopige oplossingen.

Charbonnier, de baanwachter, woont er nog steeds, nu als huurder, met zijn vrouw die ze *greluche* noemen. Ik dacht eerst dat het haar naam was, maar het moet een scheldwoord zijn als ik het ook in mijn woordenboekje niet kan vinden. Ze hebben een dochter van een jaar of vijftien, zestien, altijd met een sigaret tussen haar lippen en met het gezicht van een engel.

Laten we de Rue de la gare maar overslaan, hij is modderig, ook met droog weer, dat komt door de zware machines die de jonge Simonin met zijn tractor naar het land rijdt. Als hij bij het stationnetje over de rails hobbelt, hoor je het gerammel tot bij mij. Want nu komt mijn huis.

Mijn huis.

Het ziet er niet zo uit als ik het je heb beschreven. Het zou er zo uit moeten zien, het had er zo uit kunnen zien als ik de tijd had gehad die ze me hebben afgepakt, die ze me niet meer hebben gegund. Ik wilde het verbouwen, eigenhandig (ik weet dat ik onpraktisch ben, iemand die liever met zijn hoofd werkt, maar je kunt alles leren, je kunt veranderen, geloof me). Ik heb boeken gekocht en tekeningen gemaakt, ik ben zelfs begonnen met het grove werk dat iedereen kan doen. Ik heb een tussenmuur gesloopt, echt met de voorhamer, je zou gelachen hebben als je me had gezien (o, die lach van jou!). Met ontbloot bovenlichaam stond ik daar, een theedoek voor mijn gezicht tegen het stof, grijs gepoederd, een tengere Hercules. Ik heb een begin gemaakt, het was voorjaar, het laatste voorjaar waarin de wereld nog in orde was, het voorjaar voor de zomer waarin is gebeurd wat er is gebeurd.

Het moest een groot, licht vertrek worden, ook een terras had ik gepland, aan de kant van de tuin, nu zijn er alleen twee kamers met een gat ertussen. Door het plastic dat ik heb opgehangen en nooit goed heb vastgemaakt, zie je de kleine stenen, voor een deel gewoon kiezels, waaruit de muur destijds is opgetrokken, niet de bewerkte stenen van de rijken, maar een armeluismuur, je gebruikt wat je hebt. Waar de terrasdeur moest komen – zonlicht had ik me voorgesteld, en de geur van pasgemaaid gras – is alleen een klein raam, dat ik zelden openzet. Ik heb geen uitzicht nodig.

Het huis past bij me. Niet alleen omdat het vergeelde behang van de muur bladdert, de ene herinneringslaag na de andere, maar ook omdat het niet af is. Het is stil blijven staan, midden in de verandering, halverwege het weer-nieuw-worden, het is niet meer wat het was en het zal nooit worden wat het had kúnnen worden. Niet zonder jou.

Laten we het huis voorbijlopen en doen of we de man niet kennen die er huist, het is niet de moeite waard hem te leren kennen, niet meer. Laat hem een vreemdeling zijn, elk dorp heeft zijn vreemdeling nodig van wie je niets weet en niets wílt weten, kijk langs hem heen als hij in zijn ren heen en weer klost, duizend passen heen en duizend passen terug, luister niet als hij met Jojo en met mademoiselle Millotte praat, eindeloze gesprekken van mensen die niets te vertellen hebben. Vergeet hem.

Maar vergeet mij niet. Alsjeblieft.

Het volgende huis – vanuit mijn slaapkamer kun je op zijn erf kijken – is van Jean Perrin, die door iedereen *Saint Jean* wordt genoemd omdat hij geboren is op 24 juni, op Sint-Jan. Hij zou het je zelf vertellen, meteen bij de eerste ontmoeting. Je zou de gepaste verbazing moeten tonen en dan zou hij zeggen: 'Ik moest een van de langste dagen van het jaar uitkiezen omdat ik altijd zoveel te doen heb.' Als hij lacht, is hij net een schooljongen.

Mijn buurman Jean heeft geen beroep, maar tal van bezigheden. Hij danst – in zijn geval mag je dat letterlijk opvatten – op alle bruiloften. Als er een tuin moet worden omgespit of een muur gestuukt, als er een fruitboom moet worden gesnoeid of een grasmaaier weer aan de praat gebracht, dan bel je Jean op, of nog beter: je wacht gewoon tot je hem in het dorp tegenkomt, dat kan niet lang duren. Jean neemt geen opdrachten aan, hij bewijst alleen diensten, ten eerste omdat hij een behulpzaam mens is en ten tweede vanwege de belasting. Je betaalt hem *en espèces*, handje contantje, maar belangrijker dan het geld is voor hem het glas dat je naderhand met hem drinkt, of de glazen, het blijft meestal niet bij één.

Zijn huis is alles wat het mijne nooit zal worden, een door hemzelf opgeknapt prachtstuk, waarin elke balk een geschiedenis en elk meubelstuk een stamboom heeft; als hij erover begint te vertellen, kreunt zijn vrouw. Toen hij het elf jaar geleden kocht, was het een ruïne; hoe vaker hij erover vertelt, hoe bouwvalliger het wordt. Hij heeft een hele doos met foto's – van het dak met de grote gaten, van het overwoekerde erf – die hij samen met de zelfgestookte mirabellenbrandewijn vaak op tafel zet, en dan weet ik dat het laat wordt.

'Vijf ton stenen heb ik uit mijn huis gesleept, emmer voor emmer, met mijn eigen handen.' Hij zegt het alsof hij de stenen stuk voor stuk heeft gewogen. Die vijf ton is voor hem een magisch getal waarmee hij alles bewijst. 'Of ik een centrale verwarming kan repareren? Vijf ton stenen heb ik uit mijn huis gesleept, en dan zou ik bang zijn voor een centrale verwarming?'

Hij verzamelt alles wat er maar te verzamelen valt, niet uit antiquarische belangstelling, maar om het weer te gebruiken, het in zijn huis in te lijven. Zelfs zijn gereedschap – hij heeft het me een keer vol trots laten zien – hangt niet gewoon aan haken, maar aan met de hand gesmede ringen, waaraan in een allang afgebroken stal ooit koeien waren vastgebonden. Zijn hout, genoeg voor drie winters, zelfs koude winters, heeft hij zorgvuldig gestapeld, de keurig gezaagde uiteinden lijken wel gepolijst. Hij vindt het leuk om de kneepjes van oude ambachtslieden te ontdekken, zich hun technieken eigen te maken, met hen te praten over de eeuwen heen. Toen hij een keer een mozaïek vond, heeft hij niet gerust voor hij er zelf een had gemaakt, van kleurige stenen die hier niet te vinden zijn maar die hij toch heeft gevonden. Hij denkt altijd praktisch, de heilige Jan, en daarom is zijn mozaïek niet gewoon een mooie wandversiering geworden, maar een naambordje, het fraaiste van het hele dorp: M. ET MME. PERRIN ET LEUR FILLE ELODIE. Madame Perrin, Geneviève, zegt maar weinig, het is niet duidelijk of dat eigen keus is of gebrek aan gelegenheid. De zorgen die haar man zich niet maakt, staan in haar gezicht gegrift. Als ze aan het rekenen slaat, en dat doet ze vaak, neemt ze haar onderlip tussen haar tanden en begint erop te kauwen. Van een van haar snijtanden is een hoekje afgebroken, maar tandartsen zijn duur en er zijn urgenter zaken. Ik weet niet of haar man haar vanwege die tand 'mon lapin' noemt of vanwege haar rode ogen, een chronische ontsteking, het lijkt of ze altijd huilt. Het weinige geld dat regelmatig binnenkomt, wordt verdiend door Geneviève, ze rijdt met de schoolbus, staat elke morgen om vijf uur op om door de dorpen te hobbelen. Aan tafel valt ze daarom af en toe in slaap als Jean en ik het laat maken; dat gebeurt de laatste tijd nogal eens, want de avonden worden alweer langer en hij is blij dat hij iemand heeft gevonden die het verhaal van de relmuizenval nog niet kent, en ook niet dat van de Romeinse munt die hij met de metaaldetector heeft gevonden op een plek waar je niet mag graven, 'eigenlijk zouden er archeologen komen, maar toen was in Parijs het geld weer eens op'.

De twaalfjarige Elodie is het meest welopgevoede meisje dat ik ken, ze begroet je op commando met een kusje links en een kusje rechts, ze vraagt om toestemming als ze van tafel wil, haar rapporten zijn om in te lijsten zo goed. Toch heeft Elodie niets streberigs, ze lacht je toe en soms ook uit, en als zij en haar beste vriendin aan het giechelen slaan, komt ze niet meer bij. Ik heb bij haar altijd het vreemde gevoel (jij kunt dat begrijpen, niemand beter dan jij) dat ze eigenlijk allang volwassen is en alleen maar voor kind speelt om haar ouders een plezier te doen; ze doen zo hun best met opvoeden, waarom zou je hun dat plezier dan niet gunnen?

Ik heb te lang zitten kletsen bij de Perrins, dat gebeurt meestal; wie bij Jean eenmaal aan tafel zit, staat niet zo gauw meer op.

Maar ik heb je nog niet mijn hele wereld laten zien, je hebt het huis van de generaal nog niet gezien, die natuurlijk geen generaal was, die niet eens een uniform had, pas na de oorlog hebben ze hem er een gegeven. Hij heeft zich alleen als heel jonge vent met een geweer in de bossen verstopt, een guerrillero zo je wilt, in de tijd van de *maquis*, maar volgens de legende heeft hij in z'n eentje de Duitse bezetters verdreven en eigenhandig de wereldoorlog gewonnen. Misschien was hij echt ooit een held, het lintje van het Legioen van Eer is hem verleend, maar nu is hij alleen nog een oude man met een vreemd gezicht, die steeds meer moeite heeft zijn rug op militaire wijze recht te houden, secretaris van een oud-strijdersvereniging, die steeds minder leden telt. Zijn huis is het laatste in de straat, daarna komt alleen nog het kerkhof. Voor de generaal – monsieur Belpoix heet hij – is dat huis een fort, een laatste voorpost van de beschaving, die hij moet verdedigen tegen de aanstormende Hunnen. Soms, als hij 's nachts iets hoort, buiten op straat of binnen in zijn dromen, pakt hij zijn geweer en begint te schieten. De volgende dag komt gendarme Deschamps of de burgemeester dan langs, ze praten beleefd en verstandig met hem, maar ze pakken zijn geweer niet af, geen van zijn vele geweren, hij heeft nog nooit iemand een haar gekrenkt en meestal raakt hij alleen de muur rond het kerkhof.

Hier in de buurt begraven ze de doden aan de rand van het dorp, half erbinnen, half erbuiten, je wordt door het verleden begroet en uitgeleide gedaan. Het stenen kruis voor de ingang, dat geschonken is door de overlevenden van een cholera-epidemie, ligt in het gras. Er wordt gefluisterd dat de jonge

Simonin het met een van zijn machines omver heeft gereden.

Ja, en dan komt alleen nog de wei, daar waar de rivier het dichtst bij het dorp ligt, waar we zouden kunnen zwemmem, jij en ik (net als destijds, toen we elkaar aan het meer ontmoetten, 's nachts om twee uur was het nog warm en je lichaam glansde). Waarschijnlijk zouden we de oever voor onszelf hebben, alleen in de zomer staan hier weleens caravans, vlak voor het bord STATIONNEMENT INTERDIT AUX GENS DU VOYAGE, maar anders is er alleen de wei waar in de Sint-Jansnacht het vuur brandt, en de weg die doodloopt in het veld. In de sporen van de tractorwielen staat water, er zwemmen flitsende larfjes in, misschien zouden ze de rivier nodig hebben om in leven te blijven, de vrije weg naar zee, maar ze weten het niet, ze weten niet dat ze opgesloten zitten in een kleine plas, die op een gegeven moment zal opdrogen en verdwijnen.

Je wilt iets grappigs horen? De volgende keer, dat beloof ik. De volgende keer.

*B*estaat er iets grappigers dan nieuwsgierigheid? Zijn we niet allemaal voyeurs, geboren om te zien, geroepen om te kijken? Wat is er aantrekkelijker dan andermans leven, bespied door het gordijn? (Je eigen leven? Misschien. Als je een eigen leven hebt.) Er is iets aan de hand in Courtillon, de beer is los, hier valt iets te beleven, komt dat zien, dames en heren, komt dat zien! Geneviève praat niet meer met Jean. Ze verbergt haar ogen achter een zonnebril, maar daarmee kan ze niemand om de tuin leiden, zeker mademoiselle Millotte niet. 'Even na zessen kwam ze hier op de fiets langs, zoals elke ochtend, ze moet immers de bus ophalen in Montigny. Het zou praktischer zijn als ze dichter bij de garage woonde, maar ze zal al blij zijn dat ze werk heeft, na de oorlog had iedereen werk, maar om alleen daarom oorlog te voeren? Wat vindt u, monsieur?' De oude dame verdwaalt in haar gedachten, zoals ik zou verdwalen in haar huis, waar elke hoek volgepropt is met souvenirs, als je er één in je hand neemt, vallen er twintig je kant op. Je moet haar weer naar het begin lokken, onopvallend, tot ze terugtrippelt door haar labyrint en de draad weer oppakt.

'Geneviève?' herinner ik haar. 'Vanmorgen? Op de fiets?'

'U maakt me in de war,' zegt mademoiselle verwijtend, 'omdat u me telkens in de rede valt. Ze droeg een zonnebril, even na zessen, als de zon nog helemaal niet schijnt. De dokter heeft haar altijd al aangeraden donkere glazen te dragen, vanwege haar oogontsteking, ze heeft ook een bril gekocht, maar die gebruikt ze nooit omdat ze ijdel is. Vrouwen die maar een beetje knap zijn, zijn vaak ijdel. En nu zet ze hem ineens op, terwijl de zon niet schijnt. Dus heeft ze gehuild.'

Haar conclusie verrast me, maar voor mademoiselle is de zaak duidelijk, overal is een verklaring voor, uit B volgt C en nu gaat het er alleen nog om A te vinden. 'Het heeft iets te maken met haar man, dat is duidelijk, ze zullen ruzie gehad hebben, ik kan me wel voorstellen waarom. Hoewel ik eigenlijk denk dat hij dat niet nog eens zal wagen, hij is veel te bang dat ze weg zal lopen en het kind mee zal nemen. Ze wilde al een keer eerder bij hem weg, toen was u nog niet hier, heb ik u dat verhaal nooit verteld?'

Nee, ik verveel me niet in Courtillon. Hoe zou ik me kunnen vervelen op een plek met oude verhalen, nieuwe geruchten en elke ochtend de bakkerswagen? Je wilt iets grappigs horen? Hier komt iets grappigs: 'De heilige Jan,' zegt mademoiselle Millotte, die zichtbaar jonger wordt, 'heeft vier jaar geleden een verhouding gehad met de vrouw van de baanwachter. Het kan ook vijf jaar geleden zijn, dat haal je door elkaar als je ouder wordt, maar het was beslist vroeg in het jaar, want hij heeft de bomen voor haar gesnoeid en dat moet gebeuren voor ze beginnen uit te lopen. Het was dus nog fris buiten, hij zal koude handen gehad hebben bij het werk, en naderhand zat hij bij madame Charbonnier in de keuken om zich te warmen, bij een kop koffie of iets sterkers.'

Mademoiselle Millotte vertelt het alsof ze erbij is geweest, je ruikt de koffie en hoort het hout in de haard knappen, terwijl ze toen vast ook al in haar uitkijkpost zat, als een berg kleren op een rolstoel, en alles alleen maar in elkaar heeft gezet op basis van een kleine aanwijzing hier en een kleine aanduiding daar. Jean, zo stelt ze zich voor, zal een lange voordracht hebben gehouden over de kunst van het bomen snoeien – dat kun je je wel indenken: als hij iets goed kan, wil hij er ook over vertellen, en hij kan alles goed –, mademoiselle Charbonnier zal naar hem hebben geluisterd met een strakke, ongeïnteresseerde blik, maar hij had haar een plezier gedaan, dus moest ze ten minste belangstelling veinzen, en daarna zal Jean het gesprek op de betaling hebben gebracht, heel onopvallend, zoals hij altijd denkt. Ook dat is aannemelijk, Jean denkt veel aan geld, maar het kost hem moeite erover te praten. Toen de kraaien een nest in mijn schoorsteen hadden gemaakt en hij op het dak moest klimmen om de pijp weer leeg te halen, heeft het weken geduurd voor ik hem zo ver had dat hij een prijs noemde. Die twee zaten dus in de keuken. Zie je het voor je: Jean met zijn schooljongensgezicht, rood van de kou buiten en van de tweede borrel en van de derde, en madame Charbonnier, een jaar of tien ouder dan hij, ze moet destijds rond de veertig geweest zijn, een verwelkte blondine. Misschien droeg ze zo'n huisjapon waarin ik de vrouwen altijd bij de bakkerswagen zie staan, gebloemd en met knopen van voren.

'Ze had geen geld, de Charbonniers hebben nooit geld,' zegt mademoiselle Millotte beslist, 'ze kunnen er niet mee omgaan, maar haar bomen had hij gesnoeid, dus heeft ze hem op een andere manier betaald, *en espèces.*' De oude dame kijkt me onderzoekend aan of ik als buitenlander de dubbelzinnigheid wel begrijp, ze giechelt zoals dames vroeger waarschijnlijk giechelden bij zulke onderwerpen, met haar hand voor haar mond, ze verslikt zich en moet hoesten, tot ze ten slotte onder de wollen deken haar fles vindt, een gele plastic fles zoals toerfietsers bij zich hebben, ze neemt een grote slok en langzaam wordt haar ademhaling weer rustiger.

Hij heeft dus met haar geslapen, misschien in het echtelijk bed, waar de lakens nog warm waren van de nacht, of misschien ook wel op de bank in de woonkamer (ik ken de woonkamer van de Charbonniers niet, maar ze zien er hier allemaal hetzelfde uit, te zware meubels en een bank met sierkleedjes). Misschien heeft hij erbij gepraat, hij moet altijd commentaar leveren op wat hij doet, misschien deed hij ook dingen met zijn mond, hoewel ik me niet kan voorstellen hoe hij kust, ik kan me hem absoluut niet teder voorstellen en zeker niet met een broek die nog op zijn enkels hangt. Het zal een vluggertje geweest zijn, een vraag, een antwoord, zoals je een borrel aanneemt: waarom niet, als er een wordt aangeboden. *'Prendre le café du pauvre'* noemen ze hier een vluggertje, een overtuigende uitdrukking, de koffie zou je moeten kopen, maar een jurk en een gulp hoef je alleen los te knopen. Hij is naar mijn idee geen romantisch type, mijn buurman Jean, hij heeft een buikje dat weldra een buik zal zijn, zijn handen zijn ruw, en wie zijn eigen vrouw '*mon lapin*' noemt, is een rammelaar, geen minnaar.

(Alsof ik niet weet dat iedereen een minnaar kan worden, iedereen die bemint, al is het uitzichtloos, al maakt hij zich belachelijk, al weet hij dat er een eind aan zal komen, dat er een eind aan móét komen. Alsof ik dat niet weet.)

Ze betaalde dus, *en espèces*, en daarmee had de zaak afgedaan kunnen zijn, de bomen waren gesnoeid en de jurk was weer dichtgeknoopt, maar toen moest er ook nog hout worden gehakt, een kelder leeggehaald, weet ik veel, en Jean, die geen nee kan zeggen als je hem iets vraagt, is steeds weer naar haar toe gegaan, heeft het werk gedaan en de betaling geïnd. *En espèces*. Zo vertelt mademoiselle Millotte het, en het zal wel waar zijn, want wat daarna gebeurde, heeft het hele dorp gehoord, direct of indirect.

Hoe zijn vrouw erachter is gekomen, weet niemand, maar dat speelt ook geen rol, in een dorp kun je niets geheimhouden, niet op de lange duur. Vaststaat dat de zwijgzame Geneviève opeens woorden vond – 'Uitdrukkingen waarvan ik dacht dat ze die niet eens kende,' zegt mademoiselle Millotte alweer giechelend –, dat ze luidkeels en in het openbaar tegen haar man stond te schreeuwen, dat ze zijn gereedschap uit het raam smeet, stuk voor stuk. Wat dat betekent, kun je alleen begrijpen als je weet hoeveel Jean van zijn gereedschap houdt; als hij het na het werk schoonmaakt, lijkt het wel of hij het streelt.

Je moet je die scène eens voorstellen (je wilde toch grappige dingen horen): Jean, die met zijn korte beentjes over het erf heen en weer rent, doelloos en opgewonden, als een herdershond waarnaar de schapen opeens niet meer luisteren, hij probeert te sussen, te argumenteren, en midden in zijn uitvluchten komt er steeds weer een moersleutel of een waterpas aangevlogen. Een mooi beeld, vind je niet?

Madame Dubois, van wie ik mijn huis heb gekocht en die destijds dus nog de buurvrouw van de Perrins was, heeft de ruzie met eigen ogen gezien en mademoiselle Millotte tot in de kleinste details verslag uitgebracht. Ze heeft ook gehoord hoe Geneviève dreigde bij haar man weg te gaan en Elodie mee te nemen; een gevaarlijk dreigement, want Jean houdt meer van zijn dochter dan van wie ook.

'Weet u waarom Geneviève zo woedend was, monsieur?' vraagt mademoiselle met de wijsheid van haar jaren. 'Niet omdat hij met een ander naar bed is geweest, daar moet je altijd rekening mee houden, mannen zijn mannen, maar omdat die ander ouder was en niet eens aantrekkelijk, *une greluche.*' (Ik heb mijn dikke woordenboek uit de bananendoos gevist waar het al een jaar op de nooit gebouwde boekenkast wacht. '*Greluche*' betekent gewoon 'mokkel'.) 'Misschien is hij weer iets met haar begonnen, haar man interesseert zich alleen voor hengelen, 's morgens vroeg zit hij al bij de rivier, waar hij karpers vangt, kilo's zware karpers, je kunt ze niet meer eten als ze eenmaal zo groot zijn, hij weegt ze alleen en gooit ze dan weer in het water, het gaat hem om het vangen, dat is het enige waar het hem op aankomt; hij is een man.' Is ze weer in haar gedachten verdwaald of is ze bij het onderwerp gebleven?

Destijds heeft Geneviève een scène gemaakt, deze keer zwijgt ze. Ze verbergt haar betraande ogen achter een zonnebril, rijdt zoals elke dag met haar bus en als ze iemand tegenkomt denk ik dat ze zal proberen te doen alsof er niets aan de hand is. Ja, ik heb haar nieuwsgierig opgewacht (lach me maar uit als je wilt, dan lach je tenminste), ik heb op straat rondgehangen, ik heb mijn tuinhek af staan krabben, dat begint te verrotten omdat het zo lang niet is geverfd, ik heb de indruk proberen te wekken dat ik het druk had, maar de eerste die langskwam was niet Geneviève, het was madame Charbonnier, het mokkel.

Ze had een emmer bij zich, waarschijnlijk wilde ze bramen gaan plukken – op de plek waar de weg naar de rivier in de struiken doodloopt, groeien er veel –, we hebben elkaar ge-groet zoals je dat hier in het dorp doet als je elkaar alleen van gezicht kent, 'Bonjour, madame', 'Bonjour monsieur', en ik heb een verrassende ontdekking gedaan: mensen veranderen als je weet met wie ze naar bed geweest zijn. Gisteren had ik ma-dame Charbonnier nog niet kunnen beschrijven, ze had niets opvallends voor me, vandaag meen ik iets uitdagends in haar blik te bespeuren, je vindt wat je zoekt. Ze is blond, van dat heel lichte blond dat niet geverfd lijkt, al heb ik geen verstand van dat soort dingen, haar haren heeft ze in haar nek samen-gebonden, slordig, alsof ze net uit bed komt. (Ze komt natuur-lijk niet uit bed om deze tijd, het is middag en ik maak me belachelijk. Maar waarom moet ik me tegenover jou anders voordoen, jij kent me beter dan ik mezelf ken.) Ze draagt een spijkerbroek en een trui, praktische kleren voor stekelige braamranken, maar ook kleren die haar vormen accentueren, weelderige vormen. Op haar twintigste moet ze onweerstaan-baar geweest zijn en op haar dertigste een schoonheid. Nu is ze midden veertig, onder het lopen tekenen haar billen zich af in haar broek en ik vraag me af of ze met Jean weer de koffie van de armen heeft gedronken.

Ik krab verder aan mijn tuinhek en doe net of ik het druk heb (o, ik heb heel goed leren doen of ik het druk heb), van geveinsde concentratie kijk ik niet eens op als er voetstappen naderen. Ik heb u helemaal niet aan horen komen, wil ik zeg-gen, ik wil onverwacht voor Geneviève opduiken en van heel dichtbij vaststellen of er inderdaad tranen achter de zonnebril zitten, maar dan is het niet Geneviève, het is de kleine Elodie, die zegt: 'Volgens mij hebt u me helemaal niet aan horen ko-men.'

Ze zet haar schooltas neer, een zwaar ding van kaal leer dat haar vader ergens heeft meegenomen en van een nieuw hand-vat heeft voorzien, een tas voor een deurwaarder, niet voor een schoolmeisje. Ze slaat haar armen over elkaar zoals de huisvrouwen hier doen als ze van plan zijn een praatje te ma-ken, ze glimlacht haar beste, al bijna volwassen glimlach en vraagt met een nauwelijks merkbare, ironische ondertoon: 'Hoe gaat het met u?'

'En met jullie?' vraag ik op mijn beurt. 'Hoe gaat het met je ouders?' Onschuldig heen-en-weergepraat, dat me echter in de gelegenheid stelt naar mijn onderwerp toe te werken. 'Geneviève is een beetje moe de laatste tijd, of lijkt dat maar zo?' Ik schaam me niet om een meisje van twaalf over haar ouders uit te horen; de nieuwsgierigheid is sterker, de belustheid op iets nieuws, eindelijk iets nieuws in deze gekmakende, gave wereld, waar nooit iets verandert.

Maar Elodie kent het spelletje ook, ze is me daarin de baas (zoals jij me de baas was, vanaf de eerste blik die we wisselden), ze doet gewoon of ze de vraag niet heeft gehoord en begint te vertellen over haar gymleraar die iedereen het hoogste cijfer heeft beloofd, *vingt sur vingt*, die voor het eind van het schooljaar een salto kan maken. Ze is vastbesloten hem aan zijn woord te houden, haar goede gemiddelde nog te verbeteren, en ze laat me, onbekommerd of berekenend, zien wat ze al kan: een handstandoverslag. Even staat ze op haar hoofd, haar voeten lijken houvast te zoeken in de lucht, dan ligt ze lachend op haar rug, met omhooggeschoven rok, ze heeft dunne, stakerige meisjesbenen, een rups die binnenkort een vlinder zal zijn. Ze steekt haar hand uit om zich door mij omhoog te laten trekken en dan zegt ze, als een laat antwoord op mijn onuitgesproken vraag: 'Ik moet die salto gewoon voor elkaar krijgen. Mijn ouders maken veel minder ruzie als ik goede cijfers heb.'

Toen Geneviève eindelijk thuiskwam, had ik zo lang aan mijn hek staan krabben dat de grond met verfschilfers bezaaid lag als met witte bloemblaadjes. Ik zag haar van verre aankomen, met haar fiets aan de hand en aan haar stuur twee grote plastic tassen, ik had dus genoeg tijd om te bedenken hoe ik haar handig en onopvallend kon uithoren. Ik weet niet of het me gelukt zou zijn, want elke tactiek bleek overbodig. Even sterk als de behoefte op andermans leven te parasiteren is de drang zelf je hart uit te storten en van anderen de bevestiging te krijgen dat je eigen verdriet geen gewoon verdriet is, maar iets heel bijzonders, iets unieks. Jij wilt toch zo graag lachen: lach er dan om dat het liefdeloos aan de lopende band geponste massaproduct mens niets belangrijkers kent dan onafgebroken en steeds opnieuw zijn individualiteit te benadrukken.

'Hebt u even tijd voor me?' vroeg Geneviève. 'Ik zou u graag om raad vragen.'

We zaten in mijn keuken, ze negeerde beleefd de vuile borden en de aangekoekte pannen; nee, ze had net koffiegedronken en hoefde niets, ze dacht even na hoe ze moest beginnen en zei toen onverwachts: 'Ze schrijven elkaar brieven.'

Ze hoefde geen namen te noemen. In Courtillon gaan ze ervan uit dat iedereen alles van iedereen weet, dat iemand me het verhaal over de heilige Jan en het mokkel dus al wel verteld zou hebben. 'Destijds heb ik hem vergeven,' zei Geneviève, 'omdat hij heeft gezworen dat het zomaar gebeurde, blindelings, *à corps perdu*. Je kunt een keer de weg kwijtraken,' – hier sprak de buschauffeur – 'maar één keer en nooit meer, dat heeft hij me plechtig beloofd. En nu heb ik die brieven gevonden, een hele doos vol brieven die ze hem heeft geschreven, niet vijf jaar geleden, maar onafgebroken, tot op de dag van vandaag. Jean zweert dat hij nooit heeft geantwoord, maar dat geloof ik niet, je schrijft niet steeds nieuwe brieven als je geen antwoord krijgt, wat vindt u?'

Jij wilde iets grappigs horen? Hier heb je ironie, zo scherp als een mes. Wat moest ik zeggen? Dat ik een specialist ben in onbeantwoorde brieven? Dat iemand niet ophoudt met schreeuwen, alleen omdat niemand hem hoort? Dat het leven niet logisch is en de mens niet verstandig? Ik kon alleen maar schijnbaar nadenkend knikken, een geïnteresseerd gezicht trekken, mijn overhoor- en uitvraaggezicht dat de ander aanspoort om verder te praten. (Jij hebt je ooit beklaagd over die truc, weet je nog? Je ergerde je omdat hij zo doorzichtig is en toch steeds weer werkt.)

Geneviève kauwde op haar onderlip, op het kleine litteken

waar de rand van de afgebroken snijtand steeds weer in de huid dringt, ze wreef in haar ogen – geen tranen, mademoiselle Millotte, het was die chronische ontsteking – en vertelde. 'Het zijn liefdesbrieven, echte liefdesbrieven. Ze schrijft dat ze hem nodig heeft, dat ze hem maar vanuit de verte hoeft te zien en ze is al gelukkig, dat ze bloemen in haar tuin heeft geplant, *oeillets des poètes*, alleen omdat hij ooit heeft gezegd dat hij van die kleur houdt. Het zijn mooie brieven,' zei Geneviève, het klonk verrast en een beetje jaloers, 'ik zou daar nooit opkomen. Denkt u dat het daaraan ligt? Dat ik niet kan zeggen hoe graag ik hem mag?' Ze is een stevige vrouw, groter dan ik, met brede schouders en gespierde armen, haar handen zijn gemaakt om een bus te besturen, niet om aan haar praktische, korte kapsel te frunniken, alsof alles anders zou zijn als ze maar een beetje vrouwelijker of een beetje knapper was. Ze is niet lelijk, dat wil ik daarmee niet zeggen, maar ze heeft niets meisjesachtigs, misschien is ze te vroeg moeder geworden.

'Mannen zijn mannen,' hoorde ik mezelf zeggen, een dwaze echo van mademoiselle Millotte. 'En als Jean nu toch zegt dat de affaire afgelopen is ...'

'Waarom bewaart hij haar brieven dan?'

Ik had het kunnen uitleggen. Omdat er niets kostbaarders bestaat dan herinneringen, ook al eist iedereen dat je ze wegstopt, vergeet, ongedaan maakt.

Ik zal jou nooit vergeten.

Nooit.

Maar Geneviève is een nuchtere vrouw voor wie gevoelens zoiets zijn als exotische volkeren, waarvan je graag foto's bekijkt (bot door de neus, tatoeage op het gezicht) wanneer je de magazines doorbladert in de supermarkt, voor je dan toch zoals elke maand het handwerktijdschrift koopt. Gevoelens zijn voor haar iets verbazingwekkends, iets vreemds, beslist fascinerend maar niet iets wat je in de woonkamer uitnodigt, misschien zouden ze naakt komen en dan zou je niet weten waar je moest kijken. Nee, bij haar moest ik praktisch argumenteren, of – en zo gebeurde het ook – ik moest háár praktisch laten argumenteren, want wie een vreemde als biechtvader kiest, zoekt geen antwoorden maar bevestiging.

Ze had – daarom was de zonnebril ook weer in het etui verdwenen – allang besloten om te blijven, niet om te vergeven maar om te vergeten, vanwege het kind, vanwege het huis en omdat mannen nu eenmaal mannen zijn. 'Maar als het nog een keer gebeurt, als hij ook maar één keer met haar praat, met die *greluche*, dan ga ik ... dan ga ik ook zelf ... Ik ben toch nog aantrekkelijk, of niet soms?'

Ik hoor je lachen omdat je vermoedt wat er nu gaat komen. Haar mond smaakte naar pepermunt, die snoepjes waarop ze altijd zuigt, haar lippen voelden ruw aan, in haar haren hing een diesellucht. Het was een onhandige kus over de tafel heen waarop het servies van het ontbijt en het middageten nog stond, en achteraf moest ze heel vlug en hard praten, ze moest die vreemde figuur wegpraten die opeens in de kamer stond, met een tatoeage op zijn gezicht en een bot door zijn neus.

Het was een kus die niets anders moest zijn dan het bewijs dat ze nog de moeite waard was om te kussen, een argument, geen liefkozing, en toch viel het niet mee om daarna het afstandelijke contact te bewaren dat hier gebruikelijk is tussen buren die elkaar met de voornaam én met u aanspreken. 'Wilt u niet toch een kop koffie, Geneviève?' 'Nee, echt niet. Jean moet zijn avondeten hebben als hij thuiskomt, een andere keer graag.' Maar er zal geen andere keer zijn, niet in mijn keuken, die plek is te intiem geworden.

Rest me nog over Jean te vertellen, wiens kant van het verhaal ik natuurlijk ook moest horen. We verspillen niets hier in Courtillon; waar gebeurtenissen schaars zijn, worden ze afgekloven tot op het bot. Ik vroeg hem dus weer eens over de verbouwing van mijn huis te komen praten, een oeverloos thema waar hij altijd weer warm voor kan lopen. Ik denk dat als ik me vermande en met het werk begon, hij iets zou missen, mijn onafgewerkte huis is de ideale speeltuin voor zijn ambachtelijke fantasie, en speeltuinen zijn alleen leuk zolang niemand er een schommel neerzet en een klimrek bouwt.

Jean vertelde lang en breed over een huis dat hij in Pierrefeu had ontdekt, twintig kilometer verderop, een gebouw dat al lang leegstond en binnenkort gesloopt zou worden, waarbij dat 'binnenkort' ook alweer een paar jaar geleden was. 'Geen mooi huis, vlak naast de *porcherie*, het stinkt er verschrikkelijk naar gier en het dak zou ook helemaal vernieuwd moeten worden, maar er zitten een paar eiken balken in de keuken die minstens driehonderd jaar oud zijn. Als het huis gesloopt wordt, zou u die te pakken moeten zien te krijgen, daar valt iets van te maken, een boekenkast bijvoorbeeld, u hebt toch zoveel boeken, gaan die niet kapot als ze altijd maar in die dozen zitten?' Bij zijn monoloog dronken we kersenbrandewijn, afwisselend een uitgelezen zachte uit het Zwarte Woud en een zware zelfgestookte Franse, die moesten met elkaar vergeleken worden, ook op dat gebied is Jean een vakman.

Het was een koud kunstje hem daarna op het onderwerp te brengen. Ik hoefde alleen terloops te informeren of er al veel bramen waren en te vertellen dat ik madame Charbonnier vandaag die kant op had zien lopen, of Jean boog zich al beneveld en vertrouwelijk naar me toe en zei: 'Die vrouw is de grootste fout van mijn leven.'

Het schijnt (dat verhaal zal je amuseren) dat Jean destijds inderdaad iets met madame Charbonnier heeft gehad, een paar weken maar, zoals hij verzekert; de affaire was allang afgelopen toen Geneviève erachter kwam. De *greluche* had zich aangeboden en Jean, die geen nee kan zeggen, had toegehapt, 'zonder gevoelens', zegt hij, alsof het een toverwoord is dat gedane zaken ongedaan maakt. Maar toen het voorbij was, toen de tuin was omgespit en het vreemde lichaam ontdekt, was het alleen voor hem voorbij. Bij haar was iets gebeurd waar geen rekening mee was gehouden in Jeans ambachtelijke wereld, waar je alleen het juiste gereedschap moet vinden en de juiste plek om het te gebruiken: ze was verliefd op hem geworden. '*Elle est amoureuse,*' zegt Jean zuchtend, en zoals hij het woord uitspreekt is het een ziekte, klinkt het naar een onfrisse, klamme huid en een muffe adem. Hij had nooit tegen haar gezegd dat het afgelopen was, hij was gewoon niet meer naar haar toe gegaan, hij had weer vormelijk gegroet als ze elkaar tegenkwamen. Hij had willen overgaan tot de orde van de dag en was de zaak vergeten.

Maar ze had hem nagelopen, ze was opgedoken op plaatsen waar ze niets te zoeken had, in het bos waar hij hout kapte voor de komende winter, of in een leeg huis waar hij de muren verfde voor een euro handje contantje, plotseling stond ze daar, 'met een gezicht', zegt Jean, 'als een pas gestuukte muur wanneer de boel verzakt'. Op een keer had ze zelfs bloemen voor hem meegebracht, uitgerekend voor hem, die in zijn tuin niets wil hebben wat je niet kunt eten, ze was romantisch geworden, 'op haar leeftijd', zegt Jean verwijtend. Ze had liefkozingen van hem verlangd, niet de *café du pauvre*, maar het grote gevoel van de grote wereld. Daarmee had ze hem bang gemaakt, echt bang, en toen hij niet kon en ook niet wilde, toen hij boos en afwijzend werd, begonnen haar brieven te komen.

'Ze legt ze stiekem in mijn gereedschapskist, al jaren, ik zie haar niet komen en niet gaan, maar de brieven zijn er. Zelfs in mijn schuur heb ik ze al gevonden, hoewel die altijd op slot zit. Ik hang mijn jas ergens op omdat ik het warm heb bij het werk, en als ik hem weer aantrek zit er een brief in de zak. Vijf ton stenen heb ik uit mijn huis gesleept, maar die vrouw maakt me kapot.' Zijn kindergezicht is rood, van de kersenbrandewijn en van verontwaardiging, hij voelt zich onheus behandeld. Waarom moet die vrouw verliefd op hem worden, terwijl hij haar alleen maar tegemoet is gekomen omdat ze hem niet op een andere manier voor zijn werk kon betalen?

'Waarom hebt u de brieven bewaard?'

Jean, de verzamelaar, schudt alleen zijn hoofd over mijn vraag. 'Ik heb ze tussen de gebruiksaanwijzingen gestopt,' zegt hij. 'Ik verzamel gebruiksaanwijzingen, ook van apparaten die ik helemaal niet heb. Als je iets moet repareren, kan dat heel handig zijn. Geneviève heeft zich daar nooit voor geïnteresseerd, ze weet ook dat ik er niet van hou als er in mijn spullen wordt gerommeld. Maar de *stérilisateur* ging kapot in de keuken, ze is op het moment aan het inmaken, en toen wilde ze kijken ... en nu? Een catastrofe.' Hij zegt niet *catastrophe*, maar *la Bérézina*, zijn terugtocht is begonnen en de oorlog is al verloren.

Heb ik je nu geamuseerd? Is dat niet grappig? Mijn buurman Jean, de heilige Jan, de man met de oude olievlekken op zijn werkbroek en de nog oudere eeltknobbels op zijn handen, wordt achtervolgd door de liefde, op elke hoek wordt hij opgewacht door gevoelens, terwijl hij helemaal niet op avontuur uit is, hij wil alleen dat zijn eten wordt gekookt en dat zijn bed warm is. 'U weet niet hoe dat is,' zegt hij tegen mij. 'De liefde is iets verschrikkelijks.'

Dat zegt hij tegen mij.

Na nog een kersenbrandewijn en nog een heeft hij besloten tot een groot gebaar. Hij zal de brieven verscheuren, stuk voor stuk, hij zal ze in een doos stoppen en bij de *greluche* voor de deur zetten. 'Dan is de zaak afgelopen,' zegt hij. 'Voor eens en voor altijd.'

Hij weet nog niet dat de zaak nooit afgelopen is. Dat had ik hem kunnen vertellen.

*W*eet je wat voor dag het vandaag is? Misschien was die dag ook gisteren al of vorige week. Hoewel ik, zoals jij ooit hebt gezegd, een oude pietlut ben – je merkte dat je me had gekwetst en ik liet me graag troosten –, hoewel ik een ouderwetse ordemaniak ben, weet ik niet meer precies op welke dag je bij mij op de stoep stond.

Het was vandaag, punt uit. Vandaag twee jaar geleden. De datum schoot me te binnen toen ik vannacht in bed lag. In mijn twee bedden. Heb ik je dat al verteld? In mijn slaapkamer prijkt wijdbeens een met krullen versierd ledikant van messing, opgescharreld en gekocht bij een *brocanteur*. 'Elke bankwerker kan er een springmatras bij maken', zei de verkoper destijds, en misschien was dat niet eens gelogen, ik heb het niet meer geprobeerd. Nu neemt het lege frame, dat breed genoeg is voor z'n tweeën, voor z'n drieën, voor een gezin, de hele kamer in beslag en wordt nutteloos ouder, nog altijd imposant, maar nergens meer goed voor. In de opening van het reusachtige frame – ik moet over de messing buizen stappen om erbij te komen – liggen twee matrassen op elkaar, als een roeiboot in een dok voor een oceaanstomer. Als ik in mijn droom jouw hand vast wil pakken, tast ik in het niets.

Ik lag wakker op mijn matrasseneilandje. Het was een van die nachten waarin de maan hier op het platteland zo helder straalt als anders alleen in oude gedichten. *'Au clair de la lune'*; wat heb je dat vals gezongen in de trein! Het was volle maan (terwijl ik het opschrijf, merk ik hoever we van elkaar verwijderd zijn, jij en ik, alsof er een andere maan boven jou schijnt of in een andere tijd). De lucht was zo helder dat de sterren verbleekten; in het open raam, waar nog altijd geen gordijn voor hangt, tekende zich elk afzonderlijk blad van de plataan af.

Toen het bijna ochtend was, werd het donker, de maan was al onder en voor de zon was het nog te vroeg. Er zou een speciaal woord moeten zijn voor dat tussenlicht, mij schiet alleen 'vaal' te binnen, maar dat geeft niet die plotselinge stilte weer, niet het gevoel dat de wereld buiten adem is geraakt, pijnloos en voorgoed, wie nu geen huis heeft, bouwt er geen meer. Ik was opgelucht toen de tortelduiven weer begonnen met hun monotone gekoer.

Ik ben toen naar de rivier gegaan. Daar is een plek die ik ons plekje noem, hoewel alleen in mijn hoofd. Als jij hier was (wat haat ik dat 'als'!), zou ik je er mee naartoe nemen, en je zou het herkennen zonder het ooit gezien te hebben.

De weg, een sluipweg voor ingewijden, loopt over het kerkhof. Als je het hek opendoet moet je het een eindje optillen, anders knarst het in de hengsels en maakt het de doden aan het schrikken. Op de grafkruisen zijn foto's van de overledenen aangebracht – is jou ook weleens opgevallen hoe oud een foto plotseling lijkt als je weet dat de afgebeelde niet meer leeft? – en zo vroeg in de ochtend zijn de plastic hoesjes over de gezichten bedekt met dauw. Zelfs de kunstbloemen in hun gietijzeren vazen krijgen door het vocht iets echts. Het kerkhof van Courtillon is klein en toch hebben een stuk of tien generaties het nog niet vol gekregen; tussen de graven is plaats genoeg gebleven voor smalle paden, waar het zwarte grind onder je schoenen knerpt. Hier groeit geen blaadje onkruid, maar je mag je daarom geen zorgzame weduwe voorstellen die op haar knieën liefdevol de sprietjes aan het uittrekken is; de eeuw loopt ten einde en dus komt één keer in de maand de *cantonnier* met een vat chemie op zijn rug voor orde zorgen. De grafstenen lijken allemaal op elkaar, alleen de familie van onze burgemeester demonstreert levensgroot haar gewichtigheid en heeft in de jaren vijftig een betonnen mausoleum laten bouwen. RAV LLET staat er met grote metalen letters boven de ingang, de tweede A is het slachtoffer geworden van een verdwaalde kogel van de generaal. Vlak voor de achtermuur van het kerkhof verbergt het protserige familiegraf een gat in de van grote stenen gemetselde afzetting, waarschijnlijk veroorzaakt door een bouwvoertuig. Als je erdoorheen kruipt, diep bukkend, want de boom die ervoor staat heeft dorens, kom je op een platgetrapt pad dat rechtstreeks naar de rivieroever loopt.

Daar ligt een strookje paradijs, niet breder dan een handdoek, of twee handdoeken als ze dicht naast elkaar liggen. Je moet over een omgevallen boom klimmen waaruit, hopeloos hoopvol, nieuwe loten komen. Als de grond zoals vanochtend nog vochtig is, kun je op de stam gaan zitten, met een tak als rugleuning, dan kun je daar als nergens anders in het dorp alleen zijn en in de eenzaamheid dromen dat je met z'n tweeen bent.

Ik weet zelf dat het goedkoop klinkt. Gevoelens worden mettertijd ranzig. Op de bosweiden hier zie je soms poelen, gevuld met modderig water, waarin zich wilde zwijnen hebben gewenteld. Zo wentel ik me in mijn sentimentaliteit, ik wroet knorrend in mijn verlangen, altijd op zoek naar soelaas, waarvoor ik tegelijk bang ben omdat er dan niets meer over zou blijven. Dan zou ons plekje geen magisch oord meer zijn, maar in het gunstigste geval de aanlegplaats voor een roeiboot, dan zouden er geen parelsnoeren meer in het ochtendlicht hangen, maar dauwdruppels aan kleverige spinnenwebben – hoe maakt een spin eigenlijk zijn eerste draad vast; om op de plek te komen waar hij hem bevestigt zou die draad er toch al moeten zijn? –, dan zouden de nevelslierten waarmee de wind boven de rivier speelt alleen nog een natuurwetenschappelijk fenomeen zijn, koude lucht, warmer water, dan zou er geen specht ritmisch op een boom hameren, maar op de andere oever zou inderdaad een man in een gele overall rood-wit gestreepte palen in de grond staan rammen.

Die man haalde me uit mijn warme varkenspoel en maakte me wakker. Wat is de liefde, citeerde ik vroeger graag toen ik jonger was en het cynisme nog droeg als een chic colbertje, wat is de liefde vergeleken met een biefstuk met uien? Wat is een nevelige ochtendschemering, wat is onvervuld verlangen vergeleken met een grof schandaal? In Courtillon leer je een en een bij elkaar optellen, de tafels van een tot tien worden belangrijk als er geen van tien tot twintig zijn.

Ik zal je uitleggen wat de eenzame landmeter (watermeter?) betekende, móést betekenen. Er bestaat al lang een plan om onze rivier uit te baggeren voor de lucratieve winning van grind, om de ondiepe zijarmen, *les eaux mortes*, waarin het water glashelder is, te laten verdwijnen en alles te regulariseren en te moderniseren. Maar in het dorp waren ze er vanaf het begin van overtuigd dat dit plan altijd een plan zou blijven, zoals zoveel dingen in Courtillon. De mensen die hier van kindsbeen af wonen, zouden nooit toestaan dat de zwemplaatsen van hun jeugd verdwijnen, net zomin als de goede visstekken die als een familiegeheim worden doorgegeven van vader op zoon. De grindafgraving in de rivier, daar twijfelde niemand aan, was niet meer dan een gedachtespel voor donkere winteravonden.

En nu waadde daar, in van die gele lieslaarzen die je draagt als een broek, een man door het ondiepe water. Hij boorde zijn stok in de zachte grond – ik verbeeldde me een obsceen, soppend geluid te horen – en maakte aantekeningen in een dun schrift. Hij boorde, haalde het schrift uit zijn borstzak, maakte aantekeningen, stopte het schrift weer terug. Misschien grijnsde hij, dat kon ik vanaf mijn plaats niet zien. En het gebeurde allemaal zo vroeg in de ochtend dat hij er zeker van dacht te zijn dat niemand hem observeerde. Met een gek die in het eerste zonlicht op een vochtige boomstam over de rivier zit uit te staren, had hij geen rekening gehouden.

Het is nog niet lang geleden dat de boom is omgevallen, de bebladerde, nog altijd groene kruin hangt als een baldakijn boven ons plekje, als een gordijn van bladeren voor een alkoof; zolang ik niet bewoog was ik onzichtbaar. (Ik word trouwens toch steeds onzichtbaarder, mijn contouren zijn al niet scherp meer.) Ik heb de man meer dan een uur bij zijn systematische werk geobserveerd en uit zijn gangen de plannen proberen op te maken die hij later aan zijn bureau zou tekenen: de doorwaadbare plaats waar je in het water kunt stappen zonder dat er een wolkje modder loskomt ... weg ermee, grind; de kuil waar de kleine kinderen hun eerste zwempogingen doen, *baignoire sabot* wordt die genoemd, zitbad ... weg ermee, grind; de ondiepe plekken in het riet waar de zon in het water zacht is, waar duizenden piepkleine visjes muggenzwermen nadoen, waar zich een legendarische snoek van wel een meter lang schuilhoudt, die iedereen al eens beetgehad zegt te hebben ... grind, grind, grind. Ofwel poen, duiten, *pognon*.

'Pognon', zei ook monsieur Brossard, wijs knikkend, alsof met die twee lettergrepen alles verklaard was. Zelfs aan zijn ontbijttafel – ik had onbeschaamd vroeg aangebeld, maar een echt nieuwtje verontschuldigt veel – zat hij erbij alsof hij een zitting moest leiden, alsof zijn ochtendjas zijn toga was en het botermesje het zegel om zijn vonnissen mee te bekrachtigen. In zijn leven als man van aanzien heeft hij zich de truc aangeleerd om op verrassingen alleen bevestigend te reageren, alsof hij ze allang heeft zien aankomen. 'Hij heeft zich dus toch laten omkopen!'

'Over wie heb je het?' Madame Brossard kwam, balancerend met een dienblad met twee kopjes koffie, uit de keuken. Er ontbreekt iets als zij niet in de kamer is, de zoetige geur van haar poeder is dan als een schaduw zonder degene die hem werpt. Geen ochtendjas voor madame, ik heb haar nooit anders dan perfect gekleed gezien. Ze keek me vragend aan, wachtte tot ik knikte en zette toen beide kopjes voor me neer, het stille overblijfsel van een dialoog die we in de eerste maanden van onze kennismaking bij elk bezoek hebben gevoerd. 'Ons koffiezetapparaat zet altijd twee kopjes,' betekende dat, 'maar wij drinken alleen thee. Ik mag ze u toch wel allebei geven?' Ze schoof de suikerpot, het kannetje met room en de schaal met koekjes naar me toe, en monsieur Brossard wachtte zonder een spoor van ongeduld. Bijna vijftig jaar zijn ze bij elkaar, ze zijn met elkaar vergroeid en ik benijd hen erom. Pas toen alles keurig op tafel stond, zoals het hoort in de betere huishoudens, beantwoordde hij haar vraag. 'Ravallet, wie anders?'

Je kunt de volgende bladzijde overslaan (ik schrijf dat in de wrange wetenschap dat je de hele brief zult overslaan, zoals je intussen in je herinnering de tijd met mij overslaat, doe gewoon je ogen dicht en negeer het, dan is het nooit gebeurd), je kunt de volgende bladzijde overslaan (ik verdwaal in mijn zinnen omdat ze zonder jou in het wilde weg zijn geschreven, geen richting meer hebben, een opgestuwde rivier die langzaam dichtslibt), je kunt de volgende bladzijde overslaan, maar ik wil mezelf aanpraten dat je het niet doet, ook al vind je politiek saai, ik wil mezelf wijsmaken dat je je interesseert voor de kleine intriges die hier in Courtillon worden beraamd. Stel je gewoon voor dat je achter de microscoop zit en dat wij er alleen maar zijn om door jou te worden geobserveerd, onder glas en steriel.

Kort en goed: de gemeenteraad van het dorp bestaat uit vijf mannen, die allemaal om een andere reden gekozen zijn. Ze kennen hier geen verkiezingsstrijd, geen openlijk gevecht om stemmen, we zijn hier op het platteland en daar verwerf je aanzien in je dorp zoals je een tafel in je stamcafé krijgt: er wordt discreet voor gezorgd dat niet de verkeerden er gaan zitten. Natuurlijk maakt Ravallet, onze burgemeester met de zwarte stoppelbaard, deel uit van het *conseil*; hij leidt ambtshalve de vergaderingen en als de stemmen staken heeft hij de beslissende stem. De jonge Simonin is ook lid, hij heeft vorig jaar de zetel van zijn vader overgenomen, als onderdeel van de boerderij zeg maar. Vlak voor de verkiezingen deed het gerucht de ronde dat men het gebruik van meststoffen rond de watervang wilde verbieden en toen heeft de jonge Simonin zich als vertegenwoordiger van de boeren kandidaat laten stellen om een stokje voor die onzin te steken. Bertrand, de wijnhandelaar, stelt zich beschikbaar voor elke functie waarin hij kan netwerken, en dat monsieur Brossard deel uitmaakt van het college is hier zo vanzelfsprekend dat hij elke keer kan verklaren dat hij helemaal niet gekozen wil worden en dan toch de meeste stemmen krijgt. Ja, en dan is ook de heilige Jan nog lid, niet bepaald tot genoegen van Ravallet, zegt men, want Jean praat graag en wil maar niet begrijpen dat de oproep tot discussie alleen bedoeld is voor de notulen.

Wat de grindafgraving betreft, zo vertelde monsieur Brossard tijdens zijn ontbijt, is de gemeenteraad verdeeld. Bertrand, de moneymaker, is voor omdat hij er persoonlijk voordeel van verwacht. 'Waarschijnlijk,' zei monsieur Brossard, 'hebben ze hem een wijnbestelling in het vooruitzicht gesteld. Bertrand houdt zoveel van geld dat hij makkelijk om te kopen is.' De jonge Simonin zou ook voorstemmen, alleen al omdat zijn vader altijd tegen was. 'Hij is voor alles wat je vooruitgang kunt noemen; als hij in de krant leest dat de boeren in Amerika hun tenen afzagen, omdat met tenen gemeste akkers meer maïs opbrengen, dan rent hij meteen naar de schuur om een zaag te halen.'

'Je overdrijft weer eens,' zei madame Brossard misprijzend en haar man knikte vrolijk. 'Ik overdrijf, maar ik lieg niet.'

Tegen de grindafgraving zijn monsieur Brossard zelf – 'als je alles doet wat je kunt doen, maak je ook alles kapot' – en de heilige Jan. Voor Jean, die elke boom zo zorgvuldig snoeit alsof hij een geheim bouwplan volgt, is het idee dat een reusachtige baggermolen de rivier openhaalt heiligschennis. 'Verkrachting,' zegt monsieur Brossard, 'en voor verkrachting kun je niet stemmen.'

Twee tegen twee. Blijft over Ravallet met zijn beslissende stem. Voor de verkiezingen was hij tegen het project, 'maar nu zit hij weer in het zadel en hoeft hij met niemand meer rekening te houden'. En waarom zou hij van mening veranderd zijn? '*Pognon*,' zegt monsieur Brossard.

'Je bent cynisch,' stelt madame vast.

'Omdat ik wijs geworden ben met de jaren.' En terwijl hij met de punt van zijn mes ornamenten in de boter op zijn boterham krast, zoals hij waarschijnlijk vroeger tijdens de zittingen kringetjes op de rand van de dossiers tekende, denkt *le juge* hardop na over hoeveel het gekost moet hebben om onze burgemeester van mening te doen veranderen. 'Als ik iets heb geleerd in mijn beroep, dan is het wel dat alle mensen omkoopbaar zijn.'

'Jij niet!' protesteert madame.

'Ik ook. Er heeft alleen nog nooit iemand genoeg geboden. Ik ben duur en daarom denken de mensen dat ik karakter heb.' Als hij zulke provocerende dingen zegt, glinsteren zijn ogen van pret. 'Ravallet is waarschijnlijk goedkoper geweest.'

Ik spreek hem tegen. Niet uit overtuiging, maar omdat *le juge* discussie nodig heeft zoals andere mensen een rondje joggen. 'Onze burgemeester maakt op mij niet de indruk van een man die voor geld alles doet.'

'Beste vriend,' monsieur schuift zijn bord weg, 'ik zal u een verhaal vertellen.' Zijn blik gaat automatisch naar het buffet, waar nog een aangebroken fles wijn van de vorige avond staat; voor monsieur Brossard hoort bij een goed verhaal ook altijd een goed glas wijn, maar zijn vrouw schudt haar hoofd, nee, ze schudt het niet, ze geeft alleen heel licht haar afkeuring aan en heft haar ogen op naar de hangklok die nog niet eens op negen uur staat, en monsieur Brossard maakt zijn keel gedwee nat met een slok thee.

'Toen ik nog rechter was in Parijs,' begint hij, 'in de negentiende eeuw, heb ik een keer een geval gehad van een jongeman, nou ja, jong vanuit mijn huidige optiek, hij was al bijna veertig, die een paar jaar voor een oud familielid had gezorgd, onbaatzuchtig, zoals iedereen zei, en waarschijnlijk heeft hij het inderdaad goed met haar voorgehad, althans in het begin. Maar daarna heeft ze ten gunste van hem haar testament veranderd en toen is hij pas te weten gekomen hoeveel geld ze had. *Beaucoup de pognon.'* Monsieur Brossard pauzeert en op hetzelfde moment pakt madame met een snelle beweging de twee ontbijtborden en zet ze op het dienblad. Waarschijnlijk heeft ze op dat moment gewacht, ze moet al zijn verhalen en alle pauzes kennen. Daarna zit ze meteen weer heel stil naar haar man te luisteren.

'Na de dood van de oude dame zou hij een rijk man geweest zijn, maar zo lang wilde hij niet wachten. Raadt u eens wat hij heeft gedaan!'

Raad eens wat hij heeft gedaan.

Nee, hij heeft haar niet vermoord, 'niet met zijn eigen handen', zegt monsieur Brossard, hij heeft haar er alleen, liefdevol en verstandig, van overtuigd dat het in verband met de successierechten en ook verder beter was om haar geld al op zijn naam te zetten terwijl ze nog leefde, dan kon hij alles nog beter regelen en had zij geen zorgen meer. Toen ze dat had gedaan – zonder voorwaarden en garanties, als ze hem niet kon vertrouwen, wie dan wel? –, toen hij over alles beschikte, heeft hij om te beginnen het huis verkocht waarin ze haar hele leven had gewoond, 'Île Saint-Louis', zegt monsieur Brossard, 'een zeer gewilde buurt', en haar, liefdevol en verstandig, aangeraden om naar een bejaardentehuis te gaan.

Weer een pauze, weer een slok thee. Madame legt met een snelle beweging, *klipklap*, het bestek op het dienblad en zit alweer stil naar haar te man te luisteren.

(Luister jij naar mij?)

De oude dame heeft geprobeerd zich op te hangen – *le juge* gniffelt terwijl hij het vertelt, zoals je bij een goede mop vlak voor de clou gniffelt –, maar ze heeft de verkeerde plek uitgekozen en zodoende is ze niet gestorven door de strop, maar dodelijk getroffen door een afgebroken kachelpijp, 'de keuken was helemaal zwart', zegt monsieur Brossard, 'het moet er heel apart uitgezien hebben'.

Klipklap. De tafel is al bijna afgeruimd. Het verhaal moet haast afgelopen zijn.

De treurende erfgenaam moest voor de rechter verschijnen omdat iemand anders, die uit het testament was geschrapt, hem had aangegeven, niet wegens moord natuurlijk, 'dat was rechtvaardig geweest, maar niet legaal', maar wegens bedrog, ontfutselen van een handtekening, uitbuiten van een noodsituatie, noem maar op.

'Ziet u,' zegt monsieur Brossard, 'ook deze jongeman had

karakter. Tot hem bij vergissing genoeg werd geboden.' Hij veegt de ontbijtkruimels van zijn ochtendjas, madame brengt het dienblad naar de keuken, en eigenlijk zouden we nu verder kunnen discussiëren over onze burgemeester, maar eerst moet ik nog één vraag stellen: 'Hebt u de jongeman veroordeeld?'

'Hoezo?' vraagt monsieur Brossard op zijn beurt. 'Hij had toch alles goed gedaan.'

En dan praten we weer over Ravallet. Monsieur Brossard is van mening dat hij niet met geld is gelokt, maar met macht – 'om iemands prijs te weten te komen, moet je de juiste muntsoort kennen' –, want Ravallet wil geen burgemeestertje blijven, hij heeft hogere aspiraties, hij wil in het *conseil général* en ooit als afgevaardigde naar Parijs. Daarvoor heb je connecties en kruiwagens nodig, moet je een heleboel handen hebben gewassen, en als de zaak niet helemaal zuiver is, nou, 'daarvoor heeft hij zijn scheerapparaat en zijn aftershave, en als de deur opengaat, zal alles er wel weer perfect uitzien.'

Alleen is de deur een beetje te vroeg opengegaan, omdat ik toevallig heb gezien wat nog niemand mocht zien, maar dat maakt geen verschil, denkt monsieur Brossard, de verrassingsaanval heeft Ravallet weliswaar verloren, maar de stemming zal hij winnen, drie tegen twee, met zijn beslissende stem.

'U gaat niet proberen er iets tegen te doen?'

Le juge schudt bijna meewarig zijn hoofd. 'U bent hier vreemd, beste vriend,' betekent dat hoofdschudden, 'u hebt nog steeds niet begrepen hoe dat op het platteland gaat. Als het varken vet is, wordt het geslacht.' Monsieur Brossard denkt dat ik in gerechtigheid geloof. Ook verstandige mensen kunnen zich vergissen.

En toen verscheen Jean opeens voor het raam, de heilige Jan, als ingelijst stond hij daar, een snapshot van opwinding, en meteen was hij ook alweer verdwenen en bonkte met zijn vuisten ongeduldig op de achterdeur, als iemand die slecht nieuws heeft dat hij geen minuut langer voor zich kan houden, dat hij onmiddellijk moet delen om er niet onder te bezwijken. Ik sprong op, in de gang snelde madame Brossard al naar de deur, en alleen monsieur, demonstratief kalm, zoals het een autoriteit betaamt, bleef doodgemoedereerd zitten. Toen Jean met zijn plompe schoenen de kamer binnenstormde, negeerde *le juge* zelfs de vuile voetsporen op de bijna echte pers en zei alleen koel: 'We weten het al.'

'Maar het is niet waar!' Jeans stem klonk schor.

'Waarom zouden ze anders de oever opmeten?'

'Oever?' Jij stopte me soms briefjes toe (ik heb ze allemaal nog) die overwoekerd waren met leestekens. Precies zo stelde Jean zijn vraag: 'Welke oever???'

'Ik zeg alleen: Ravallet.'

Jean piepte als een geslagen hond. 'Ravallet? Wat heeft die ermee te maken? Dat gaat hem helemaal niets aan als burgemeester. Dat is een privézaak!'

'De grindafgraving?'

Jean staarde ons aan. Wij staarden hem aan. Midden in de stilte lachte madame Brossard haar welopgevoede dameslach. 'Ik geloof, heren, dat we het niet allemaal over hetzelfde hebben. Wat wilde u ons vertellen, monsieur Perrin?'

'Ze is uit het raam gevallen. Valentine Charbonnier. En ze zeggen dat het mijn schuld is.'

*D*at is alweer een paar dagen geleden, maar de dagen waren zo vol verrassingen dat ik er vandaag pas toe kom ze voor je op te schrijven. (Laat me in de waan dat het voor jou is.)

Courtillon staat op zijn kop. Mademoiselle Millotte ziet er twintig jaar jonger uit omdat ze zoveel nieuwtjes moet vergaren en verspreiden, de vrouwen wachten 's ochtends een halfuur op de bakkerswagen om elkaar op straat heel toevallig tegen te komen – 'Hebt u het al gehoord? Wist u het al?' – en de mannen wippen bij hun buurman langs om gereedschap te lenen dat ze vervolgens vergeten mee te nemen.

Kort en goed: misschien ben ik die nacht dat het volle maan was helemaal niet van verlangen wakker geworden, misschien was het van de ziekenwagen die langsreed; in Courtillon is het 's nachts zo stil dat elk geluid langs je huid schuurt. De ambulance was geroepen om Valentine Charbonnier, de dochter van de baanwachter en zijn *greluche*, naar het ziekenhuis in Montigny te brengen. Dat is zo ongeveer het enige wat ze in het dorp zeker weten, even afgezien van het feit dat de glazenmaker de volgende dag maar liefst twee keer naar de Charbonniers moest rijden, één keer om een ruit op te meten en één keer om hem te plaatsen. Want de ruit die daar vervangen moest worden is niet vierkant maar rond, hij is van een kamer op zolder, daar waar het gebouw met het torentje echt op een station lijkt. Uit dat raam is Valentine gevallen en er wordt met overgave over gediscussieerd of ze is gesprongen, bij het slaapwandelen haar evenwicht heeft verloren ('Het was volle maan,' zeggen de aanhangers van die theorie met een veelbetekenende blik) of dat ze – de meest favoriete, want de meest

dramatische variant – is geduwd. De discussies vinden bij
voorkeur plaats tussen zes uur en halfzeven 's avonds, als de
mensen bij de jonge Simonin verse melk halen en daarna op
straat nog een poosje bij elkaar staan. Daar is een plek,
op maar een paar passen van de ingang van de stal, waar je het
station goed kunt zien.

Het ongeluk, als het een ongeluk was, is echter pas het begin
van het verhaal. Het moet tegen drie uur in de ochtend gebeurd zijn, 'precies om vier minuten voor drie kwam het tele-
foontje', zegt madame Simonin, wier neef bij de ambulance in
Montigny werkt en die daardoor een gewaardeerde informa-
tiebron is geworden. Van haar weten de mensen ook dat Valentine bewusteloos was, dat ze behalve schrammen in haar
gezicht en aan haar armen geen zichtbare verwondingen had,
'niets gebroken of zo', en dat ze alleen voor de zekerheid naar
het ziekenhuis is gebracht, 'mijn neef zegt dat als hij dat niet
doet en ze naderhand toch iets blijkt te hebben, hij verantwoordelijk wordt gesteld'. Madame Simonin weet ook te vertellen dat de verongelukte alleen een wit T-shirt droeg, 'alleen
een wit T-shirt', herhaalt ze, zodat iedere toehoorder zich
voorstelt wat het meisje allemaal niet aanhad. Ze lacht terwijl
ze het vertelt, maar dat zegt niets, want madame Simonin
lacht altijd.

Valentines moeder is met haar dochter in de ziekenwagen
meegegaan, haar vader is er met de auto achteraan gereden.
Dat is van belang omdat madame Charbonnier alleen met de
auto is teruggekomen. Alleen. Je zou moeten horen hoe veelzeggend de mensen hier dat woord uitspreken, *seule*, één enkele lettergreep, maar ze stoppen er hele romans in. De Charbonniers hebben ruzie gehad, vermoeden de meesten, omdat
een van hen schuld had aan het ongeluk. ('Het was geen ongeluk,' zegt mademoisselle Millotte, 'gelooft u me, dat zal nog wel
blijken.') Over het hoe en waarom bestaat nog geen precieze
informatie, maar vaststaat dat monsieur Charbonnier liftend
naar Courtillon terug moest, *seul*. Dat weten de mensen van
Geneviève, die met haar schoolbus onderweg was en hem met

48

opgestoken duim langs de kant van de weg heeft zien staan. Alleen al tot hier zou het verhaal Courtillon een paar weken bezig kunnen houden. Is de baanwachter, die je bijna nooit een woord hoort zeggen, in het geheim gewelddadig, wilde hij zijn dochter een pak slaag geven en is ze door het raam gevlucht? Heeft de *greluche* haar knappe dochter – op wie ze natuurlijk jaloers is, zeggen de oudere vrouwen en ze knikken naar elkaar alsof ze een persoonlijk geheim kennen –, heeft ze haar betrapt met een van de jongens uit Saint-Loup, iemand uit het opvoedingsgesticht? Valentine is al vaak achter op een brommer gesignaleerd, zonder helm, op de bagagedrager, waar je helemaal niet mag zitten. Heeft haar moeder haar het contact verboden, is er onenigheid geweest, een dramatische scène, en is het meisje daarbij gestruikeld, vlak voor het ronde raam? Hoe minder feiten, hoe onderhoudender de verhalen zijn.

Het dorp had dagenlang zijn hart kunnen ophalen aan de verschillende mogelijkheden, zoals je aan het buffet de ene specialiteit na de andere proeft, vergelijkt, nog eens toetast. Maar voordat men ook maar kon beginnen ten volle van de geruchten te genieten, werd de volgende gang al geserveerd. Madame Charbonnier kwam terug uit het ziekenhuis, zonder haar man, zoals ik al zei, wat op zich al opvallend genoeg geweest zou zijn, en ze reed – de volgende sensatie – niet naar haar station, maar stopte voor het huis van de Perrins en begon te toeteren. Het moet tegen halfnegen geweest zijn, Geneviève was met de bus op pad en Elodie was op school, misschien was het ook kwart voor negen, het tijdstip waarop ikzelf bij de Brossards aanbelde, zodoende heb ik er aan de andere kant van het dorp niets van gezien. Maar je hoeft niet in de voorste linies geweest te zijn om over een veldslag te kunnen berichten; het voorval is me intussen zo vaak beschreven dat ik het me over een paar jaar waarschijnlijk zal herinneren alsof ik erbij ben geweest.

De *greluche* toeterde, geen afzonderlijke signalen, maar een lang onafgebroken geloei, 'zoals een kankerpatiënt huilt', zegt mademoiselle Millotte, 'als hij de pijn niet meer uithoudt'.

Niemand toetert in Courtillon, behalve de bakkerswagen als hij 's morgens zijn komst aankondigt, en dus duurde het niet lang of er verzamelde zich een talrijk publiek rond madame Charbonnier, dat wil zeggen: talrijk voor een dorp, want zoveel kunnen het er niet geweest zijn, bovendien was niet iedereen die erover vertelt er ook echt bij. De *greluche* bleef roerloos achter het stuur zitten en keek recht voor zich uit, 'niet naar links, niet naar rechts', aldus een verslag, 'alsof ze nog steeds reed en de juiste afslag niet wilde missen'. Ze reageerde niet toen er op het autoraampje werd geklopt, ze leek de vragende gezichten, de hele wat-is-er-gebeurd-pantomime niet eens waar te nemen, ze zat daar maar, met één hand op het stuur en de andere op de toeter, tot Jean op zijn modderige tuinschoenen aan kwam rennen en hulpeloos voor haar auto bleef staan – ik zie het voor me: als Jean een situatie niet aankan, verandert hij in een kleine jongen. Alle mensen staarden hem aan omdat ze voelden dat de scène voor hem was bedoeld, en toen pas liet ze de toeter los, stapte uit en liep naar hem toe. 'Hij kromp in elkaar', zeggen sommigen, maar dat klinkt niet overtuigend, hij zal haar alleen vragend aangekeken hebben, verward, en toen stond ze voor hem, vlak voor hem, en zei, niet hard, maar toch zo dat iedereen het kon horen: 'Valentine is uit het raam gesprongen en jij bent schuldig.'

Denk het je in, stel het je voor! Laat de exquise pijnlijkheid van de situatie op je tong smelten (ik heb me het dorpsdenken al zo eigen gemaakt dat ik me erover kan ergeren dat ik de scène vlak bij mijn huis heb gemist), proef de verlegenheid van de heilige Jan in alle rust – doet ze je denken aan bestorven vlees, heerlijk mals, maar al haast bedorven? –, ga bij de toeschouwers staan die met discreet afgewende ogen alles zien, zet samen met de anderen je tanden in het kersverse, nog geen duizend keer herkauwde en uitgemolken nieuwtje dat net werd geserveerd! Het nachtelijk ongeluk zou al spannend genoeg geweest zijn, maar nog veel interessanter dan de val uit het raam was het feit dat Jean en de *greluche* elkaar tutoyeerden en daarmee een gerucht bevestigden; wie hier tutoyeert, is met de ander opgegroeid of naar bed geweest. En bij al die heerlijkheden ook nog een raadsel, we worden vandaag verwend, we hebben het goed! Als Valentine inderdaad was gesprongen – in de hoofden begonnen de speculaties al te woekeren als schimmel –, waarom zou dan uitgerekend Jean daar verantwoordelijk voor zijn? Wat was het verband? Madame Charbonnier had niet zomaar *'C'est ta faute!'* gezegd, maar plechtig *'Tu es coupable!'*, niet 'Het is jouw schuld!', maar 'Jij bent schuldig!' Ze had hem openlijk veroordeeld voordat ze zich omdraaide, terugliep naar haar auto en startte, de auto in zijn achteruit zette en gas gaf, zonder om te kijken, zo onverwachts en nietsontziend dat ze Jojo bijna had overreden. 'Ik had wel dood kunnen zijn,' zegt hij sindsdien vol trots tegen iedereen, 'ik had wel dood kunnen zijn.'

Wat zullen ze Jean aangestaard hebben! Wat zullen ze hun best gedaan hebben om elk detail in hun geheugen te prenten! Hij veegt met zijn mouw over zijn voorhoofd ... is dat angstzweet? Hij schudt zijn hoofd ... is dat komedie? Hij kijkt de andere kant op ... is dat een slecht geweten? Je kunt een mens kapot observeren, je kunt hem ongelukkig kijken, ik heb het zelf meegemaakt, ik ken die blikken die je nooit echt raken, een schampschot en nog een schampschot, tot je dodelijk gewond wegkruipt, in een hoekje, in een hol, in een dorp.

Jean is weggelopen. Niet weggerend, je rent niet weg voor een bijtgrage hond, je loopt alleen vlugger, vanzelfsprekendheid in quick motion, je kijkt ook niet achterom; zolang ik me niet omdraai, is er niemand achter me. Langs de kerk, langs het nieuwe huis van Bertrand, langs mademoiselle Millotte. 'Ik heb al eens eerder iemand zo zien lopen,' vertelt ze, 'dat was toen de Duitsers hier waren, toen ze Marcel Orchampt hebben gearresteerd omdat hij bij de *résistance* zat, hij liep net zo, alsof hij alleen toevallig haast had, alsof niemand hem met een geweerkolf in zijn rug aandreef.' Langs de *mairie*, langs de opgeknapte huizen, langs de paardenboer. Door een raam kijken, op een deur bonken, een kamer binnenstormen, voetafdrukken op het tapijt.

'Het is niet waar!' zei de heilige Jan.

Ik was erbij. Ik zou iets kunnen vertellen in het dorp, met grote ogen zouden ze naar me luisteren. Ik zou kunnen vertellen dat Jean bleek zag – als een door de zon verbrande huid bleek wordt, is hij als bros leer –, dat hij moest gaan zitten, dat madame Brossard thee wilde zetten, maar dat monsieur erop stond iets sterkers te schenken, dat we ondanks het vroege uur ten slotte allemaal met een glas port in de hand de zaak zaten te bespreken.

'Ik weet niet wat ze van me wil,' zei Jean, 'ik heb al jaren niet met haar gepraat, niet meer dan *bonjour* en *bonsoir*, je komt elkaar nu eenmaal tegen, daar is niets aan te doen. Op het station heb ik geen voet meer gezet sinds ik destijds, om hun een plezier te doen, al die rommel voor hen naar de stortplaats heb gereden, ze hadden gewoon altijd alles achter het huis opgestapeld, *bidonville* was het.'

'En Valentine?' De ochtendjas van monsieur Brossard is verschoten en zijn voeten steken in geruite pantoffels, maar als hij een vraag stelt, ga je rechtop zitten en geef je antwoord.

'Ze zal nu vijftien zijn.' In zijn opwinding schuifelde Jean met zijn voeten en kruimelde nog meer aarde op het tapijt. 'Ze was elf toen ik destijds ... toen we elkaar nog zagen. Ik weet niets van haar. Als ze een ongeluk heeft gehad, wat heeft dat met mij te maken? Die vrouw moet gek zijn.'

'Het is niet helemaal onbegrijpelijk' – madame Brossard houdt van beschaafde zinswendingen, die je als het ware met gestrekte pink uitspreekt – 'dat een moeder in de war is als haar dochter uit het raam is gevallen.'

'Gesprongen,' verbeterde Jean haar, 'ze zei: gesprongen.'

'Met opzet?'

'Hoe moet ik dat nou weten?' Jean had zijn stem verheven, waarschijnlijk tot zijn eigen verrassing, hij had helemaal niet gemerkt hoe de spanning in hem was opgevoerd, hij hoorde zichzelf schreeuwen en bloosde van verlegenheid; daarnet zag hij nog bleek en nu steeg het schaamrood hem naar het hoofd.

'Pardon, monsieur Brossard,' zei hij vlug. 'Pardon, madame.' Madame Brossard wuifde zijn excuus weg, met zo'n ouderwets gebaar dat je in een museum tentoon zou moeten stellen. Monsieur leek helemaal niets gehoord te hebben, niet de uitbarsting en niet het excuus. 'Het is ook niet belangrijk of het wel of geen opzet was,' zei hij peinzend, 'morgen zal het sowieso een ongeluk geweest zijn.' Ik moet hem heel verbouwereerd aangekeken hebben, want hij lachte. 'Bij zelfmoordpogingen moet de gendarmerie een onderzoek instellen. Er worden psychologen ingeschakeld. Je hebt de zaak niet meer in de hand. Dus was het een ongeluk.'

Met die voorspelling heeft *le juge* gelijk gekregen. Van 'gesprongen' is geen sprake meer. Volgens madame Simonin heeft de *greluche* de volgende dag zelfs nog een keer naar de ambulance gebeld om er heel zeker van te zijn dat er in het proces-verbaal 'uitgegleden' staat. Uitgegleden, door een ruit gestruikeld, uit een raam gevallen. Die variant kun je dus uitsluiten. Wat in een proces-verbaal staat is nooit de waarheid. (Wie weet dat beter dan wij tweeën?)

Ook de dramatische scène na haar terugkeer uit het ziekenhuis schijnt madame Charbonnier te willen vergeten. Als ze de heilige Jan in het dorp tegenkomt, bewegen weliswaar overal de gordijnen, maar ze groet hem heel zakelijk, *bonjour, bonsoir*, en loopt hem voorbij. Ook dat heeft *le juge* voorspeld.

'Maakt u zich maar geen zorgen,' zei hij troostend tegen Jean, 'in de eerste opwinding doe je vaak dingen waar je later spijt van hebt.' Hij knikte hem bemoedigend toe en klopte hem op zijn schouder. 'Houd goede moed!' zei hij. '*Bon courage!*'

Pas toen Jean weer weg was, toen madame al op haar knieën op de grond lag om de resten aarde van zijn tuinschoenen van het tapijt te krabben, dronk monsieur Brossard zijn wijnglas leeg en zei: 'Nu begint het pas, vrees ik.'

Ik zou kunnen bevestigen dat hij gelijk had, maar ik heb Jean beloofd niets te vertellen.

De zaak heeft namelijk nog een staartje gekregen, ik weet alleen niet zeker of alle stukjes bij dezelfde puzzel horen.

Vier dagen na de grote opwinding – 'de dag dat Valentine uit het raam viel', zeggen ze intussen in het dorp, daarmee de gebeurtenissen comprimerend tot de titel van een film waarin ze allemaal figurant waren –, vier dagen later klopte iemand driftig op het raam van mijn woonkamer. Die ligt aan de achterkant, aan de kant van de tuin, van wat een tuin zou kunnen zijn als ik me er eindelijk toe zou zetten een hak of een spa ter hand te nemen. Het was nog niet laat op de avond, maar toch al donker, 'de herfst vreet de dagen op', zoals Jojo me gisteren uitlegde, en ik kon eerst niet zien wie er zo dringend iets van me wilde. Tot hij mijn naam riep. Het was Jean.

De meeste huizen hier hebben een tuindeur, bij mij ontbreekt die om de een of andere reden en mijn plannen voor een verbouwing heb ik opgegeven. (Al mijn plannen heb ik opgegeven.) Ik wilde dus de voordeur voor Jean opendoen, maar dat stond hij niet toe. 'Doe alleen het raam open', zei hij, 'alstublieft!'

Heb je weleens iemand gezien die in elkaar is geslagen? Als we niet toevallig oorlog voeren, vergeten we dat we van vlees zijn gemaakt, dat we in een dunne huid verpakte en in een pak gestoken steaks en koteletten zijn en dat er niet veel voor nodig is om ons uit elkaar te laten barsten, onsmakelijk rauw. 'Het is helemaal niet zo erg', beweerde Jean later toen we het bloed al hadden afgewassen en hij al een natte handdoek op zijn oog drukte. Hij had liever ijsblokjes gehad, maar ik heb nog altijd geen nieuwe koelkast met vriesvak gekocht. 'Het is helemaal niet zo erg', zei hij; hij kon alleen zijn schouder niet meer bewegen, een van zijn ribben leek gekneusd en de snee bij zijn wenkbrauw begon alweer te bloeden.

(Jean heeft trouwens – dat heb ik bij mijn eerstehulppogingen gezien – een tatoeage op zijn bil, een dolk, geflankeerd door de letters R en F. Die is waarschijnlijk uit zijn diensttijd. Als het beter met hem gaat, zal ik hem eens vragen wat dat voor patriotten zijn die *République Française* in hun achterwerk laten prikken.)

Ze hebben hem overvallen tijdens het paddenstoelen zoeken, op een plek waar de *trompettes-des-mortes* groeien als een compleet orkest, ze doken plotseling op achter de bomen, twee jongemannen met een motorhelm op, hun gezicht verborgen achter het vizier, nee, hij zou ze niet herkennen, alleen had een van de twee een donkere huid, dat weet hij zeker. Ze zullen op een bospad pech hebben gehad, dacht hij nog, ze zullen op zoek zijn naar een doorsteek naar de hoofdweg. Hij vroeg zich nog af waarom ze hun brommers hadden laten liggen, maar op hetzelfde moment waren ze al bij hem en sloegen ze erop los. 'Ik had geen schijn van kans,' zegt Jean; hij vindt het pijnlijk dat hij is afgeranseld en zich niet eens heeft verdedigd.

'Saint-Loup,' zeggen ze hier in zulke gevallen automatisch, 'opvoedingsgesticht', en zoals die twee zich bewogen, hadden ze daar ook wel de leeftijd voor. Maar zelfs als het waar is – en wij vinden onze vooroordelen alleen zo pijnlijk omdat ze zo vaak kloppen –, dan is daarmee nog niet verklaard waarom ze Jean hebben uitgekozen, want dat ze hem moesten hebben, dat het niet zomaar een robbertje vechten was, staat buiten kijf. Waar Jean zijn paddenstoelen zoekt, waar de mand met de vertrapte hoornen des overvloeds nog steeds ligt, daar kom je niet toevallig langs, het is een afgelegen plek, anders zou Jean niet telkens veel meer paddenstoelen mee naar huis brengen dan wettelijk is toegestaan. En als ze hem doelgericht achterna zijn geslopen, dan moeten ze daar een reden voor hebben gehad.

Hij heeft er geen verklaring voor, beweert Jean, echt niet, maar het klinkt niet overtuigend; zoals hij opeens over hoofdpijn klaagt en zijn gezicht uit het licht draait, dat maakt een heel geforceerde indruk. Mensen die graag over zichzelf praten, zijn slechte leugenaars. (Ik praat ook voortdurend over mezelf in deze brieven, maar ik heb niets te verbergen, niet voor jou, niet meer.)

Jean voelt met gesloten ogen aan zijn kin, waar hij een trap heeft gekregen toen hij al op de grond lag. Aan zijn ribbroek plakken bladeren en dennennaalden, op het borstzakje van zijn overhemd zit een bloedvlek, als een soort merkje. Het valt me op dat hij geen jas bij zich heeft, hij moet er dus op gerekend hebben dat hij nog voor de avondkoelte thuis zou zijn, in plaats daarvan heeft hij ergens staan wachten tot het donker werd, zodat hij ongemerkt mijn tuin in kon sluipen en door mijn raam kon klimmen. Zijn eigen huis is meteen hiernaast, waarom is hij daar niet, waarom ligt hij niet in zijn warme bed, waarom laat hij zich behandelen door een onhandig iemand als ik in plaats van door Geneviève?

Het zijn de gaten die ons in een puzzel aantrekken.

Ik vraag hem niets, ik vertrouw op zijn praatzucht. Jean zwijgt zoals kleine kinderen stilzitten: als hij moeite doet kan hij het, maar het druist in tegen zijn aard. Lang zal hij het niet volhouden.

In de kamer is een wesp verdwaald die tegen de muur vliegt, steeds opnieuw, niet meer dan een handbreedte boven de vloer. Hij zou door het raam naar buiten kunnen vliegen, maar het is al zo laat in het jaar dat hij niet meer de kracht heeft om te vluchten.

'Voordat ze sterven, steken ze graag,' zegt Jean.

Ik antwoord niet en laat de stilte waar hij zo slecht tegen kan, het vacuüm waar hij bang voor is, groter worden.

Buiten, achter de tuinmuur, lacht iemand. Jean springt op, hij wíl opspringen, maar komt dan, met opgetrokken linkerschouder, voorzichtig overeind en doet het raam dicht. Op weg terug naar zijn stoel trapt hij de wesp dood.

Stilte.

'Het hoeft niets met de kwestie te maken te hebben,' zegt hij ten slotte.

'De kwestie'. Als een codewoord.

Ik wacht.

'Er is nog iets anders.' Hij haalt diep adem, alsof hij een hindernis heeft overwonnen. 'Het zou kunnen dat ik iemand tot vijand heb gemaakt.'

Dat woord is te groot voor hem. Een man als Jean heeft mensen die hem aardig vinden en mensen die hem niet aardig vinden. Met de een of ander kan hij zelfs ruzie hebben. Maar een vijand?

'Wie?' vraag ik.

Hij geeft geen antwoord, hij schudt alleen zijn hoofd – de beweging valt hem zwaar – en wrijft over zijn pijnlijke schouder. 'Vandaag niet,' zegt hij. 'Over een paar dagen kunnen we erover praten.'

Meer heb ik niet uit hem weten te krijgen. De Courtillon-sage heeft een nieuw hoofdstuk, het heet 'Het geheim van Jean Perrin'.

Daarna hebben we nog besproken wat hij thuis zal zeggen. Hij is naar mij toe gekomen, zegt de schijnheilige Jan, omdat Geneviève zich altijd meteen zoveel zorgen maakt, dan is het beter dat ze over de overval niets te weten komt. Hij wil liever zeggen dat hij een ongeluk heeft gehad.

Ik had nooit gedacht (tot ik het zelf moest ondervinden) dat het zo moeilijk is een andere werkelijkheid te verzinnen. We zijn het ten slotte eens geworden over een verhaal waarin ik 's nachts steeds weer vreemde geluiden hoor en daarom aan Jean vraag of hij eens wil kijken of op zolder soms een dier een nest heeft gemaakt. Hij zegt meteen ja – dat klinkt overtuigend, Jean zegt nooit nee als je hem om een dienst vraagt –, hij zet een ladder tegen de muur en klimt naar boven. De zolder – ook een van mijn opgegeven verbouwprojecten – is donker, de zaklamp die ik voor Jean heb gevonden geeft niet genoeg licht, hij trapt op een vermolmde plank, hij struikelt …

Ik zal je niet vervelen met de details die we hebben bedacht. Ik vind weliswaar niet dat Jeans verwondingen eruitzien alsof hij van drie meter hoogte is gevallen, maar toen hij de nacht in strompelde, was hij er vast van overtuigd dat Geneviève hem zou geloven.

Over de laatste zin die hij bij het afscheid zei, denk ik nog steeds na omdat hij helemaal geen verband hield met de rest. 'Als ze de rivier gaan uitbaggeren,' vroeg Jean, 'vindt u dat in orde?'

G eneviève geloofde hem niet. Ze heeft dat niet uitdrukkelijk gezegd, natuurlijk niet, ze heeft haar man eerst in bed gestopt en er, praktisch als ze is, op gestaan dat hij iets innam tegen hoofdpijn, daarna heeft ze Elodie gerustgesteld, die zich zorgen maakte om haar vader, en pas toen Jean al bijna sliep heeft ze hem gevraagd: 'En de mand met paddenstoelen? Heb je die op de zolder laten staan?'

Nu is hij woedend op haar. Betrapt worden op een leugen maakt agressief, een nieuwe waarheid bedenken is vermoeiend; we houden niet van mensen die ons daarbij storen. Waarschijnlijk is ook de geheimzinnige vijand over wie hij het heeft gehad, niet meer dan een verzinsel. Als ik hem erover aanspreek, gaat hij me uit de weg en zegt hij dat hij het op dit moment te druk heeft. Elke ochtend zie ik hem al vroeg weggaan, en hij komt pas terug als het donker is.

Er wordt aan alle kanten gelogen in Courtillon, de werkelijkheden schuiven knarsend over elkaar als grote stenen, het zal lang duren voor hun vormen zich hebben aangepast.

De *greluche* liegt. Haar dochter wilde alleen een sigaret roken, heeft ze tegen madame Simonin gezegd, daarom was ze op de vensterbank gaan zitten, het was een mooie nacht, volle maan, en toen had het meisje haar evenwicht verloren en was naar buiten gevallen. 'En waarom was de ruit dan gebroken?' vraagt het dorp.

Charbonnier liegt. Iemand heeft beneden bij de rivier met hem gepraat, hij is naast hem gaan zitten en heeft gekeken hoe hij viste. 'Ik ben samen met mijn vrouw uit het ziekenhuis teruggekomen,' zegt Charbonnier, 'ik heb me alleen eerder laten afzetten omdat ik nog naar een vriend moest die een fuik te koop heeft.' Zijn onhandigheid is bijna zielig, hij is een zware, logge man; iets verzinnen ligt hem niet.

Ravallet is politicus en liegt per definitie. De metingen bij de rivier hadden niets te betekenen, zegt hij tegen iedereen die hem erover aanspreekt, dat waren alleen onderzoeken uit voorzorg, om later een verantwoorde beslissing te kunnen nemen, zelf was hij er nog altijd tegen, maar als burgemeester droeg hij nu eenmaal de verantwoordelijkheid, dan moest je een probleem van alle kanten bekijken, met groot verantwoordelijkheidsbesef. Tussen die frasen door blaast hij steeds weer een van zijn wangen op, zonder het te merken, steeds alleen de rechter, en hij strijkt er onderzoekend met zijn hand over alsof zijn baard kan gaan groeien zoals de neus van Pinocchio.

Destijds (merk je eigenlijk hoe vaak ik dat woord gebruik, móét gebruiken?), destijds hebben wij ook vaak gelogen, maar dat was wat anders, wij tweeën tegen de rest van de wereld, wij moesten iets beschermen. Weet je nog hoe we soms hebben gelachen omdat we zoveel slimmer waren dan de anderen, omdat niemand iets doorhad, omdat niemand iets had gemerkt?

Kun je alweer lachen?

Ik neem de mensen hun verzinsels niet kwalijk. Ik luister en weet dat het niet eeuwig zal duren voordat de feiten tevoorschijn komen, als slordig overgeschilderde vlekken. Onze eeuwigheid duurde een halfjaar.

Destijds.

Ook Geneviève liegt, provocerend. 'Als jullie mannen spelletjes nodig hebben,' laat ze Jean voelen, 'ga je gang, ik zal jullie pret niet bederven.' Mij vroeg ze met gespeelde bezorgdheid of het dier op mijn zolder nu gevangen was, zo'n indringer kon lelijke schade aanrichten. Het was een feit – als stadsmens kon ik dat niet weten, daarom vertelde ze het me – dat zulke dieren zich bij voorkeur met paddenstoelen voedden, vooral op hoornen des overvloeds waren ze dol, die mocht ik in geen geval laten rondslingeren. Of ze daarbij knipoogde, kan ik je niet vertellen; ze draagt haar zonnebril weer.

Ik moest aan je vriendin denken die destijds volkomen on-verwachts in Baden-Baden opdook, voor zo'n stomme fami-liereünie, uitgerekend in het weekend dat wij er stiekem tus-senuit waren geknepen, in dat prachtige ouderwetse grand hotel. Bij het avondeten bleef de kelner je maar aanstaren, weet je nog, we stelden ons voor hoe hij struikelde en het eten over het kale hoofd van een van de gasten kieperde, jij ver-slikte je van het lachen, weet je nog, je kwam niet meer bij, de kelner vroeg of hij je een glas water moest brengen en omdat hij 'mevrouw' tegen je zei, begon je meteen weer. Weet je nog? (Natuurlijk weet je het nog, je móét het nog weten, ik zou het niet kunnen verdragen als je ook maar één dag, ook maar één seconde was vergeten.)

We waren zo gelukkig, destijds. In de hotelkamer konden de gordijnen automatisch open- en dichtgedaan worden, vanuit het bed, zware, groene portières. Voor de ramen lag het park, de tijd bleef stilstaan, we wilden dat hij stil bleef staan, en de volgende ochtend zaten we op een terras te ontbijten en kwam je vriendin langs.

Ze keek ons aan, heel even maar, ze leek ons aan te kijken, maar bleef niet staan, integendeel, we hadden de indruk dat ze haar pas nog versnelde, ze draaide zich niet om, hield haar hoofd recht, onnatuurlijk recht, vonden we, ze verdween om de hoek en de koffie was opeens bitter geworden en de boter ranzig. We zijn toen eerder naar huis gegaan, jij naar huis en ik naar huis, in de auto zat je vriendin als een geest tussen ons in en toen ik haar voor het eerst weer zag, voor de deur van de bibliotheek, haatte ik haar zoals Jean zijn vrouw gehaat moet hebben op het moment dat hij zich betrapt voelde. Ze groette beleefd, te beleefd, dacht ik, en zonder enige aanlei-ding, met dezelfde glimlach die ik achter Genevièves zonne-bril vermoed, zei ze: 'Ik heb een boek van Dostojevski geleend, ik vind hem zo interessant.' Tot op de dag van vandaag weet ik niet zeker of ze die zin er zomaar uitflapte of dat het een be-dekte mededeling was. 'Ik weet dat u in Baden-Baden was, zoals Dostojevski ooit in Baden-Baden was, hij heeft daar zijn geld verspeeld en u uw reputatie.' Waarschijnlijk maakte ik dat mezelf maar wijs, uit gewetenswroeging (nee, het was geen gewetenswroeging, het was bezorgdheid om jou, om ons), waarschijnlijk had ze op haar leeftijd geen benul van literatuurgeschiedenis, ze heeft ook nooit een woord gezegd, tegen niemand, voor zover ik weet – toen de klap kwam, kwam hij van een heel andere kant –, maar telkens als ik haar tegenkwam, werd mijn keel dichtgeknepen en was ik het liefst schreeuwend en schoppend op haar afgestormd.

Een soortgelijke stemming voel ik op dit moment overal in Courtillon. De mensen wachten op iets waarvoor ze bang zijn, zoals je ongeduldig op de klok kijkt in de wachtkamer van de tandarts. Zelfs monsieur Belpoix lijkt erdoor aangestoken, de oude man die ze de generaal noemen. Hij heeft me naar zijn tuinhek gewenkt, hoewel hij me anders zelfs niet groet. 'Hij zal nooit met u praten,' heeft Bertrand me een keer uitgelegd, 'want u bent een Duitser en de Duitsers zijn zijn vijanden.' De generaal ruikt naar zweet, naar een bedompte, vochtige kelder, zijn jasje, dat misschien ooit groen was, is veel te wijd, zoals ook zijn huid te wijd is geworden, zijn gezicht hangt slobberig aan zijn hoofd, alsof hij het eerste het beste heeft gepakt zonder erop te letten of het hem wel past. Hij zei iets tegen me wat ik eerst niet verstond, hij herhaalde steeds weer dezelfde lettergrepen, telkens een beetje harder en ongeduldiger, zoals je nu eenmaal tegen een buitenlander schreeuwt. Ik wilde al weggaan, schouderophalend doorlopen toen er in mijn hoofd opeens een knop werd omgedraaid en de onbegrijpelijke, vreemde klanken zin kregen. 'Guten Tag, mein Herr,' had hij steeds weer tegen me gezegd, in het Duits. Toen hij merkte dat ik hem had verstaan glimlachte hij, heel even maar, een ogenblik liet hij de gele stompjes in zijn mond zien. Hij heeft iets griezeligs, de generaal, iets wat je stoort, meer nog dan zijn oudemannenonappetijtelijkheid; ik besefte pas later hoe dat komt.

'U bent een vriend van Perrin,' zei de generaal. Zijn woorden drongen niet meteen tot me door; niemand in het dorp die het over mijn buurman heeft, noemt hem alleen bij zijn achternaam, ze zeggen allemaal Jean of *Saint Jean*.

'We kennen elkaar heel goed,' antwoordde ik en ik wilde eraan toevoegen dat wij, monsieur Belpoix en ik, toch een vriendelijke buurman hadden, maar de generaal viel me in de rede, met een gebaar dat een beverige karikatuur was van autoriteit; hij wilde geen babbeltje met me maken, hij had zijn afkeer van Duitsers alleen voor één keer overwonnen omdat hij me iets moest meedelen: 'Zegt u tegen Perrin dat hij moet ophouden.'

'Pardon?'

'Ophouden,' herhaalde de generaal harder, alsof ik alleen dat ene woord niet had verstaan. 'Hij moet stoppen!'

'Stoppen waarmee?'

Er is iets in zijn gezicht wat me stoort, ik had bijna kunnen zeggen wat het was, maar de gedachte wilde niet boven komen drijven, zoals je bij het vissen een ruk voelt en dan toch niets aan de haak hebt.

'Er zijn dingen gebeurd die niet hadden mogen gebeuren.' De generaal had zich naar me toe gebogen; zijn adem rook als de vloeistof waarin Jean zijn kwasten schoonmaakt. 'Die niet hadden mogen gebeuren, zegt u dat tegen hem! De vogels vallen uit het nest. Maar je moet ze laten liggen waar ze liggen. Ze kunnen ontploffen, zelfs na een halve eeuw nog.'

Waarschijnlijk is hij gewoon gek, dacht ik, gewoon een geflipte veteraan. Droomt van zijn oorlog, knalt er 's nachts op los en fantaseert nu over mijnen en dode vogels. Maar zijn laatste zin klonk weer heel anders. 'We zijn een klein dorp,' zei de generaal. 'We kennen elkaar allemaal. Maar het is gevaarlijk als je elkaar té goed kent. Zegt u dat tegen hem! Alstublieft, zegt u dat tegen hem, *mein Herr!*'

Pas toen de oude man zich zonder te groeten had omgedraaid, toen hij alweer in zijn huis was verdwenen, werd me duidelijk wat er zo ongewoon was aan zijn gezicht: hij knippert nooit met zijn ogen. Ze zijn altijd open, onafgebroken. Mademoiselle Millotte heeft het me later uitgelegd, trots giechelend, zoals een klein meisje giechelt dat iets beter weet dan een volwassene: 'Hij krijgt zijn ogen niet meer dicht sinds hij door een kogel in zijn gezicht is geraakt, in de oorlog was dat, helemaal op het eind nog. Als hij gaat slapen, trekt hij zijn oogleden met zijn vingers dicht en 's ochtends maakt hij ze weer open. Wist u dat niet?'

Ik weet zoveel niet. Toen ik hier kwam wonen, leek het dorp zo overzichtelijk als een prentenboek, zo simpel als een taalboek voor beginners: 'Dat is het huis. Dat is de boer. Dat is het huis van de boer.' Maar nu plakken de prenten aan elkaar vast, ze geven af, achter elk verhaal duikt een ander verhaal op en alles heeft met alles te maken. Op het schoolfeest staat elk jaar een kraampje waar cadeautjes zijn opgehangen, om er eentje te winnen moet je aan het goede touwtje trekken, maar de touwtjes zijn in elkaar gedraaid, in een dikke streng, en welk touwtje je ook pakt, nooit beweegt het voorwerp dat je op het oog hebt. Zo ziet Courtillon er op dit moment voor me uit: een meisje valt uit een raam, een man krijgt een pak slaag, een oude partizaan verkondigt onbegrijpelijke waarschuwingen, en overal vermoed je samenhangen, verbanden, wie aan het verkeerde touwtje trekt, krijgt het verkeerde cadeautje.

Soms heb ik het gevoel dat het allemaal alleen voor mij gebeurt. Ze spelen een spelletje met me, zoals je een klein kind in een goed humeur houdt door weg te duiken en weer tevoorschijn te komen, nu zie je me, nu zie je me niet.

Ook de verongelukte Valentine Charbonnier is weer tevoorschijn gekomen. Ze zat te roken in de middagzon, op de trappen voor het oorlogsmonument, haar bleke madonnagezicht was omlijst door een orthopedische kraag. (*Minerve* heet dat hier, ik weet nog steeds niet wat zo'n ding met de antieke godin te maken heeft.) Het gevaarte om haar hals zag er even misplaatst uit als de snor bij de madonna in onze kerk en had toch een vanzelfsprekende elegantie, een modieus accessoire, precies wat ze nodig had om haar lange zwarte haar nog beter te doen uitkomen.

Valentine zat niet alleen in de zon, ze werd geflankeerd door twee knullen die ik nog nooit in het dorp had gezien. (Jij hebt een hekel aan het woord 'knul', ik weet dat het vreselijk ouderwets is, maar 'tiener' klinkt nog afschuwelijker en mannen waren het nog lang niet.) Als ze zich met een stijve nek van de een naar de ander keerde, had die beweging iets statigs, ze moest haar hele bovenlichaam telkens meedraaien, Hare Majesteit heeft de eer. De twee jongens (kunnen we het eens worden over 'jongens'?) baltsten om haar heen, de ene een slungelige stadsjongen in een T-shirt zonder mouwen, de andere een vriendelijk ogende, knappe zwarte, uit Senegal waarschijnlijk.

(Ik begrijp niet waarom ik dat heb opgeschreven, het is volslagen idioot. Ik heb geen flauw idee van Afrikaanse landen en hun volksgroepen, ik zou Senegal niet eens onmiddellijk op de landkaart kunnen vinden. Hier spreekt Courtillon uit mij, waar ze de wereld schematiseren en simplificeren. Als iemand een heel donkere huidskleur heeft, betekent dat Senegal, punt uit.)

Ik zocht een reden om onopvallend te blijven staan en vond hem in 'De Internationale' van de verslaafden: iemand om een vuurtje vragen kun je over alle leeftijds- en sociale barrières heen. (Ja, ik ben weer gaan roken, ja, ik heb je beloofd te stoppen. Kom naar me toe en ik raak geen sigaret meer aan, ik zweer het.)

Geen van drieën zei een woord, ze lieten me schaamteloos duidelijk voelen dat ze de storing niet op prijs stelden. Valentine leunde met gesloten ogen alleen een beetje opzij toen ik voor haar stond, weg uit mijn schaduw, ze wilde niet één straal van de zwakker wordende herfstzon missen. De zwarte zat zachtjes te neuriën, een exotische melodie, verbeeldde ik me, maar misschien was het ook wel een actuele hit, ik heb daar geen verstand van, en pas na een tijdje stak de blanke me zijn sigaret toe, zonder hem los te laten, ik moest diep voor hem bukken om vuur te krijgen. Die kleine provocatie kwam me goed uit, zo kon ik het drietal beter bekijken, hen in mijn geheugen prenten en me voorstellen hoe de jongens eruit zouden zien met een motorhelm, op een open plek in het bos bij de hoornen des overvloeds.

De blanke: geen krachtpatser, eerder tenger, maar toch iemand voor wie je plaatsmaakt in de metro, iemand die geleerd heeft erop los te slaan voordat de ander het doet. Zijn gezicht lijkt bij de eerste aanblik verlegen, de tweede aanblik laat je liever achterwege, omdat er in zijn ogen iets is wat angst inboezemt, alsof daarachter een vreemdeling schuilgaat, iemand die alleen maar zit te wachten tot je hem de rug toekeert. Zijn haar is bruin, kortgeknipt, niet door een kapper, dat zie ik zelfs; het zat hem gewoon in de weg en moest eraf. Zijn vingertoppen zijn gelig, zijn polsen opvallend smal, en op zijn rechterbovenarm heeft hij twee littekens, twee schuine sneden die elkaar beneden in een punt raken.

Vreemd genoeg heeft de zwarte een soortgelijke verwonding, maar dan op de rug van zijn hand, een witte V op de zwarte huid. Als hij anders gekleed was, zou ik me hem als een goede leerling kunnen voorstellen, niet de beste van de klas, maar wel de meest begaafde, degene die zijn huiswerk soms briljant maakt en soms helemaal niet. Hij heeft een opvallend brede neus, ik weet niet of die een keer gebroken is of dat het bij zijn type hoort, en zijn gezicht zit vol lichte vlekken, waarschijnlijk van een ziekte, het ziet eruit als kloddders zure melk. Hij zal een jaar of zeventien zijn, net als zijn kameraad, maar hij lijkt een jongvolwassene, terwijl de ander een oud kind is. Nee, geen kind. Er zijn mensen die nooit kind zijn geweest.

Om Valentine te beschrijven schieten me alleen bijvoeglijke naamwoorden te binnen uit een andere tijd. Ze is lieftallig (lach me niet uit!), alles aan haar is fijn en vluchtig; als je haar aan wilde raken, zou je het voorzichtig moeten doen om niets kapot te maken. Bij het roken inhaleert ze diep en zuigt ze de nicotine naar binnen. Als de peuk te kort wordt, knijpt ze haar ogen samen en ziet ze eruit als een wantrouwige engel.

Een engel die zijn vrienden in het opvoedingsgesticht zoekt, want dat de jongens uit Saint-Loup komen is wel duidelijk.

Ik wist niet hoe gauw ik Jean over mijn observatie moest vertellen. Als het inderdaad die twee zijn geweest die hem hebben overvallen, hoe moet hun relatie met Valentine dan worden verklaard? 'Jij bent schuldig!' heeft de *greluche* tegen hem gezegd in haar grote publieke scène, die ze sindsdien probeert dood te zwijgen. Was er misschien echt sprake van schuld en was het pak slaag de vergelding? Maar wat voor schuld? Ik moet gerend hebben zonder het te merken. Toen ik bij hem aanbelde, was ik buiten adem.

Elodie deed de deur open, met die volwassen beleefdheid die ze kan aantrekken als te grote schoenen van haar moeder. Het speet haar, zei ze, ze was alleen thuis, Geneviève bracht de schoolbus terug en Jean was naar het bos, nee, ze wist niet wanneer hij terugkwam. Maar of ik niet binnen wilde komen, ze zou met plezier een kop koffie voor me zetten, er was nog wat over van het middageten, dat kon ze opwarmen, in de magnetron ging dat heel vlug, en misschien was ik zo vriendelijk haar een beetje te helpen, ze hadden nu namelijk Duits op school, pas sinds de zomer, en de uitspraak vond ze moeilijk, of ik haar niet wilde overhoren. Ik mag Elodie graag en ik heb er spijt van dat ik zo bot nee heb gezegd. Maar wat had ik anders moeten doen?

Jean verscheen pas na het avondeten. (Na zijn avondeten, zelf eet ik allang niet meer op gezette tijden, waarvoor zou ik de tafel dekken?) Hij had een groot koekblik bij zich en een fles wijn, een fles met een etiket, wat bij hem iets bijzonders is, normaal koopt hij de wijn per vaatje en bottelt hem dan zelf.

Hij was anders dan anders, het had me meteen moeten opvallen, maar ik had zo lang moeten wachten om hem over mijn observatie te kunnen vertellen, om hem de verdachte vrienden van Valentine te kunnen beschrijven, dat ik hem met een stortvloed van woorden overspoelde voordat hij zelf iets kon zeggen. Hij luisterde met afwezige ogen naar mijn verhaal, dat was alles, hij nam het voor kennisgeving aan, meer niet, het was alsof ik van Marathon naar Athene was gerend en het enige wat ze daar zeiden was: 'Een overwinning op de Perzen. Wat leuk, maar luister nu eerst maar eens naar wat er bij ons is gebeurd!' Als niet hij, maar een of andere naamgenoot een pak slaag had gekregen, had Jean niet ongeïnteresseerder kunnen zijn.

Zijn belangstelling werd pas gewekt toen ik over de generaal vertelde en over zijn vreemde waarschuwing. 'Kijk eens aan,' zei Jean terwijl hij triomfantelijk en vergenoegd op de ballen van zijn voeten wipte, 'kijk eens aan, kijk eens aan. Het werkt dus nog steeds tussen hen?' Hij wimpelde mijn vraag af nog voor ik hem kon stellen. 'Nee, ik leg het niet uit. Nog niet. Eerst trekken we deze fles open. Deze wijn heb ik ooit gekregen van iemand die ik een plezier heb gedaan, ik heb hem bewaard voor een bijzondere dag. Een *vin de paille*, eigenlijk onbetaalbaar voor mensen als ik. Je hoort hem te drinken uit heel kleine glaasjes, maar wij drinken hem uit grote. Uit de grootste die we kunnen vinden.'

Ondanks zijn bedrijvigheid en zijn praatzucht is de heilige Jan in feite een rustige man, iemand die niets moet hebben van theatraal gedoe. Vandaag was dat anders. Hij stond erop mij een proefslokje te serveren, op de perfecte manier, hij hing zelfs zijn zakdoek over zijn arm en speelde voor kelner, en toen er ingeschonken was proefde hij de wijn lang en smakkend, waarna hij eindelijk een grote slok nam, achteroverleunde en zei: 'Ah, dat gaat erin als een kleine Jezus in een fluwelen broekje, *comme un petit Jésus en culotte de velours*.'

Toen pas – ik stelde geen vragen meer, ik had me erbij neergelegd dat het vandaag zijn stuk was, zijn enscenering –, toen pas kwam hij ter zake. Hij deed het koekblik open, het met zijn lichaam afdekkend als een goochelaar die een truc voorbereidt, viste er iets uit en legde het op tafel. 'Wat is dat?' vroeg hij.

Ik wist niet wat het was. Ik zag alleen een stuk metaal, ongeveer zo groot als een halve handpalm, rechthoekig, met een rond middenstuk, verroest.

'Ze dachten dat niemand het ooit zou vinden,' zei Jean triomfantelijk. 'Maar met een metaaldetector vind je alles.'

'Alweer iets uit het Romeinse fort?'

Jean grijnsde, wat hem niet goed stond. Als hij verwaand kijkt, ziet hij er dom uit. 'Niet Romeins,' zei hij. 'Engels.'

Hij legde zijn vondst in mijn hand. Het oppervlak was korrelig en ruw en liet roestige sporen achter op mijn vingers. 'In het midden,' zei Jean. 'Als het licht er goed op valt, kun je het herkennen.'

Een structuur. Een stempel misschien.

'Het is een leeuw,' zei Jean.

'En het geheel?'

'De gesp van een riem. Aan de ene kant is het de gesp van een riem. En aan de andere kant,' zijn grijns werd nog breder, 'en aan de andere kant is het de redding van de rivier. Geen machines, geen grindafgraving, geen winst.'

Jean schonk zijn glas weer vol en hield het tegen het licht, zodat de gele wijn glansde. Hij zag eruit als een dokter die een urinemonster controleert. 'Kom, daar drinken we op!' zei hij.

*K*en jij dat ook? Iemand stelt een vriend aan je voor, een man die je nog nooit hebt ontmoet, en eer je hem goed hebt bekeken, heb je je al een beeld van hem gevormd. Zus en zo zal hij zijn, denk je bij jezelf, dat en dat zal hij zeggen. Zo vergaat het mij telkens als iemand een verhaal begint te vertellen. Daar en daar zal het over gaan, denk ik onmiddellijk, zus en zo zal het aflopen. Meestal krijg ik gelijk. Meestal, maar niet altijd.

Soms reken ik op een bejaarde en dan komt er een jongeman de kamer binnen, soms verwacht ik een schoolmeisje en dan staat de vrouw van mijn dromen voor me. Precies zo was het die avond met wat Jean te vertellen had. Had jij van hem een verhaal uit de oorlog verwacht, een drama met helden en schurken? Het verhaal klopt, zweert Jean, al is hij zelf veel te jong om het meegemaakt te hebben. Ik geloof hem. Jean is een levenskunstenaar, een ambachtsman, een alleskunner, maar hij heeft geen fantasie. Geef hem de onderdelen van een onbekende machine en hij zet haar voor je in elkaar. Er eentje uitvinden zou hij niet kunnen.

Achter elke deur is nog een deur. Luister wat Jean me die avond vertelde, in mijn keuken waar de klapstoelen uit de supermarkt niet bij de massieve eiken tafel passen, waar op de oude tegels nog altijd groen linoleum ligt, waar nieuw en oud botsen, wanordelijk en zonder systeem. Net als in zijn verhaal.

In 1943 was Courtillon bezet door Duitse troepen. Geen keurtroepen, maar geüniformeerde burgers die de oorlog uitzaten als een dag op kantoor. Dat ze hier waren, berustte volgens Jean op een misverstand; op hun kaarten was de dam boven het dorp aangegeven als een brug, en die moesten ze bewaken. De soldaten waren in de huizen ingekwartierd, als ze geluk hadden op een boerderij waar altijd wel een stuk spek of een paar eieren te vinden waren. Ze moeten zich verveeld hebben in het dorp, hoewel hier toen nog een café was en een *épicerie*, maar in de oorlog is verveling iets nastrevenswaardigs. Courtillon had het met zijn bezetters op een akkoordje gegooid, het waren vertrouwde vijanden geworden, met wie te leven viel als met een chronische ziekte; het zou fijner zijn als je die niet had, maar je leert ermee leven.

'In dit huis,' zegt Jean en hij kijkt naar de trap alsof daar zo iemand in zware laarzen naar beneden kan komen, 'hadden ze iemand die onderwijzer was en de kinderen in het dorp Duits wilde leren, voor elke zin die een kind had geleerd, kreeg het een klontje suiker.' De generaal moet toen nog een schooljongen geweest zijn. *Guten Tag, mein Herr.*

Ze zijn allemaal jong geweest in Courtillon, hoe moeilijk je je dat ook kunt voorstellen in dit dorp met oude mensen, die hun herinneringen om hun schouders slaan als warme jassen. (Ik ben hier op mijn plaats. Ik ken hun huiveringen.) Ze waren allemaal boer, althans de meesten, voordat ze levend zijn uitgestorven en alleen de jonge Simonin met zijn machines hebben overgelaten. Destijds, toen de schuren in het dorp nog schuren waren en geen garages, namen ze de inkwartiering voor lief als een verregende zomer – het wordt vanzelf weer anders. Alleen dat hun paarden voor de ploeg werden weggehaald, steeds weer de beste paarden, dat weigerden ze te accepteren. Ze vonden ten slotte een oplossing die paste bij hun boerenverstand en bij de boekhoudersmentaliteit van de Duitsers: ze zetten kleppers in de stal, materiaal voor de worstfabriek, daar konden de soldaten er zoveel van meenemen als ze wilden. De goede paarden, de voorvaderen van de werkdieren die nu bij de paardenboer genadebrood krijgen, verstopten ze in het bos, op een open plek waar geen weg naartoe loopt als je hem niet kent.

Ze lieten de paarden niet alleen; een paar jonge knullen

(hier klopt het woord) werden ingeschakeld om erop te passen. Het moet een soort vakantiekamp voor ze geweest zijn, een avontuurlijke vakantie in het echte leven.

'Was Belpoix erbij?' vraag ik omdat ik iets begrepen meen te hebben.

'Nee, Belpoix juist niet. Die hoorde bij de anderen.'

Ik heb niets begrepen.

Er was een Ravallet bij, somt Jean voor me op, de vader van onze burgemeester. Een Bertrand, precies, de vader van de wijnhandelaar. En nog twee anderen, die echter geen rol spelen omdat de families niet meer in het dorp wonen. Allemaal een jaar of veertien, vijftien, boerenzoons. Ze hadden een hut in het bos gebouwd, ze hadden al vroeg geleerd de handen uit de mouwen te steken, en als ze niet genoeg hadden aan de kaas, het brood en de aardappelen die ze 's nachts uit de huizen smokkelden, dan konden ze altijd nog op jacht gaan. Het was de Fransen toen weliswaar streng verboden wapens te bezitten, maar de geüniformeerde Duitse burgers hadden het goed in Courtillon en ze peinsden er niet over op nachtelijke geluiden af te gaan, die ze net zo goed konden negeren.

'De resten van de hut kun je nog steeds zien,' zegt Jean. 'Als je weet waar hij stond.' Hij staat erop – ik kan hem er niet van weerhouden – me niet alleen het stuk bos exact te beschrijven, *le bois de la Vierge*, maar me ook de ermee verband houdende, plaatselijke legende te vertellen. Hoe ongeduldiger ik word, hoe meer hij de tijd neemt; wie een goed verhaal te vertellen heeft, bepaalt de regels.

In verkorte vorm: de lokale adellijke, van wie alles is en die zich alles toe-eigent, heeft het voorzien op de onschuld van een boerenmeisje. Ze vlucht voor hem het bos in, waar de Heilige Maagd verschijnt en haar een stuk van haar mantel geeft; als ze in het dorp terugkomt, valt de slechte graaf voor haar op zijn knieën en heeft berouw, en zij blijft maagd, 'door geen man aangeraakt, haar leven lang'.

Er staat nog steeds een Mariabeeld in het bos, in een klein kapelletje. Vroeger trokken de maagden van het dorp daar één keer per jaar al zingend met bossen bloemen heen, maar dat is in onbruik geraakt. Jean becommentarieert dat met een grap die hij niet gemaakt zou hebben als de *vin de paille* niet al voor de helft was opgedronken. Hij zit te schudden van het lachen, maar zwaait tegelijk afwerend met zijn hand voor mijn gezicht. 'Ik ben nog steeds aan het woord,' moet dat betekenen, 'ik heb nog een hoop te vertellen.'

In dezelfde tijd, zo gaat zijn verhaal verder, huisde er nog een andere groep mensen in het bos, *maquisards*, later zijn het allemaal helden geworden, in de geschiedenisboeken, maar destijds waren ze alleen maar op de vlucht, ze verstopten zich om niet in Duitsland tewerkgesteld te worden. 'Bij de echte *résistance*,' zegt Jean, 'zat er toen maar één, Marcel Orchampt. Hij runde de winkel in het dorp waar je zout en tabak kon kopen, in het huis dat later van de Bertrands was en dat toen is afgebrand.'

'Op een gegeven moment hebben de Duitsers hem te pakken gekregen,' zeg ik, als leergierige leerling van mademoiselle Millotte. 'Ik heb de naam op het oorlogsmonument gezien. Eén Orchampt in de Eerste Wereldoorlog en één Orchampt in de Tweede.'

Maar Jean wil nu niet meer onderbroken worden. Het is zijn verhaal en hij laat het niet in de war sturen. 'Orchampt was de verbindingsman, waarschijnlijk kreeg hij zijn instructies samen met de goederen die hij zich liet sturen, tussen pootaardappelen en blikjes sardientjes. Hij was toen al een oude man.'

Een oude man?

'Degene die boven hem op het oorlogsmonument staat, gesneuveld in 1918, dat is zijn zoon. Daarom haatte Orchampt de Duitsers zo.'

Zoals Jean de 'Duitsers' zegt, heeft dat woord niets met mij te maken, niets met onze tijd. Die gevaarlijke volksstam heeft ooit bestaan, maar dat was destijds, toen de paardenoppassers en de *maquisards* elkaar in het bos tegenkwamen en elkaar niet mochten.

De ene groep hoorde hier thuis, het *bois de la Vierge* was

hun bos, waar ze als kind al rover en reiziger hadden gespeeld en waar ze later ooit 'naar de Maagd zouden gaan', '*visiter la Vierge*', zo heet dat hier nog steeds als je met een meisje afspreekt op een plek waar geen wegen zijn en je zeker kunt weten dat je door niemand wordt gestoord. De anderen waren vreemdelingen, voor het merendeel stadsmensen die boeken hadden meegezeuld in plaats van behoorlijke schoenen, en die een eik niet konden onderscheiden van een wilde kersenboom. Slechts één van de *maquisards* kwam uit Courtillon, en die heette Belpoix.

De generaal.

Hij moet een stevige jonge vent geweest zijn, met eelt op zijn handen en gewend om te werken, precies wat ze zochten op Duitse boerderijen. Hij was destijds achttien jaar en kon zijn ogen nog dichtdoen.

Hoe de beide groepen elkaar tegen het lijf zijn gelopen, weet Jean niet te vertellen. 'Ze zullen hen bij de jacht hebben gestoord,' vermoedt hij, 'of ze hebben hun paarden opgeschrikt.' Er zijn geen openlijke confrontaties geweest, zo sterk voelden ze zich door de gemeenschappelijke vijand toch wel met elkaar verbonden, ze hielpen elkaar zelfs, spek voor sigaretten, en als Orchampt er niet was geweest, de man van de *résistance*, dan hadden ze zich waarschijnlijk samen door de oorlog heen geslagen, niet als helden, maar wel levend.

Dan was namelijk nooit het plan opgekomen om de spoorlijn te saboteren.

Jean is nooit sterker zichzelf dan wanneer hij kan praten, en hij weet precies wanneer hij een toehoorder aan de haak heeft, wanneer hij een verhaal schijnbaar onopvallend moet onderbreken, zoals je de lijn laat vieren om de vis naderhand des te zekerder binnen te halen. 'Ik verveel u toch niet?' vraagt hij schijnheilig.

'Hoe weet u dat eigenlijk allemaal?'

Jean kijkt me aan, ongelovig en een beetje verwijtend, zoals een variétégoochelaar waarschijnlijk een bewonderaar aan zou kijken als die in alle ernst van hem wilde weten hoe zijn beste truc werkt. Hij zet zijn ellebogen op tafel, steunt met zijn kin op beide duimen en tikt met zijn vingertoppen tegen elkaar. De randen van zijn nagels zijn zwart, alsof hij in de aarde heeft zitten wroeten. 'Je hoort hier eens wat,' zegt hij ten slotte, 'en je hoort daar eens wat. Trouwens: iets zoets zou goed passen bij deze wijn. Dan stijgt hij niet zo naar je hoofd.' Terwijl ik in mijn wanordelijke voorraad naar een pak biscuitjes zoek, masseert hij onder zijn trui zijn zere schouder.

De open plek in het bos, bedenk ik opeens, waar hij zijn paddenstoelen heeft gezocht, waar ze hem hebben overvallen, ligt die ook in het *bois de la Vierge*? Is daar een verband? Achter elke deur is nog een deur.

Jean doopt zijn biscuitje in de wijn en sabbelt erop, luidruchtig en zonder haast, hij laat de vis eerst nog een poosje zwemmen en haalt dan pas de lijn op. 'De treinen reden toen nog,' begint hij weer, 'het station was nog een station.'

Het was geen belangrijk traject, dat is het nooit geweest. Een ontspoorde trein zou de wereldgeschiedenis niet veranderen, de oorlog viel niet tussen Montigny en Courtillon te winnen. Maar het bevel uit Engeland was nu eenmaal gekomen, via een of andere sluipweg, Orchampt had het doorgegeven en nu wilden de *maquisards* opeens helden zijn. Je zoekt je geschiedenis niet uit, je raakt erin verzeild. (Nee, dat klopt niet. Wij tweeën zijn er niet zomaar in verzeild geraakt, bij ons was het meer. Het moet meer geweest zijn.)

'Puur technisch is het helemaal niet moeilijk om een trein te laten ontsporen,' legt Jean me uit. Al het ambachtelijke werk fascineert hem en hij heeft al precies bedacht, tot in de kleinste details, hoe hij het destijds zelf zou hebben gedaan, met heel eenvoudige middelen. Hij zou het op de brug hebben geprobeerd, bij de oude molen vlak voor het dorp, daar zou hij de rails hebben losgemaakt, de locomotief zou zijn ontspoord en door de leuning heen in de diepte zijn gestort, de stoomketel zou zijn geëxplodeerd en zou het traject hebben geblokkeerd, dagenlang, *'c'est du mille-feuille'*, geen enkel probleem.

Het probleem lag ergens anders. De boerenjongens bij de

paarden hadden van de geplande sabotage gehoord, misschien via Belpoix, die ze immers kenden, en ze hadden het verder verteld, 's nachts als ze naar hun ouderlijk huis slopen om nieuwe proviand te halen. De inwoners van Courtillon waren op de hoogte, ze bediscussieerden het plan in de stal en bespraken het in de keuken; een verdieping hoger lagen de Duitse soldaten nietsvermoedend te snurken. De inwoners kwamen tot de conclusie dat ze ertegen waren. Ze hadden het op een akkoordje gegooid met de bezetter, ze kwamen elkaar tegen, *bonjour, madame, guten Tag, mein Herr.* Waarom zouden ze die verstandhouding laten verstoren? Een aanslag op een trein, dat zou represailles betekenen, arrestaties of nog erger, en wie zou daaronder te lijden hebben? In elk geval niet die stedelingen die zich in het bos hadden geïnstalleerd en niet eens wisten hoe je een vuurtje stookt en geen idee hadden wat het betekent een boerderij te moeten behouden voor de volgende generatie.

Courtillon besloot dat de aanslag niet door zou gaan.

Dat besluit werd niet openlijk verkondigd, natuurlijk niet, niemand had iets gezegd, maar iedereen had het gehoord, de mensen hoefden elkaar niet ergens te ontmoeten en te stemmen, ze waren het ook zo met elkaar eens, en daarom speelt het ook geen rol wie uiteindelijk de Duitsers op de hoogte bracht. Het staat alleen vast dat er opeens patrouilles waren langs de rails, dat opsporingstroepen de bossen uitkamden, waarbij ze, het kan toeval geweest zijn of niet, om het *bois de la Vierge* een boog maakten. De *maquisards* waren op tijd gewaarschuwd, men wilde hun geen kwaad doen, zodoende werd er ook niemand gearresteerd, behalve Orchampt natuurlijk, maar die had het aan zichzelf te wijten als je er goed over nadenkt; een oorlog blijven voeren die verloren is, dat is hetzelfde als een koe blijven voeren die geen melk meer geeft. Het levert niets op.

Orchampt overleefde zijn verhoor niet. In plaats daarvan kreeg hij later een ereplaats op het oorlogsmonument, vlak onder zijn zoon.

'Hij moet ze echt heel erg gehaat hebben,' zegt Jean nadenkend. Hij zit nu zo in zijn verhaal dat hij mij als toehoorder niet meer nodig heeft. Hij vertelt het alleen om het voor zichzelf helder te krijgen. 'Ik geloof,' zegt hij, 'dat alleen haat iemand de kracht kan geven zoiets vol te houden, tot het eind toe, zonder iets te verraden.'

Wat Orchampt namelijk niet had verraden, ook niet in de nacht dat zijn gegil tot op straat te horen was, dat was dat van het vliegtuig.

De aanslag op de spoorlijn, op die voor de oorlog volkomen onbelangrijke spoorlijn naar Montigny, was alleen als afleidingsmanoeuvre bedoeld, alleen als een spektakel dat de Duitsers bezig moest houden, terwijl een paar kilometer verderop het echte werk werd gedaan. Het was de tijd dat de *résistance* zich begon te organiseren, dat uit Engeland koeriers werden ingevlogen die instructies meebrachten. Instructies en geld.

'Het was natuurlijk vals geld, maar zo goed gemaakt dat niemand dat kon merken.' Jean zegt het met het verwaande gezicht van de ingewijde die beter op de hoogte is dan alle anderen. Als zijn verhaal klopt, kan hij dat eigenlijk helemaal niet weten. Het geld is namelijk verdwenen, daar gaat het allemaal om, de koerier werd doodgeschoten en de kist met de bankbiljetten ... Maar alles op z'n beurt.

In Engeland wisten ze niets van de arrestatie van Orchampt. Misschien was er ook wel een zender, ergens in het magazijn verstopt, en moest hij ter controle elke dag een signaal doorgeven, misschien hebben de Duitsers dat uit hem geranseld, misschien heeft hij het hun opzettelijk verteld, een samenzweerder tot de laatste snik, men weet het niet. Men weet alleen, 'iedereen weet dat hier in de buurt', beweert Jean, dat Londen de afgesproken zin seinde, op drie verschillende tijdstippen: 'De vogels vallen uit het nest.'

De generaal is toch niet gek.

Ze wisten in Engeland ook niet dat de *maquisards* er niet meer waren, dat ze verder waren getrokken, waarheen dan ook, dat de verzetsgroep waarvoor het geld bestemd was niet meer bestond. Het codewoord werd geseind en de volgende nacht kwam het vliegtuig, het vloog laag boven de bomen en zocht in het bos naar een vuur. Dat was het afgesproken teken voor de dropping, zegt Jean, een vuur in het bos, en op hetzelfde moment zweefden er al twee parachutes, bijna onzichtbaar tegen de zwarte hemel, het vliegtuig was weer afgedraaid, het was er niet eens echt geweest, en de nacht had weer stil kunnen zijn als de paarden niet hadden gehinnikt en schichtig waren geworden, opgeschrikt door het vreemde geronk van de motor.

Niemand had het zo gepland. Het was toeval dat Ravallet die nacht alleen in het bos was, de jonge oude Ravallet, dat hij alleen de wacht hield terwijl de andere paardenoppassers proviand haalden. Het kampvuur was niet aangestoken om te misleiden, niemand had een vermoeden gehad van het vliegtuig en de koerier en het geld. Misschien is de kist bij de landing kapotgegaan en heeft hij verbaasd naar de bankbiljetten staan kijken, pakken bankbiljetten, maar misschien heeft hij het geld ook pas later ontdekt, toen de koerier uit Engeland al dood was, en heeft hij hem alleen om het leven gebracht omdat hij met zijn vijftien jaar begrepen meende te hebben dat dat van hem werd verwacht. 'We willen geen onrust,' had het dorp gezegd, 'de oorlog moet vreedzaam blijven.'

'Hij heeft hem doodgeschoten,' zegt Jean. 'Hij is altijd een goede schutter geweest, de vader van onze burgemeester. Later, toen ze rijk waren, is hij zelfs een keer naar Afrika gegaan en heeft hij een leeuwenvel mee naar huis gebracht.' De Ravallets, boeren zoals de andere boeren, waren na de oorlog plotseling welgesteld, aannemers die overal een vinger in de pap hadden. Niemand wist hoe ze aan het geld kwamen voor de stukken grond en al die machines. Er waren alleen geruchten; als je Jean mag geloven werd er in het dorp altijd al gefluisterd, over bankbiljetten, pakken bankbiljetten, en over een dode koerier, begraven ergens in het bos. Wie daarover praatte, deed het zachtjes, de Ravallets waren machtige mensen geworden en je moet een oorlog niet blijven voeren als hij eenmaal gewonnen is. Dat levert niets op.

Niemand had ook een bewijs, tot nu toe. Maar nu is Jean al die dagen met zijn metaaldetector op pad geweest, hij heeft het graf gezocht, dat tenslotte ergens moest zijn als er iets van het verhaal waar was, en hij heeft het gevonden. 'Vlak achter het kapelletje van de Moeder Gods, hij zal gedacht hebben dat het zo hoort. Wist hij veel op die leeftijd?'

Door de vertrouwelijkheid van het vertellen begint Jean me te tutoyeren, heel automatisch. 'Weet je wat voor leeuw dat is?' vraagt hij en hij streelt de roestige gesp onhandig en teder, zoals een minnaar schuchter en trots een nieuwe huid verkent. 'Dat is de leeuw van Engeland.' Hij kan er haast niet van scheiden, maar dan legt hij het stuk metaal toch voor me neer.

Een wapendier, briesend op zijn achterpoten? Jean denkt dat alleen maar te zien omdat het zo goed in zijn verhaal zou passen. Ik zie niet meer dan een figuur die vaag iets van een mens heeft, het kan ook een onbelangrijke versiering zijn. 'Daarmee kun je niets bewijzen,' zeg ik.

Jean knikt, hij knikt en grijnst. De goochelaar heeft een verkeerde kaart laten zien, met opzet, om naderhand met des te meer effect de goede uit zijn mouw te trekken. Hij schuift de gesp achteloos weg, het was maar een flirt, nu komt zijn grote liefde. In het midden van de tafel maakt hij plaats, de schaal met biscuitjes, de glazen en de bijna lege fles zet hij aan de kant. Hij zet zijn koekblik neer, een verzamelobject, zie ik nu pas, op het deksel krijgt een veldheer na een of andere gewonnen veldslag de sleutel van een stad overhandigd. Misschien heeft Jean het wel gevonden in een kelder die hij voor iemand heeft leeggehaald, de afbeelding op het deksel was niet meer te herkennen, maar hij heeft het blik meegenomen en schoongemaakt en glimmend gepoetst. 'Ooit kun je alles weer gebruiken,' is zijn motto, 'je moet alleen geduld hebben.'

Hij haalt het deksel eraf, heel langzaam, in het circus zou er tromgeroffel bij aanzwellen, en nu weet ik ook waarom zijn vingernagels zo zwart zijn: er zit nog aarde aan de schedel die in het blik ligt.

'Zie je het gat waar de kogel is binnengedrongen?' vraagt Jean.

De kogel heeft hij ook gevonden, hij wikkelt hem uit een stuk krant. Hij komt uit een jachtgeweer, beweert Jean. Hij houdt de omgedraaide schedel als een schotel tussen zijn handen en laat het vervormde stukje lood erin rammelen. 'Geen grindafgraving!' zingt hij. 'Geen baggermolen! *Au revoir, monsieur le maire!*'

Weet je wat hij van plan is? Hij wil de burgemeester chanteren. 'Monsieur Ravallet,' wil hij tegen hem zeggen, 'wilt u echt dat het hele *département* te weten komt dat uw vader een moordenaar was? Of wilt u liever tegenstemmen als het om de grindafgraving gaat? Helaas, helaas, het project is afgewezen, met de beslissende stem van de burgemeester.' Hij ziet zich al in Ravallets kantoor staan, met zijn handen in zijn zij en door zijn knieën verend, hij ziet zich al zegevieren. 'We kunnen ook alles vergeten,' zal hij zeggen, 'voor eens en voor altijd, *monsieur le maire*, al die oude verhalen. We zullen er niet meer over praten, nergens meer over, zelfs niet over de mensen die u erop uitgestuurd hebt om mij in elkaar te slaan.' Hij is er namelijk vast van overtuigd dat Ravallet daarachter zit, hij heeft ook dat in zijn verhaal ingepast, goed verbonden met alle andere radertjes. 'Ze hebben gemerkt dat ik hen op het spoor was en toen wilden ze me bang maken.'

Ja, natuurlijk heb ik geprobeerd hem ervan te weerhouden, geprobeerd heb ik het. 'Je moet die oude verhalen laten liggen waar ze liggen, de generaal heeft gelijk!' Jean wikkelt de kogel weer in het krantenpapier. 'Vijftig jaar is het nu geleden, meer dan vijftig jaar!' Jean legt de schedel terug in het koekblik. 'Een zaak moet ook eens voorbij kunnen zijn!' Jean doet het deksel dicht.

Hij heeft me beloofd erover na te denken, de zaak nog eens te overwegen. Maar hij heeft al een beslissing genomen, dat zie je. De heilige Jan heeft zijn missie gevonden.

'Ravallet moet wel toegeven,' zegt hij, al in de deuropening. 'Alleen al vanwege zijn moeder.'

'Leeft die dan nog?'

'Natuurlijk,' zegt Jean. 'Toen de Ravallets rijk waren, hebben ze zich een dure schoondochter gepermitteerd, ze hebben met hun nieuwe geld een oude naam gekocht. Maar toen haar man haar vertelde waar het geld vandaan kwam – ze lag destijds in het kraambed, wordt er gezegd, onze burgemeester was pas geboren –, toen heeft ze haar verstand verloren. Sindsdien praat ze alleen nog met haar kippen. De oude vrouw in het huis helemaal aan het eind van het dorp. Wist je dat niet?'

Achter elke deur is nog een deur.

*I*k heb je lang niet geschreven. Ik schrijf je nooit meer. Je kunt je brievenbus gerust openmaken (Mag je al een eigen brievenbus hebben van ze? Wat fijn voor je!), je zult er niets anders in vinden dan roze uitnodigingen van domme vriendinnen. En misschien een rekening van die gevoelsremmer die zichzelf psycholoog noemt. Veinst hij met succes begrip? Tutoyeer je hem al? Streelt hij je hand terwijl jullie over mij praten?

Wat hebben ze met je gedaan?

Wees maar niet bang, dit is geen brief aan jou. Ik schrijf aan iemand die mijn leven heeft gedeeld, ik schrijf aan iemand die belangrijk voor me was, belangrijker dan al het andere, ik schrijf ...

Wat moet ik anders doen dan schrijven?

Ik zet mijn gedachten op papier (nee, het zijn geen gedachten meer, ook dat heb je in mij kapotgemaakt), ik vul papier met letters en dan vouw ik het op en leg het bij het andere papier dat ik met letters heb gevuld, en op een gegeven moment steek ik alles in brand en als ik geluk heb, verbrand ik zelf ook.

As is zo'n mooi woord. Je kunt het tussen je vingers fijnwrijven.

As.

Ik haat je.

Ook dat zal je koud laten. Alles laat jou koud.

Hoe heb je het goed kunnen vinden dat hij me die brief schreef? Hoe heb je zijn medeplichtige kunnen worden, tegen mij, tegen ons? Nu sluiten ze ons op, jou alleen en mij alleen,

81

en dan loop jij met de bewaarder door de gangen, arm in arm, en dan staan jullie voor mijn cel, je glimlacht naar hem, onderdanig, van onderaf, en hij geeft je de sleutel, en dan steek jij de sleutel in het slot en doe je de deur nog een keer extra op slot. Wat hebben ze met je gedaan?

Ze zouden je handen moeten afhakken.

Je hebt zulke prachtige handen.

Vroeger (of maak ik mezelf dat maar wijs?) hoefde ik maar aan je te denken en het beeld was er al. Nu zijn het alleen nog stukjes die ik niet meer in elkaar kan zetten. Het litteken op je arm, dat kleine foutje dat jou nog perfecter maakt. Zoals jij snuffelend de lucht opsnuift, telkens voor je begint te lachen. Zoals jij soms met je mond ...

Hoe kon je me dat aandoen?

Ik heb jullie brief gelezen en hem niet verscheurd. Ik heb hem netjes op tafel gelegd, ik heb hem zorgvuldig gladgestreken en ben toen naar buiten gegaan en heb de wielen onder mijn auto vandaan gehaald. Zodat ik nooit meer uit Courtillon weg kan rijden. Dat is toch wat jullie willen.

Jojo kwam langs, hij ging staan zoals hij dat altijd doet als er iets te zien valt, met zijn handen op zijn lillende heupen, en hij vroeg: 'Wilt u klaar zijn voor de winter, zo zo, klaar voor de winter?'

'Ja, Jojo, het wordt koud.'

Hij heeft me geholpen met de wielen, hij is handig, mijn vriend Jojo, we vullen elkaar aan, we passen bij elkaar, Courtillon kan trots op ons zijn, het enige dorp met twee gekken.

Ik was te stom om te voorzien dat ze ons uit elkaar zouden therapeutiseren. 'Moet ik u in het belang van mijn patiënte verzoeken af te zien van verdere toenaderingspogingen.' Het was toch geen ziekte (waarom kun je niet schreeuwen op papier?), we waren toch niet besmet met een bacil, het was toch ...

Ik weet niet wat het was.

Het was Mozart, het was Beethoven, het was een kinder-liedje.

Het was toch niet gepland.

Leg jij het me uit! Jij moet het intussen weten, jij moet weten hoe het er vanbinnen bij jou uitziet, tenslotte ben jij vrijwillig op de witte tafel geklommen, heb je eigenhandig het laken teruggeslagen, het lijklaken, en heb je hun zelf het snijmes aangereikt. 'Ontleedt u mij, alstublieft, dat wilde ik altijd al!' Hebben ze erbij gekwijld, hebben ze zich opgegeild aan al die fijne kronkels en knopen, hebben ze hun hoofd geschud en gezegd: 'O jee, wat hebben we daar? Een gevoel, jakkes, dat moet weg, dat snijden we eruit.' Hebben ze het op je nacht-kastje gezet, geprepareerd in een flesje, zodat je het in alle rust kunt bekijken, dat glibberige spul, zodat je ervan kunt leren walgen? Of hebben ze het meteen opgeruimd, samen met de bloedige wattendotten en het andere afval? En gaat het beter met je, nu je opnieuw in elkaar bent gezet, ben je nu gelukki-ger, als robot? 'Mocht u weer eens aan hem denken, juffrouw, drukt u dan hier op deze knop, dan is meteen alles vergeten en bent u weer net als alle anderen.'

Je bent jezelf niet meer. Merk je dat niet?

Als hij die brief had geschreven, hij alleen, 'in het belang van mijn patiënte', dan had ik alles kunnen wegredeneren, wegla-chen, wegleggen. Maar dat jij zelf ...

Wat wil dat zeggen: 'Zie het alsjeblieft in'?

Dat is niet eens jouw taal.

Vier woorden onder een vreemde brief. Vier hele woorden en dat was het dan. Niet eens je naam heb je me gegund, die moet ik zeker vergeten.

Hoe kon je me zoveel pijn doen?

Of hebben ze je gedwongen dat te schrijven? Hebben ze de vulpen in je vingers gedrukt en je hand geleid, met hun blik-ken en hun glimlach, hun vergiftigde hulpverlenersglimlach? Was dat het enige protest dat je nog restte? Weigeren je naam te schrijven? Was dat het enige teken dat je me nog kon sturen? 'Zie het alsjeblieft in.' Wat wil dat zeggen? Zie in dat ik het spelletje mee moet spelen? Dat ik moet doen alsof? Dat ik pas weer vrijkom als ze me precies zo zien als ze me willen hebben?

Vier woorden. Ik heb ze sindsdien steeds weer herlezen. Soms geloofde ik mijn troostende verklaringen zelfs. Ik ben een idioot, madame. Ik hou nog steeds van je.

Ik had jullie brief beter aan Jojo kunnen geven, hij stookt zo graag een vuurtje. Hij is mijn vriend, Jojo, hij is trouw, voor het geval je dat woord kent, edelmoedig, behulpzaam en goed. Een idioot dus, net als ik. Dansend van opwinding haalde hij een ladderwagen voor de autowielen, we hebben ze opgeladen en zijn ermee naar de rivier gegaan.

Onderweg kwamen we Elodie tegen, die ons verbaasd aanstaarde. (Heb ik je verteld dat haar ogen me aan de jouwe doen denken?) 'Hij wil klaar zijn voor de winter,' legde Jojo haar uit, 'klaar voor de winter.'

'Bent u ziek?' vroeg Elodie. Zou het kunnen dat ze nog nooit een man heeft zien huilen?

Jij hebt een keer van geluk gehuild, weet je nog? We hadden de luiken dichtgedaan, tegen de zon, en ik heb je tranen eerst alleen gevoeld. Dat was op die prachtige middag toen we ...

Heden. Bij het heden blijven en vertellen. Vertellen hoe koud het is geworden. De wintergeur beschrijven wanneer ze allemaal weer beginnen te stoken. Verrotting en rook. De boomstam beschrijven die de rivier afdreef en eruitzag als een Vikingschip. De plant die na de eerste vorst op de grond lag, ineengekrompen als een kind dat in de oorlog tussen de fronten is geraakt. De vogel die met volle vaart tegen mijn raam vloog, het knalde als een schot.

Geen herinneringen. Niet in het verleden leven zoals monsieur Belpoix, die zonder met zijn ogen te knipperen op 11 november de hele dag met zijn geweer naast het oorlogsmonument stond en ter ere van de wapenstilstand van 1918 de plastic bloemen bewaakte. Valentine en haar beide vrienden zaten vijf passen van hem vandaan in de allerlaatste koude herfstzon, op de trappen waar ze tegenwoordig altijd zitten. Ze letten niet op hem; geesten zijn mensen die we niet meer willen waarnemen.

Ik ben een geest.

Feiten, alleen feiten. Jean heeft met Ravallet gepraat, dat weet ik van mademoisselle Millotte, die hem de *mairie* binnen heeft zien gaan, meer dan een uur is hij er gebleven. Jean wil me niets over het gesprek vertellen, hij glimlacht alleen veelzeggend, als een diplomaat die op het hoogste niveau onderhandelingen heeft gevoerd. 'Het verdrag is nog niet rijp voor bespreking, heren, maar we zijn op de goede weg, beslist op de goede weg.'

Wie hem in elkaar heeft geslagen, waarom en in opdracht van wie, dat zal wel niet meer te achterhalen zijn. Jean heeft geweigerd aangifte te doen, hoewel Deschamps, het hoofd van de gendarmerie uit het huis met de heg, daar persoonlijk op heeft aangedrongen.

En Geneviève ...

Dat interesseert me allemaal niet. Alleen jij interesseert me.

Courtillon is alleen een verhaal waarmee ik de tijd verdrijf tot het echte leven verdergaat. Een tijdschrift in een wachtkamer, iets om te lachen, iets om te huilen, gemengde berichten, je kunt je ermee bezighouden of ze overslaan, het belangrijkste is dat de uren voorbijgaan. Meisje uit het raam gesprongen, man tijdens het paddenstoelen zoeken in elkaar geslagen, koerier doodgeschoten, wat je zoal nodig hebt als gespreksstof. Maar als ik jou er niet meer over mag vertellen, als ik niet meer mag bestaan, dan kunnen ze het dorp ook afbreken, de baggermolens nog een eindje door laten rijden als ze toch bezig zijn, dan kunnen ze het dichtgooien met hun grind, en mij erbij.

Waarom ben ik eigenlijk hier? Waarom heb ik me vrijwillig laten opsluiten in deze zandbakwereld, duizend passen heen, duizend passen terug? Omdat jij hebt gezegd dat je tijd nodig hebt. Ik heb de tijd uit mij gesneden, elke dag een nieuwe plak. Ik heb het met plezier gedaan, ik heb me niet beklaagd, bijna nooit, maar alleen omdat ik dacht dat jij …

We zijn naar de oever gelopen, Jojo en ik, en we hebben de wielen in het water laten rollen, een voor een. 'Ze blijven niet eens drijven,' zei Jojo verdrietig, 'ze blijven niet eens drijven.'

D'accord.

Ik heb je niet nodig. Ik red het ook zo wel. Als jij geen brieven wilt ... ik hoef ze niet te schrijven. Ik kan ook een dagboek bijhouden. Ik kan aan de rivier gaan zitten en letters in het water tekenen. Ik kan alles. Ik heb je niet nodig. Waarvoor ook? Ik heb genoeg vrienden, hier in Courtillon.

Toen het slecht met me ging (het had niets met jou te maken, niets heeft met jou te maken, niet meer), toen ik in bed naar de eerste sneeuwvlokken lag te kijken – de winter kwam dit jaar als een overval –, toen het niet goed met me ging, stond mijn vriendin Geneviève elke dag in haar keuken versterkende soep voor me te koken. 'Waarom eet u eigenlijk geen toetje?' vroeg mijn vriendin Elodie, ze zette het dienblad op mijn buik en vertelde dat ze nog altijd geen salto kon, maar dat het al beter ging. Mijn vriend Jean bracht hout voor mijn kachel en donkerbruine kruidenlikeur; die werd alleen in een heel klein plaatsje gebrouwen, legde hij trots uit, alsof de afgelegen herkomst de geneeskracht nog moest vergroten. Het brouwsel smaakte laf en gezond, maar ik heb niets laten merken. Je kwetst je vrienden niet.

Je vrienden kwets je niet.

Ook Jojo is een vriend. Nog voor de sneeuw begon te vallen, heeft hij met behulp van Jean mijn geamputeerde auto voor het huis opgebokt en nu is hij gelukkig en vreselijk trots omdat hij mag instappen wanneer hij maar wil, omdat hij het stuur en de versnelling mag vastpakken, omdat hij zich mag voorstellen dat hij rijdt, brom brom, omdat hij mag beweren dat hij een doel heeft, omdat hij zich mag inbeelden dat er iemand op hem wacht.

Niets dan vrienden. En dat zijn ze nog lang niet allemaal.

Nauwelijks had ik mijn rondjes door het dorp hervat, nauwelijks was ik na mijn verlof weer naar mijn werk gegaan – alles is vertrouwd en alles is nieuw –, nauwelijks had ik de eerste stappen op de dunne, knerpende sneeuwlaag gezet, of mademoiselle Millotte wenkte me al, van onder haar klerenberg, met haar kromme, jichtige wijsvinger. Ze stak me haar wang toe, haar broze papieren huid, liet zich kussen en vertrok toen haar verschrompelde lippen tot een verwijtend pruilmondje, dat mannen zestig of zeventig jaar geleden onweerstaanbaar gevonden moeten hebben. 'Ik heb u gemist, monsieur.'

'Ik was ziek.'

'Niet echt ziek,' verbeterde ze me streng. Als iets zwaar moet wegen, verdubbelen ze hier de bijvoeglijke naamwoorden, 'echt ziek' is '*malade malade*', zoals de Ravallets *riche riche* zijn en ik alleen alleen. 'Als je echt ziek bent, komt de dokter en bij u zijn alleen ...' En toen somde ze mijn bezoekers op, één voor één, ze wist zelfs te vertellen wat voor taart madame Brossard voor me had meegebracht. (Nog een vriendin. Ik heb er zoveel hier in Courtillon, te veel om op te noemen.)

'Ik geloof, monsieur ...' Het gebaar van mademoiselle Millotte moest een plagerig dreigement worden, maar omdat ze alleen haar middelvinger nog kan strekken, maakte het een verschrikkelijk onfatsoenlijke indruk. 'Ik geloof, monsieur, dat u hebt gespijbeld.'

Ze kan gedachten lezen.

Natuurlijk heb ik gespijbeld, als een leerling die op de rapportdag doet of hij koorts heeft om niet te hoeven toegeven dat hij echt is blijven zitten. Ik ben laf in bed weggekropen en heb het matrassenvlot een oceaan vol zelfmedelijden op laten drijven. Ik heb het zo slecht met me laten gaan als maar kon, en als iemand me had gevraagd: 'Wat is er gebeurd?', dan had ik geantwoord: 'Niets.'

Niemand heeft iets gevraagd. Ze zijn discreet in Courtillon. En er is immers ook niets gebeurd.

Ik had nooit meer willen opstaan en ben toen toch weer opgestaan, natuurlijk, je suft niet tragisch weg na een week in bed, je krijgt alleen rugpijn. Wie voor verzetsheld wil deugen, moet fitter zijn dan ik en bestand tegen plakkerige, bezwete lakens en een beslagen tong. Een martelaar die zijn tanden poetst, heeft al verloren.

Dus heb ik op een gegeven moment een koude douche genomen en mijn ziekte weggeschoren – mijn huid niet glad meer onder de stoppels, mijn gezicht in de spiegel als duizend andere. Ik heb de afwas gedaan, aangekoekt verleden van de pannen gekrabd, de toekomst weggespoeld, de vuilnis buitengezet en de pijn ergens begraven. *D'accord.* Ik heb je niet nodig. Ik verveel me heus niet. Als ik een praatje wil maken, is Courtillon vol met mademoiselles Millotte. Een benijdenswaardige vrouw, zoals ze daar in haar rolstoel zit, het is zo koud dat je tanden pijn doen, maar zij grijpt de kleine lapjes leven die het toeval langs haar heen waait, en naait er een warme deken van.

Ook van de ontdekking van Jean heeft ze al gehoord, hij heeft haar zelfs de schedel en de kogel laten zien. 'Bazuin het niet rond,' had ik hem nog gewaarschuwd, maar mademoiselle luistert op een manier dat je denkt dat je een geheim bewaart terwijl je het haar al aan het vertellen bent. Het verhaal op zich liet haar koud; of in het dorp iemand een skelet opgraaft of een taart bakt, dat is haar om het even, zolang ze het maar weet, zolang ze het maar onder kan brengen in haar grote legpuzzel. Het ergerde haar wel dat de stukjes deze keer niet naadloos samen te voegen waren, dat ze niet echt zin hadden in het verleden waarin zij nog altijd thuis is.

'Ziet u, monsieur,' zei ze, 'dat van die koerier en dat iemand hem heeft doodgeschoten, dat zal wel zo zijn, of ongeveer zo. Niemand is erbij geweest, niemand heeft het gezien, maar je hoort weleens wat. Alleen dat Auguste Ravallet het gedaan zou hebben … Ik weet het niet, monsieur, ik weet het echt niet.'

'Waarom niet?'

'U hebt hem niet gekend, monsieur. Auguste wilde altijd iets worden, en hij ís ook iets geworden. Maar hij wilde er niets voor doen, niet zelf, begrijpt u? Hij liet de dingen altijd door iemand anders opknappen. Zijn vrouw bijvoorbeeld – haar meisjesnaam was Du Rivault, een heel oude familie –, met haar heeft hij voor het eerst gepraat toen de bruiloft al was afgesproken, de bruidsschat, alles. Hij zou nooit zelf naar haar toe gegaan zijn om haar te vragen. En op school ...' Als ze ver in het verleden terugtast, begint ze te knikkebollen en doet ze haar ogen dicht alsof ze zo in slaap gaat vallen. Maar als ze ze weer opendoet, is ze klaarwakker. 'Op school, als hij wilde dat iemand een pak slaag kreeg, dan spande hij iemand anders voor zijn karretje en bleef zelf buiten schot. Zo iemand pakt geen geweer en schiet, dat doet zo iemand niet.'

'Maar er was daar niemand behalve hij.'

'Als u dat zegt, monsieur, dan zal het wel zo zijn.' Niemand kan je zo onderdanig gelijk geven als mademoiselle Millotte en je tegelijk zo duidelijk laten voelen dat je het mis hebt. Ze glimlacht dan zo onschuldig als in haar jeugd waarschijnlijk alle jongedames deden als ze nee zeiden en ja bedoelden.

'Met andere woorden: u weet meer over die geschiedenis.'

'Ik weet helemaal niets,' zei de oude dame, en om er heel zeker van te zijn dat ik haar niet geloofde, herhaalde ze: 'Echt helemaal niets.' Haar tactiek had succes. Nu had ik echt geen idee meer of ze ook die geschiedenis had opgeslagen in de vakjes van haar herinnering, ergens tussen oude feiten en nog oudere geruchten, tussen liefdesaffaires en dorpsintriges, of ze ze er met één greep uit had kunnen halen als ze maar had gewild, of dat ze – ook daar achtte ik haar toe in staat – inderdaad geen idee had en alleen interessant wilde doen; je moet koketteren met wat je nog hebt. 'Niemand weet iets,' zei ze nog een keer, 'maar ...'

'Maar wat?'

'Ik denk dat als mijn benen nog waren zoals vroeger, als ik nog jong en sterk en gezond was, zoals u bijvoorbeeld, monsieur, ik naar het bos zou gaan om de Maagd te bezoeken.

Visiter la Vierge. Heeft Jean niet gezegd dat de koerier daar begraven is?'

'U bedoelt dat daar nog iets te vinden moet zijn?'

Maar ze antwoordde niet meer. Met de wispelturigheid die het voorrecht is van kleine kinderen en oude mensen, interesseerde ze zich opeens alleen nog voor haar handschoenen, niet-passende rode wanten zoals je die bij het skiën draagt, iemand moet ze haar cadeau gedaan hebben, ze verpakte haar rechterhand erin als een vreemd voorwerp en stak me toen haar linkerhand toe om zich te laten helpen. 'Het is koud geworden,' zei mademoiselle Millotte, 'en het zal nog kouder worden. Gelooft u me, monsieur.'

Ik ben er niet vanwege haar naartoe gegaan. Niet alleen vanwege haar. Ook niet alleen om mijn lege dag op de een of andere manier te vullen. Het was meer dan dat. Vreemd genoeg kan ik tot op de seconde precies zeggen wanneer ik ertoe heb besloten. Het was voor het hek van de paardenboer, een van de slachtpaarden stond net in de sneeuw te schrapen, met een ongeïnteresseerde beweging, alsof hij alleen een lastige plicht vervulde, zijn zware hoofd was bijna helemaal verdwenen achter de wolk die hij uitademde, en opeens wist ik: wie geen eigen leven heeft – en ik heb het niet meer, jij hebt het me afgepakt, jij, ja, dit is een brief aan jou, ook al zal ik hem nooit versturen –, wie geen eigen leven heeft, moet in dat van de anderen kruipen, andermans dekens houden ook warm. Ik ben niet meer op bezoek in Courtillon, die tijd is voorbij, nu hoor ik hier thuis, definitief, dus kan ik me hun verhalen niet meer gewoon laten vertellen, ik moet me erin schrijven, ik moet mijn rol vinden in het dorpstheater, en als ik dan niet degene kan zijn die alles heeft meegemaakt, dan ben ik degene die uitzoekt hoe het echt geweest is. De kroniekschrijver. De detective.

Ik zal hun stallucht overnemen, ik zal me aanpassen tot ze me helemaal niet meer waarnemen. Ik zal mijn huis opknappen tot het eruitziet als alle andere, ik zal een moestuin aanleggen, eigenhandig, spadesteek voor spadesteek, ik zal een zitplaats hebben waar ik mijn boeken lees, ik zoek ze in de kast en vind ze meteen, in de keuken zullen de schoteltjes bij de kopjes passen, en als ik mijn vrienden te eten vraag, de Perrins of de Brossards, dan zullen ze de jus tot het laatste restje opdippen en zeggen: '*Il est devenu bon cuisinier, notre ami allemand.*' Ik heb je niet nodig. Ik zal een van hen zijn, helemaal. En ik zal alles weten.

De weg naar het *bois de la Vierge* is lang en op de veldweg is het moeilijker lopen dan tijdens mijn altijd eendere rondje door het dorp. Hier hebben geen auto's de sneeuw platgereden, bij elke stap zak je door een dunne, verse korst en struikel je in een van de scheuren die de machines van Simonin overal maken. Over de besneeuwde velden lopen sporen, bevroren voetstappen van dieren; op een dag zal ik ze uit elkaar leren houden, maar voorlopig zijn het nog boodschappen in een vreemde taal. De lucht is grijs, niet het gelaagde grijs van zware wolken, maar doods en vlak, alsof iemand de horizon liefdeloos heeft dichtgeverfd. Op de kleine keerplaats, daar waar de weg voor het eerst door bomen wordt overdekt, heeft het bord dat het storten van afval verbiedt, als een magneet gewerkt: als een door de sneeuw verraste familie liggen daar een fornuis, een koelkast en een kinderwagen zonder wielen. Een allang weer opgeheven *syndicat d'initiative* heeft hier ooit een wegwijzer laten plaatsen, die de jagers sindsdien gebruiken om de trefzekerheid van hun jachtgeweren aan te tonen, een deel van het bord is er afgesplinterd en nu wijst de pijl niet meer naar het *bois de la Vierge*, maar alleen nog naar het *bois de la Vie*. Een mooie aanwijzing als je op weg bent om een graf te zoeken.

Het pad naar de Mariakapel loopt eerst door een stuk bos dat een dankbare patiënt in de vorige eeuw bij testament heeft vermaakt aan het ziekenhuis van Montigny. Toen Jean me dat vertelde, maakte hij zich erg vrolijk over het feit dat de artsen hun beloning precies op het moment konden incasseren dat hun geneeskunst definitief had gefaald.

Daarna loop je een paar honderd meter langs de rand van het bos, ingeklemd tussen kreupelhout aan de ene kant en een lange, fijne draadafrastering aan de andere kant. Erachter – de inkijk wordt belemmerd door verdorde, nooit geoogste maïsplanten – moet een reusachtig terrein zijn waar de Ravallets wilde zwijnen fokken. Eén keer per jaar, zo wordt er in het dorp verteld, nodigen ze hun zakenpartners uit voor een drijfjacht; de dieren kunnen geen kant op en worden neergeknald.

Ik scheen de eerste in dagen te zijn die de Moeder Gods in het bos bezocht, er gaat bijna niemand meer naar haar toe, zeker niet als het ijskoud is, alleen het hek voor het beeld wordt nog geregeld opengebroken, hoewel het offerblok tegenwoordig leeg blijft; de traditie van heiligschennis schijnt beter stand te houden dan die van vroomheid. De sneeuw voor mijn voeten was ongerept, mijn sporen waren de eerste: voetafdrukken van een ontdekker.

Dat veranderde vlak voor ik bij het kapelletje kwam. Een tweede pad kronkelt daar het bos uit, eigenlijk niet meer dan een brandgang, overwoekerd en dichtgegroeid, de doorsteek naar Farolles en vandaar naar Saint-Loup. Uit dat pad waren voetstappen gekomen, drie verschillende paren schoenen. Ik kon ze niet meteen van elkaar onderscheiden, natuurlijk niet, ik heb ze pas later bekeken, toen ik al wist wat er gebeurd was, toen me duidelijk was dat elk detail belangrijk zou zijn. De voetstappen liepen voor me uit, ze waren misschien al een of twee dagen oud, maar het dreigende gevoel dat ze bij me opriepen, kwam uit het hier en nu.

Als het kwaad echt bestaat (natuurlijk bestaat het, hoe valt anders te verklaren wat ze met jou hebben gedaan?), dan moet de mens er ook voelhorens voor hebben. Waarom zou ik anders opeens zo'n moeite hebben gehad met ademhalen? Elke teug van de koude, snijdende lucht moest ik in me en weer uit me persen, mijn hand omklemde de sleutelbos in mijn jaszak, een armzalig wapen, ik hoorde plotseling geluiden die er waarschijnlijk de hele tijd waren geweest, maar die niet tot mijn bewustzijn waren doorgedrongen: het droge geritsel van de laatste, stijf bevroren bladeren, het schorre gekras van een vogel, het geknerp van mijn voetstappen in de sneeuw, langzaam, nog langzamer, tot ze helemaal bleven staan. Het hek voor het kapelletje hing scheef in zijn hengsels. Iemand had het met zoveel kracht opengebroken dat op de plek waar het slot in de muur had gezeten, nu een gat gaapte, de rode stenen onder de pleisterlaag zagen eruit als een bloedende wond. Het offerblok, een aan het hek vastgemaakte collectebus, die je met elk zakmes open gekregen zou hebben, was niet aangeraakt. In de eigenlijke schrijn, een nis met kinderlijk getekende, zilveren sterren, stond in een kleine vaas – eigenlijk een mosterdpotje, er zat nog een stukje etiket op – een lichtrode plastic tulp voor de lege sokkel. De madonna zelf was verdwenen.

Een kunstroof? Ondanks alle traditionele verering is *Notre Dame du bois* niet meer dan een bont beschilderd, gipsen gedrocht, dat zelfs op een rommelmarkt nog geen kopers zou vinden. Dat iemand haar toch had geroofd, dat iemand een zwaar stuk gereedschap kilometers ver door het bos had gesleept om het hek open te breken, daar moest een andere reden voor zijn dan diefstal.

Maar welke?

En hoe hadden de daders het beeld weggebracht, zonder kar of een ander transportmiddel? Ik had alleen voetsporen gezien.

En verder: kon het toeval zijn dat deze roof juist nu had plaatsgevonden, zo kort nadat Jean het graf had ontdekt, hier dicht in de buurt? 'Vlak achter het kapelletje,' had hij gezegd. Was er een verband tussen de beide gebeurtenissen? Was – ook de fantasie zoekt haar platgetreden paden – bij de Moeder Gods soms een verwijzing te vinden geweest naar de gebeurtenis van toen, iets wat de moord op de koerier nog altijd had kunnen bewijzen? Hadden Jeans naspeuringen de dader van toen of zijn nakomelingen aan het schrikken gemaakt, was het niet om het beeld gegaan, maar alleen om het uitwissen van sporen, na meer dan vijftig jaar? En had mademoiselle Millotte, tot wie in Courtillon zelfs de zachtste echo doordringt, daar ook iets van gehoord, had ze mij alleen zo nieuwsgierig gemaakt om haar eigen, door ouderdom bepaalde nieuwtjeshonger voedsel te geven?

De tijd gaat snel als je nadenkt. De kou was al in mijn benen omhooggekropen als een ziekte, toen ik me er eindelijk toe zette de plaats delict wat beter te bekijken. Wat vind je van dat woord? Plaats delict? Nauwelijks speel ik voor detective, of ik bezig al een nieuwe terminologie.

Ik stapte door de struiken langs het pad, met het vage idee dat ik geen sporen mocht uitwissen. De bevroren voetafdrukken in de dunne sneeuw – intussen had ik ze beter bekeken en kon ik ze van elkaar onderscheiden, twee grote en één klein paar schoenen – liepen rechtstreeks naar het kapelletje, dwars door de kleine wei waar de dorpsmeisjes zich vroeger verzamelden om vrome liederen voor de Maagd te zingen. De sneeuw vlak voor het kapelletje was vertrapt, natuurlijk, hier moesten ze gestaan hebben toen ze het hek openbraken en de madonna uit haar nis tilden.

Daarna, bedacht ik, hadden ze het beeld op hun schouders genomen en weggedragen. De voetafdrukken liepen links om de kapel heen het bos in. Zonder die sporen had ik nooit gemerkt dat daar een gat is in het prikkeldraad van de bramenstruiken. Erachter, door de natuur zo goed verborgen dat je er zelfs op een paar passen afstand niets van ziet, is een opening tussen de bomen, het bos houdt een adempauze en vormt midden tussen de donkere stammen een gesloten ruimte, als het allerheiligste van een heidense tempel.

Ik kies die vergelijking niet toevallig, want in de halve cirkel van de wit bevroren bomen zag ik een heuveltje, een altaar of een schavot, en daarop stond, een beetje scheef, een afgodsbeeld in een hemelsblauwe mantel. De beschermheilige van Courtillon, *Notre Dame du bois*.

Het beeld leek intact, van de sterrenkroon tot aan de lijdzaam gevouwen gipshanden, alleen had iemand een snor over haar vrome glimlach getekend, dezelfde zwierige snor die ook haar schilderij in de kerk siert. Uit de sneeuwlaag op het heuveltje staken scherpe kluiten als barbaarse ornamenten. Ik begreep dat dit het graf moest zijn dat Jean had gevonden; netjes als hij is, had hij het natuurlijk weer dichtgegooid. Voor de madonna waren drie kaarsen in de grond gestoken, half opgebrand voordat de wind ze had uitgeblazen.

Hier had een ceremonie plaatsgevonden, een kerkdienst of een zwarte mis, in elk geval een ritueel waarvan de zin me ontging. Ik heb me nooit met zulke dingen beziggehouden. Ik ben een nuchter mens. (Behalve als het om jou gaat.)

Mijn verwarring werd nog groter toen ik een paar stappen dichterbij kwam en op dat moment pas zag dat iemand in de sneeuw voor de grafheuvel een symbool had getekend. Nee, niet getekend: gegoten, bruinrode verf, twee lijnen die een onvolledige driehoek vormden, een pijl misschien, die van het beeld naar het lege kapelletje wees. Of was dat de verkeerde gezichtshoek en opende de vorm zich naar de madonna? Ik wist het niet en ik weet het nog steeds niet.

Midden in de driehoek was een houten paal in de bosgrond geramd. De punt doorboorde niet alleen de sneeuw, maar ook een stuk papier.

Ik aarzelde eerst om iets aan te raken zolang er geen proces-verbaal was opgemaakt en geen foto was genomen. Maar aan de andere kant moet je bewijsstukken verzamelen zolang ze er nog zijn. Voor je eigen nieuwsgierigheid vind je altijd argumenten.

Toen ik de paal uit de grond trok, verloor ik bijna mijn evenwicht omdat ik te veel kracht zette, zo makkelijk kwam het aangepunte hout uit de aarde.

Het papier was doorweekt door de sneeuw en scheurde toen ik het wilde vastpakken. Om het te kunnen bekijken moest ik op mijn knieën gaan liggen, een eigenaardig gevoel in deze constellatie, ik had het idee dat ik de madonna aanbad of het graf waarop ze stond, dapper glimlachend onder haar snor.

In dezelfde kleur als de twee lijnen in de sneeuw was op het papier een mannelijke figuur getekend, met vaste hand, maar in het belachelijke getrokken, het geslachtsdeel absurd groot. De paal had de buik van de man doorboord en er een groot gat in gemaakt. Er stond een naam onder de figuur.
Jean Perrin.

Saint Jean. De heilige Jan.

Het is zondagavond en het is allemaal nog geen drie dagen geleden. Drie dagen waarin de gebeurtenissen elkaar als verschrikte schapen verdrongen. Toen ik het geroofde beeld op vrijdag ontdekte, was ik er nog zeker van dat het dorp een maand lang nergens anders over zou praten. Zwarte missen en een ontvoerde dorpsheilige, zoiets krijg je niet elke dag voorgeschoteld, dat is een lading verhalen waarmee je de schuur kunt vullen voor de hele winter. Ik zag al een boeteprocessie naar het *bois de la Vierge* voor me, natuurlijk georganiseerd door madame Simonin, die zich bevoegd acht voor religieuze zaken sinds ze de sleutel van de kerk beheert. Ik stelde me de exorcist al voor die het bisdom zou sturen, ik vroeg me al af met wat voor pakkende naam Courtillon zou proberen het onbegrijpelijke begrijpelijker te maken, *le viol de la Vierge* misschien, de verkrachting van de Maagd. En nu weet niemand er iets van; als ik het vertelde, zouden ze me niet geloven, en zelfs als ze me wel geloofden, zou het niet belangrijk meer zijn, uit de hoofden verdrongen door nieuwe vette kopen, omdat gisteren Valentine Charbonnier ...

Alles op z'n beurt. Ik moet proberen alles op z'n beurt te vertellen, heel precies, ook al heb ik de behoefte meteen naar het einde te gaan, naar wat monsieur Deschamps me net heeft toevertrouwd, nog geen tien minuten geleden, de bevestiging van een vermoeden waarvan ik niet eens meer zou kunnen zeggen hoe het in me opgekomen is, daar op die open plek in het bos, het kan eraan gelegen hebben dat het beeld op het graf me aan een offerplaats deed denken, of misschien was het ook alleen de herinnering aan de roestbruine vlek op Jeans overhemd, die uit hetzelfde bos kwam, op de dag dat hij in elkaar werd geslagen. Maar laat ik alles netjes op een rijtje zetten en de zaken niet door elkaar halen.

Ach kom nou.

'De uitslagen van het laboratorium zijn vlugger binnengekomen dan verwacht,' zei monsieur Deschamps, 'en de uitslag van de analyse is slechts voor één uitleg vatbaar. Het was inderdaad bloed.'

Ik zou kunnen beweren dat ik dat vanaf het begin heb geweten, maar dan zou ik de waarheid geweld aandoen. Eergisteren (was het echt pas eergisteren?) wilde ik niet op mijn eigen gevoel vertrouwen, ik heb geprobeerd het te verdringen, ik ben nu eenmaal niet iemand die vanuit zijn buik denkt (behalve die ene keer, behalve bij jou), ik wilde mezelf later niet het verwijt hoeven maken iets achterwege gelaten te hebben.

Eerst heb ik het geprobeerd met een halfrond stuk schors dat van de stam was gesprongen, maar de sneeuw was te hard en het vermolmde hout brak in mijn hand. Daarop schoot me de vaas in het kapelletje te binnen, het mosterdpotje met de plastic bloem; toen ik het pakte, had ik het gevoel dat ik me moest rechtvaardigen, alsof ik heiligschennis beging, en de bloem heb ik zorgvuldig op de lege sokkel teruggelegd.

Hoewel ik niet erg handig te werk ging – een vaag gevoel van walging weerhield me ervan ook mijn hand te gebruiken – was het niet zo moeilijk om een monster van de bruinrood verkleurde sneeuw in het potje te schuiven. De terugweg naar het dorp was moeilijker, niet alleen leek die door de opstekende wind langer geworden te zijn, ik kon ook steeds maar één hand in mijn jaszak steken, het mosterdpotje had geen deksel en ik moest het zorgvuldig rechthouden.

De dagen zijn kort geworden. Toen ik eindelijk bij het huis van monsieur Deschamps aankwam, brandde overal al licht. Ik ken hem niet goed, kende hem niet goed, tot nu toe had ik maar een paar keer een praatje met hem gemaakt, waarover kon ik me niet meer herinneren, alleen zijn manier van praten was me bijgebleven. Monsieur Deschamps zegt nooit iets zomaar, hij legt altijd meteen een verklaring af, formuleert in lange, persklare volzinnen, vol zeldzame werkwoordsvormen, *passé simple* en *subjonctif imparfait*, waarmee de ontwikkelde Fransman zijn taal opsmukt, elke zin zo perfect van vorm als de heg naast zijn huis. Als het om retorische capaciteiten ging, zou hij allang minister van Politie moeten zijn, en niet zomaar een bescheiden politiechef in Montigny. Hij is ook de enige man in Courtillon die thuis een stropdas draagt. Toen hij de deur voor me opendeed, dacht ik eerst dat hij bezoek had. Hij schoof mijn excuus terzijde, nee, ik stoorde absoluut niet, hij was alleen, helemaal alleen, bovendien was hij als politieambtenaar altijd in dienst, *un fonctionnaire doit fonctionner*, ik kon gerust binnenkomen en hem mijn verzoek voorleggen, hij zou zich nooit hebben durven vleien met de gedachte dat ik zomaar bij hem langskwam.

Zijn huis was al even keurig als zijn zinnen, zijn uniform hing in paradehouding op een hangertje aan de kapstok, toch wilde hij in geen geval dat ik mijn doornatte schoenen uittrok, dat was echt niet nodig, hij had de kunststofvloer juist laten leggen omdat die zo makkelijk schoon te houden was. We gingen in zijn woonkamer zitten, op stoelen die je dwingen je rug recht te houden, aan de muren hingen bonte bloemenschilderijen ('mijn vrouw schildert af en toe, als ze er naast haar maatschappelijke activiteiten de tijd voor vindt'), en monsieur Deschamps onderdrukte diplomatiek de vraag wat een mosterdpotje vol vuile, bevroren sneeuw op zijn glimmend gepoetste tafelblad te zoeken had.

Ik vertelde hem wat ik in het bos had gezien en hij luisterde aandachtig en geduldig, hij onderbrak mijn verhaal alleen af en toe met een korte tussenvraag. Onder het luisteren bewoog hij zwijgend zijn lippen, hij formuleerde waarschijnlijk al een proces-verbaal, hier werd tenslotte, in alle hoffelijkheid, een officiële verklaring afgelegd en niet zomaar een vrijblijvend gesprek gevoerd tussen buren. Daar hoorde ook bij dat monsieur Deschamps me niets te drinken aanbood, hoewel een *petit verre* hier in het dorp vanzelfsprekender is dan een handdruk. Pas toen ik met mijn verhaal bij het teken in de sneeuw was aangekomen, bij mijn vermoeden welke macabere soort verf daar was gebruikt, stond hij plotseling op, opende de vitrine en zette een fles *suze* op tafel. 'Ik haal nog wat ijs,' zei hij en hij nam, alsof hij alleen maar orde wilde scheppen, het mosterdpotje mee naar de keuken. In zijn koelkast – ik kan het me niet anders voorstellen in dit perfecte huishouden – staan vast alleen tupperware dozen, pietepeuterig beschreven en gerangschikt naar grootte, en daartussen stond nu een nacht lang een potje met bruin verkleurde smurrie, als een dakloze die je weliswaar uitnodigt, maar niet echt welkom heet.

Eén detail liet ik weg uit mijn verhaal: het briefje met de naam Jean Perrin. Ik wilde niet moeten toegeven dat ik het had verscheurd toen ik het vastpakte en daarmee misschien belangrijke sporen had uitgewist. Ze moesten het zelf maar vinden, de beambten die monsieur Deschamps de volgende ochtend meteen naar het *bois de la Vierge* wilde sturen, op z'n laatst 's middags, 'ik moet eerst nog een paar telefoontjes plegen, bevoegdheidsproblemen zijn het grootste obstakel in mijn werk, u hebt geen idee van de geschillen tussen de gendarmerie en de politie'.

Toen we bij de deur afscheid namen – monsieur Deschamps deed dat met een kleine toespraak die de minister van Politie niet beter had kunnen formuleren en waarin hij me dringend verzocht voorlopig nog met niemand over mijn ontdekking in het bos te praten, je mocht een lopend onderzoek niet in gevaar brengen en moest voorkomen dat er voorbarige conclusies werden getrokken –, toen ik me nog een keer had verontschuldigd voor de lelijke voetafdrukken op zijn schone vloer, kwam madame Deschamps thuis, een opvallend kleine vrouw die haar tekort aan lengte probeert te compenseren met een opgekamd kapsel, wat de wanverhouding echter alleen maar versterkt en haar nog dwergachtiger maakt. Ze is in het dorp berucht om haar opdringerige hulpvaardigheid; overal waar problemen zijn duikt ze ongevraagd op, en de mensen laten haar helpen zonder er dankbaar voor te zijn. Die avond was ze opgewonden, kennelijk kon ze nauwelijks wachten om haar man een nieuwtje te vertellen. Het obligate 'Wat leuk, monsieur, dat u zich ook eens bij ons laat zien' kwam er zo snel uit dat haar stem bijna klonk als een te vlug draaiende grammofoonplaat. Later heb ik gehoord dat ze net van de Charbonniers kwam, en als ik aan de gebeurtenissen van de volgende dagen denk, was haar opwinding zeker terecht.

Dat was allemaal op vrijdag, ook de ontmoeting met Bertrand, de wijnhandelaar, die me gewoonweg besprong toen ik op de terugweg langs zijn huis kwam. Hij was, zo zei hij, altijd al van plan geweest me voor een glas wijn uit te nodigen, niet om me iets te verkopen, daar hoefde ik niet bang voor te zijn, hahaha, alleen omwille van de goede nabuurschap, en nu we elkaar toevallig tegen het lijf liepen, was dit precies het goede moment, nu meteen. Bertrand is zo iemand die een bedelaar nog geen vijftig cent kan geven zonder daarbij zijn voordeel te berekenen. Zijn plotselinge hartelijkheid klonk niet overtuigend, maar juist daarom nam ik zijn uitnodiging ondanks mijn vermoeidheid aan; ik was benieuwd wat erachter zat.

Hij heeft in zijn nieuwe, door de brandverzekering betaalde huis een proefkelder laten inrichten, waar je op krukken om een ronde tafel zit, landelijkheid uit de catalogus, zelfs het stof op de wijnflessen schijnt kunstmatig aangebracht te zijn. We dronken een *rouge feu* uit de Jura, het had brandewijn kunnen zijn, zo zakte de alcohol in mijn koude armen en benen, en Bertrand schonk ijverig bij. Onderdeel van zijn plan – een Bertrand gaat nog niet naar de wc zonder eerst een plan gemaakt te hebben – was waarschijnlijk een zekere graad van dronkenschap die bij mij bereikt moest zijn voordat hij op het eigenlijke onderwerp kwam. Ik was benieuwd wat het zou zijn; over mijn ontdekking in het bos kon hij nog niets gehoord hebben, al gaan de geruchten hier vaak sneller dan de bijbehorende gebeurtenissen.

Wat hij van me wilde, had wel iets met het *bois de la Vierge* te maken, alleen niet met de madonna, maar met het graf dat

Jean daar heeft gevonden, en met de conclusies die hij eruit heeft getrokken. Toen Bertrand erover begon, stond hij demonstratief voor het wijnrek de volgende fles voor ons uit te zoeken. Hij keerde me dus de rug toe, zodat ik niet op zijn gezicht kon lezen of hij met opzet of alleen toevallig de woorden gebruikte die ik ook al van de generaal heb gehoord. Het lijkt een refrein te worden hier in het dorp, een refrein dat precies tot uitdrukking brengt welke rol Courtillon mij heeft toebedacht.

'U bent toch een vriend van Perrin.'

Als vriend van Perrin – alweer keek Bertrand me niet in de ogen, deze keer omdat hij de fles moest ontkurken, wat hem ongewoon zwaar leek te vallen voor een wijnhandelaar –, als vriend van de heilige Jan moest ik er toch in geïnteresseerd zijn hem voor moeilijkheden te behoeden. En helaas zouden er moeilijkheden ontstaan als hij bleef proberen de beslissingen van het *conseil municipal* te beïnvloeden met onzakelijke argumenten, met chantage zelfs, met het oprakelen van oude geschiedenissen die hem niets aangingen en waar allang gras over was gegroeid.

'U bedoelt ...?'

Maar Bertrand had niets bepaalds bedoeld, hij maakte alleen een praatje, zoals je dat doet als je met een aardige buurman een glas wijn drinkt, of twee, of drie. Hij had alleen gehoord, zei hij terwijl hij me alweer inschonk, dat Jean onrust bracht in het dorp, zelfs de burgemeester zou hij hebben lastiggevallen, hij had hem tot andere gedachten willen brengen over een zaak die allang was besloten en afgehandeld, sommige mensen konden het gewoon niet verdragen dat ze niet de meerderheid behaalden bij een stemming, maar zo ging dat nu eenmaal in een democratie, en een goede vriend zou Jean moeten waarschuwen voordat er iets onaangenaams gebeurde.

Hij babbelde een eind weg, maar zijn gezicht was rood aangelopen, het kan niet alleen aan de hitte in de kleine ruimte gelegen hebben, en ook niet alleen aan de wijn.

'Als u het over de grindafgraving hebt ...'

'Sanering van de oever.'

'... voor zover ik gehoord heb is daar toch nog helemaal niet over gestemd in de gemeenteraad.'

'Het is besloten, daar komt het op aan.' Bertrand zei het iets te hard, maar hij had zichzelf meteen weer onder controle en informeerde als een echte wijnhandelaar of ik de nieuwe fles ook niet beter vond dan de eerste, de jaargang was volgens hem milder, niet zo gronderig, en je had er de volgende ochtend vast geen kater van.

'Wat moet ik nou tegen Jean Perrin zeggen?'

Maar Bertrand leek plotseling elke interesse voor het onderwerp verloren te hebben. In plaats daarvan informeerde hij belangstellend of ik niet ook eens een wijnkelder wilde aanleggen, dat was een goede investering als je de juiste adviezen kreeg, en als goede buurman was hij uiteraard te allen tijde bereid mij met raad en daad bij te staan. We schoven nog een paar beleefde futiliteiten over de tafel heen en weer, maar wat Bertrand wilde zeggen had hij gezegd, en toen ik zei dat het tijd werd om weer eens op te stappen, sprak hij me niet tegen.

Op weg naar huis wist ik niet of ik moest lachen of me zorgen moest maken om de heilige Jan.

In die nacht, van vrijdag op zaterdag, begon de temperatuur te stijgen, ik schrok wakker uit een droom waarin ik Jean voor me had gezien, half poppetje en half mijn praatlustige buurman, hij stond tot aan zijn knieën in het water en ramde palen in de rivier, wit-met-roodgestreept, maar het rood was bloed dat uit de dikke palen spoot en in het water druppelde, druppelde, druppelde, en toen was ik eindelijk wakker, en buiten spoelde een warme regen de sneeuw van het dak en het ijs van de bomen, de winter was te vroeg naar Courtillon gekomen en had ergens anders nog iets te doen.

Op het vroegste tijdstip dat de dorpscode toelaat bezocht ik de Brossards. Je moet hier in het dorp je adresjes hebben; als het om politieke intriges gaat, krijg je bij *le juge* de betrouwbaarste informatie, mademoiselle Millotte is alleen goed voor schandalen. De oude dame zat alweer (nog steeds?) voor haar huis, ze had zichzelf en haar rolstoel in plastic gewikkeld tegen de regen en leek op een bij de vuilnis gezet *monstre*, zoals ze hier het grofvuil noemen. Ik gebruikte de dekking van mijn paraplu om niet te hoeven zien dat ze me wenkte, het spijt me, ik zie u niet, ik heb al mijn aandacht nodig om de plassen te ontwijken.

   Madame Brossard zette eerst twee kopjes koffie voor me neer ('Ons apparaat zet altijd twee kopjes, u hebt er toch niets op tegen?'), daarna suiker, room en een schaal met koekjes. Toen ging ze op het puntje van haar stoel zitten, met haar handen op haar knieën, een houding klaar om op te springen, waarmee ze aangeeft: 'Ik weet dat hier mannengesprekken gevoerd moeten worden, als ik stoor ben ik zo weer weg.' Bij een gewoon gezelligheidsbezoek zit ze er heel anders bij, achterover in haar stoel en met één elleboog op de zijleuning, dan gesticuleert ze ook en laat ze haar ringen en haar beschaafd geverfde vingernagels zien.

   'Sanering van de oever?' herhaalde monsieur Brossard. 'Wat een mooi woord voor een grindafgraving.' Op dezelfde ironische toon heeft hij waarschijnlijk in zijn tijd als rechter menige verdachte duidelijk gemaakt dat je bij hem niet met ongeloofwaardige argumenten aan hoefde te komen. 'Stront blijft stront, ook al parfumeer je het.'

   'Dat kun je ook anders zeggen,' zei madame berispend.

   'Maar niet zo raak.' *Le juge* begon een draadje uit de mouw van zijn versleten trui te plukken, zijn handen moeten altijd iets te doen hebben als hij hardop nadenkt. 'Bertrand is dus bang dat Jean Ravallet tot andere gedachten zal brengen. Logisch gesproken zou dat betekenen dat het verhaal klopt dat de heilige Jan telkens onder het zegel van strikte geheimhouding aan iedereen in het dorp toevertrouwt. Hij heeft dus inderdaad iets in handen waarmee hij onze burgemeester kan chanteren. Juridisch gezien is de moord op de koerier natuurlijk al eeuwen verjaard, maar aan de andere kant is een slechte reputatie alleen nuttig zolang niemand erover durft te praten.'

'Pardon?'

'U bent te jong, *mon cher ami.* Wij, die nog uit de negentiende eeuw stammen, weten dat sommige dingen alleen door iedereen gehoord worden als je ze fluistert. Zolang de mensen alleen onder de dekens zeggen dat het gevaarlijk kan worden om het met de Ravallets aan de stok te krijgen, zolang heeft onze burgemeester nergens last van. Integendeel. Hij kan vriendelijk blijven en toch dreigen. Maar als het openbaar wordt of misschien zelfs in de krant staat, dan is dat schadelijk voor zijn politieke toekomst. En Ravallet wil naar Parijs zoals een moslim naar Mekka.'

'U bedoelt dat hij zich in de gemeenteraad tegen de grindafgraving zal uitspreken?'

'Voorlopig heeft hij het onderwerp nog niet eens op de agenda gezet. Misschien hoopt hij dat Jean plotseling zijn belangstelling voor de zaak verliest. Bijvoorbeeld omdat hij in het bos in elkaar is geslagen of door een auto is overreden.'

'Zoiets zou Ravallet nooit doen,' protesteerde madame.

Le juge had op dat argument gewacht als een goede tennisser op de bal van zijn tegenstander. 'Natuurlijk niet. In zijn familie maken ze hun handen niet zelf vuil. Het vuile werk laten ze door iemand anders opknappen. Door het soort mensen dat het niets uitmaakt ook eens hun eigen huis in brand te steken om het geld van de verzekering op te strijken. En het mooiste is dat ze die mensen niet eens opdracht hoeven te geven. Ze stellen hun alleen een klein voordeeltje in het vooruitzicht. Door bijvoorbeeld te beloven dat ze later, als al het grind gewonnen is, de wei aan de rivier gunstig kunnen pachten. Althans, wat er dan nog van over is.'

'Wat moet een wijnhandelaar met een wei?'

'Beste vriend!' Ik weet zeker dat als *le juge* een advocaat met die woorden aansprak, de man wist dat zijn proces verloren was. 'Beste vriend, Bertrand is geen wijnhandelaar. Hij is een moneymaker. Iemand die altijd weer te veel hooi op zijn vork neemt. *Il pète plus haut que son cul*, hij ruft hoger dan zijn kont hangt. Nu heeft iemand hem wijsgemaakt dat er met een camping geld te verdienen valt. Gratis en voor nop de wei van de gemeente pachten, er een paar wc's en een kiosk op zetten, roeiboten verhuren, de rivier is dan immers breder, en daarna op je krent gaan zitten en je hand ophouden bij de mensen uit de stad. Daar gaat het om.'

'Hoe weet u dat?'

'Beste vriend, we zijn in Courtillon.' Hier zijn geen geheimen, betekende dat, hier zijn de muren dun en de oren groot. U hebt ook niet aan de man van de vragenrubriek geschreven, betekende dat, om te weten te komen waarom Bertrands gezicht rood wordt en zijn stem luid, als hij aan Jeans actie tegen de grindafgraving denkt. U bent hier gekomen, hebt een kopje koffie gedronken, of twee kopjes, en nu bent u op de hoogte.

'En, wat vindt u? Moet ik Jean waarschuwen?' Als ik bij de Brossards in de woonkamer zit, lijken al mijn zinnen te eindigen met een vraagteken.

'Natuurlijk,' zei madame.

'Natuurlijk niet,' zei monsieur. 'Waarschuwingen helpen alleen bij verstandige mensen, en verstandige mensen doen zelden iets waarvoor je ze zou moeten waarschuwen.'

Le juge heeft voor mij iets van een Chinese wijze, als er tenminste Chinese wijzen bestaan met een flodderige ribbroek en een rooddooraderde neus. Het liefst had ik ook meteen die andere zaak ter sprake gebracht, die me veel meer te denken geeft, ik had hem ondanks monsieur Deschamps' verbod graag in vertrouwen genomen en hem om een verklaring gevraagd voor de vreemde gebeurtenissen in het *bois de la Vierge*. Ik was zelfs al begonnen de zaak voorzichtig te benaderen, via de omweg van het weer – 'gisteren nog alles bevroren en vandaag die warme regen' –, toen de telefoon ging.

'Het is voor u,' zei madame en ze stak me de hoorn toe. We zijn in Courtillon, daar weten ze je te vinden.

Het speet monsieur Deschamps zeer mij bij een ongetwijfeld zeer aangenaam privégesprek te moeten storen, ik moest zijn spijt alsjeblieft ook doorgeven aan madame en monsieur Brossard, die hij zeer waardeerde, maar hij was juist op weg naar het *bois de la Vierge*, hoewel het zaterdag was en dus eigenlijk zijn vrije dag, en opeens had hij bedacht dat het voor het onderzoek beslist het nuttigst was als ik meeging om hem alles te laten zien. Binnen vijf minuten zou hij bij de Brossards langsrijden, hij bedankte me al bij voorbaat voor mijn prijzenswaardige bereidheid tot samenwerking.

Ik weet niet wat er in het dorp intussen allemaal al wordt verteld. 'De Duitser die door de gendarmerie werd opgehaald' zou een goede titel zijn voor een fantastisch verhaal. Hoe meer er in Courtillon over iets wordt gekletst, hoe minder de betrokkene te horen krijgt, en dus heeft nog niemand mij over de zaak aangesproken, behalve Jojo. 'U hebt in de politieauto gereden,' zei hij, 'dat zou ik ook weleens willen, ja, dat zou ik ook willen.'

Naast monsieur Deschamps zat een dikke man in een zware zwarte jas, waarvan de vochtige stof naar hond rook. Ik was achterin gaan zitten, haastig, om te ontsnappen aan de regen, die nu loodrecht en dicht neerviel. Monsieur Deschamps was meteen weggereden, geheel tegen zijn gewoonte in zonder iets te zeggen. Je hoorde alleen het ritmische geslurp van de ruitenwissers en tussendoor steeds weer een reutelend geluid als de man voor me naar lucht hapte, zoals heel dikke mensen dat doen. Mijn '*Bonjour, monsieur*' had hij alleen beantwoord met een knikje, zonder zijn hoofd om te draaien, boven de kraag van zijn jas was heel even zijn brede nek opgedoken en meteen weer weggekropen. Hij werd niet aan me voorgesteld.

Om met de auto in de buurt van de Mariakapel te komen moet je een grote omweg maken, en we waren al een hele tijd onderweg toen monsieur Deschamps eindelijk besloot uitleg te geven. Hij reed voorovergebogen, omklemde het stuur alsof hij moest voorkomen dat het wegvloog, en van pure concentratie op de weg, waarvan de bochten door de regen aan het zicht onttrokken waren, praatte hij veel te zacht, alsof hij me met elk woord een privégeheim toevertrouwde. 'Gezien het feit dat de zaak zeer delicaat is en er gevoelens gekwetst zouden kunnen worden die wij allen koste wat het kost dienen te sparen, achtte ik het na rijp beraad juist om voorlopig, althans dit weekend, toch nog geen andere functionarissen bij het onderzoek te betrekken en heb ik in plaats daarvan *monsieur le curé* verzocht aan onze kleine expeditie deel te nemen. U kent elkaar toch zeker wel?'

Ik ga niet naar de kerk, jij weet dat, ik interesseer me niet voor stammendansen, en dus had ik de pastoor nog nooit ontmoet. Dat er een dienstdoet in Courtillon, merk ik alleen als de dorpsstraat geblokkeerd is met auto's, om de zes weken, wanneer zijn laatste getrouwen uit Montigny, Farolles en Saint-Loup naar de mis komen. '*Enchanté*,' zei ik, maar mijn beleefdheidsformule werd alleen beantwoord met gesnuif, dat een afwijzing kon betekenen of gewoon ademnood.

'Bovendien' – monsieur Deschamps plaatste elk goed geformuleerd woord afzonderlijk in de kleine halve cirkel die de ventilator op de beslagen voorruit nog net openliet –, 'bovendien moet ik erbij zeggen dat *monsieur le curé* bepaalde twijfels koestert of u de feiten, zoals u ze ongetwijfeld aangetroffen meent te hebben, wel juist interpreteert.'

'Zoiets komt bij ons niet voor.' De stem van de pastoor was verrassend hoog, alsof ergens in zijn omvangrijke lichaam een kleine, tengere priester opgesloten zat. 'Zoiets is bij ons nog nooit voorgekomen.'

'Ik verzeker u ...'

'Bent u katholiek?' viel de *curé* me in de rede, en toen ik dat ontkende, knikte hij en zei alleen maar: '*Alors*.' Hij had een litteken in zijn nek, zoals je bij het scheren oploopt. Tijdens de hele rit moest ik me inhouden om hem niet te vragen hoe hij daar op die plek aan was gekomen.

We bereikten het *bois de la Vierge* via de langste weg, een onverharde weg die ook in de droogste zomer waarschijnlijk niet makkelijk te berijden is. Toen de wielen voor de tweede keer slipten, stopte monsieur Deschamps, we legden de rest van de weg, pakweg een halve kilometer, te voet af en al na een paar passen waren we drijfnat. De pastoor had als enige een paraplu bij zich, een reusachtig zwart monster waaronder plaats geweest zou zijn voor een hele gemeente, maar hij maakte geen aanstalten de beschutting met ons te delen. Monsieur Deschamps trok zijn hoofd tussen zijn schouders, over zijn kepie zat een plastic hoesje, alsof hij hem pas had gekocht en nog niet had uitgepakt, en de broek van zijn uniform zat binnen de kortste keren tot aan zijn knieën onder de modder. Toch speelde hij het klaar om er keurig en verzorgd uit te zien. Ik moest aan de vloer in zijn huis denken, maakt u zich maar geen zorgen, monsieur, kunststof is makkelijk schoon te houden.

Het bos leek zichzelf niet meer, zo sterk was het in amper een dag veranderd. Gisteren was het hier nog winter geweest, koud en helder en doods, nu stonden de bomen er naakt bij, de sneeuw was verdwenen en het regengordijn had de lucht aan het oog onttrokken. Ook de geluiden waren anders geworden, onze schoenen knerpten niet op de grond, maar moesten zich bij elke stap soppend bevrijden, en waar gisteren nog wind en vogels waren geweest, werd vandaag alles overstemd door het witte geruis van de regen.

We liepen achter elkaar, voorop monsieur Deschamps, die met korte, afgemeten passen het tempo bepaalde, dan de *curé*, hijgend onder zijn zwarte processiebaldakijn, en ten slotte ik, steeds verder achterblijvend en met mijn door de regen beslagen bril als een talisman in de hand.

Toen we bij het kapelletje kwamen, zag ik …

Alles op z'n beurt.

Eerst merkte ik niet eens dat we er al waren. Als je van die kant komt, ligt het kapelletje achter een bocht, het wordt pas op het laatste moment zichtbaar. Ik zag alleen dat de twee anderen waren blijven staan en elkaar aankeken. Eerst elkaar en daarna mij. En toen maakte monsieur Deschamps een gebaar, heel beleefd en veelzeggend, een gebaar met bijzinnen zeg maar, waarmee hij mij verzocht zo vriendelijk te zijn om dichterbij te komen en hem uit te leggen waarom ik hem iets had verteld wat in werkelijkheid helemaal niet zo was.

De madonna – ik vertel het zonder het te begrijpen – stond in haar nis alsof ze nooit weg was geweest, zachtmoedig glimlachend onder haar getekende snor. Aan haar voeten, daar waar de vaas ontbrak, lag de plastic tulp. Het hek voor het kapelletje was weer dicht, vastgemaakt met een tak op de plek waar het slot uit de muur was gebroken.

'*Alors?*' zei de *curé.*

*D*aar stond ik in de regen. Monsieur Deschamps had zijn ambtenarengezicht opgezet onder de met plastic bedekte kepie en de dikke pastoor hijgde me in mijn gezicht, als een buldog die door zijn ketting wordt gewurgd. Ik moest hun een verklaring geven, onmiddellijk, terwijl ik niets anders wist te zeggen dan dat het niet zo geweest was als het er nu uitzag.

Ik heb al eens eerder zo gestaan, zo gezeten, destijds boden ze me een stoel aan om beter op me neer te kunnen kijken, door het open raam waren de kinderstemmen op het schoolplein te horen en op het bureau lag een vodje papier, een document noemden ze het. 'We wilden u van tevoren in de gelegenheid stellen hier uw mening over te geven.'

Van tevoren.

Ik kon toen geen woorden vinden en ik vond ze ook nu niet, mijn gedachten zaten elkaar in de weg als twijgen en takken die zich in elkaar vasthaken voor de te smalle opening van een sluis. Goed, daar stond de madonna onder haar sterrenhemel, maar gisteren was haar nis leeg, dat wist ik, dat had ik gezien, ik ben een kroniekschrijver, een waarnemer, ik observeer en vertel, ik maak geen verhalen, ik verzin ze niet, waarom zou ik een madonna op een graf en een bloedig teken in de sneeuw bedenken, waarom zou ik alarm slaan als er niets te vrezen was, waarom zou ik? Iemand moest het beeld weer op zijn plaats hebben gezet en de sporen hebben uitgewist, maar wie en waarom, ik wist het niet, hoe moest ik het verklaren als ze niet wilden geloven wat ik had meegemaakt?

'Het slot,' bracht ik ten slotte met moeite uit en ik merkte dat mijn Frans onder de druk van hun blikken barsten kreeg, 'het is opengebroken, precies zoals ik u heb verteld. En de snor ...'

'Een kwajongensstreek,' viel de *curé* me in de rede, 'waarschijnlijk de jongens uit Saint-Loup. Maar toch geen zwarte mis en geen duivelsaanbidding. Met zulke dingen spot je niet.'

'Ik zou het echt onaangenaam vinden,' zei monsieur Deschamps en hij ging in de stromende regen nog rechter staan, 'als ik tot de conclusie moest komen dat het volvoeren van deze ambtsverrichting berust op een verklaring die niet op alle punten strookt met de werkelijkheid.'

'Maar ik heb ...'

Ik heb echt op die open plek in het bos gestaan, ik heb echt het graf gezien en de kaarsen, het teken in de sneeuw en het doorboorde papier. Dat kon toch niet allemaal verdwenen zijn.

Toen ik plotseling begon te rennen, moet dat in hun ogen op een vlucht hebben geleken. Als ze eenmaal hebben besloten je schuldig te vinden, wordt alles een bewijs, wie weet dat beter dan ik? Als ze zich eenmaal een beeld hebben gevormd, kunnen ze niets anders meer zien, wíllen ze niets anders meer zien.

Monsieur Deschamps hield me moeiteloos bij, alsof hij me alleen maar beleefd vergezelde. De pastoor liep ver achter ons te hijgen, één keer hoorden we hem met zijn hoge stem vloeken omdat zijn paraplu was blijven haken.

Het graf was er nog, een hoop aardkluiten op een open plek in het bos, maar het was ongevaarlijk geworden in het veranderde licht. Van de magie die ik gisteren nog bijna lijfelijk had gevoeld was niets meer over, het was slechts een bouwplaats in de regen, voor een jachthut of een boswachtershuisje. De sneeuw was weggewassen, de sporen waren spoorloos verdwenen, de tekens waren weggesijpeld in de rotte bladeren. Monsieur Deschamps keek met zijn armen over elkaar hoe ik de grond afzocht, als een jachthond die niets vindt om te apporteren. Ook de kaarsen waren verdwenen; wie de madonna ook op haar plaats had teruggezet, hij was grondig te werk gegaan. En zelfs als hij de tekening over het hoofd had gezien, de fallische Jean met het voodooogat in zijn buik, dan had de regen de hele nacht de tijd gehad om het papier te doorweken en weg te spoelen.

Toen baande ook de *curé* zich een weg naar ons, naar lucht happend als een van de vette karpers die monsieur Charbonnier uit het water haalt, de paraplu, waar een tak een groot gat in had gescheurd, hield hij zinloos boven zijn hoofd. Hij leek teleurgesteld dat monsieur Deschamps me geen handboeien had omgedaan, tenslotte had ik hen de regen in gejaagd, helemaal voor niets, twee zulke belangrijke mensen, een chef van de gendarmerie en een pastoor die zes kerken onder zijn hoede heeft.

'*Alors?*' Arresteer hem, betekende dat, veroordeel hem, stel hem terecht.

'Ik weet dat het er nu allemaal anders uitziet.' Waarom trilde mijn stem, terwijl ik mezelf toch niets te verwijten had? 'Maar als u erbij was geweest ...' Precies diezelfde zin heb ik toen ook gezegd, belachelijk genoeg. 'Als u erbij was geweest.' Ze geloofden me ook toen niet.

'U houdt ons voor de gek!' De stem van de *curé* was van opwinding nog hoger geworden. 'Hoewel ik niet weet wat u daarvan verwacht. Ik begrijp echt niet waarom mensen als u onrust bij ons komen stoken.'

Rust heb ik hier gezocht. Mijn evenwicht wilde ik terugvinden in Courtillon. De storm tot bedaren laten komen en dan verder leven.

Met jou.

'Monsieur Deschamps, ik verzoek u dringend iets te doen!' Nu ik het opschrijf, besef ik pas hoe belachelijk we eruitgezien moeten hebben, de amechtige pastoor, die de regen als zweetdruppels van zijn voorhoofd wiste, de gendarme, stram in de houding in zijn met modder bespatte broek, en ik, de geslagen hond, hoe we tegenover elkaar stonden, met natte voeten en officiële gezichten, onze tegenstrijdige werkelijkheden als spandoeken voor ons uit dragend.

Ten slotte was het monsieur Deschamps die de situatie van haar scherpe kanten ontdeed. 'We moeten niets overhaasten,' zei hij zo kalm en bedachtzaam alsof hij achter zijn bureau of tussen de bloemenschilderijen in zijn woonkamer zat. 'Weliswaar zijn de afgelegde verklaringen niet door onze waarneming bevestigd, maar er is nog een ander bewijsmiddel – monsieur was zo vriendelijk het mij te overhandigen –, waarvan ik het onderzoek wil afwachten voordat ik mij een definitief oordeel vorm. Ik heb om een spoedbehandeling gevraagd, maar ik weet niet zeker of dat nog in de loop van dit weekend mogelijk zal zijn.'

Het duurde even voordat ik begreep waar hij het over had, waarom ik voorwaardelijk was vrijgesproken. Het mosterdpotje met de verkleurde sneeuw. In zijn koelkast stond het enige bewijs dat hier echt iets was gebeurd.

'Wat voor bewijsmiddel?' hijgde de *curé*.

Monsieur Deschamps antwoordde niet, hij boog alleen zijn ellebogen en draaide zijn handpalmen naar boven, een gebaar dat ondanks de woordeloosheid ervan niet valt te vertalen, en toen liepen we in een zwijgende ganzenmars terug naar de auto, als een processie die op weg naar de bedevaartplaats is verdwaald.

'Het is inderdaad bloed,' heeft monsieur Deschamps me vandaag bevestigd. 'De uitslag van het laboratorium is slechts voor één uitleg vatbaar: menselijk bloed. En wel van drie verschillende personen.'

De regen werd minder toen we terugreden. Tijdens de hele rit zei de *curé* geen woord, hij nam niet eens afscheid toen we hem in Saint-Loup afzetten. 'Het valt niet mee om tegenwoordig pastoor te zijn,' verontschuldigde monsieur Deschamps hem. 'Het is alsof je meubelmaker bent terwijl er geen hout meer groeit.'

Toen ik voor mijn huis uitstapte – 'de gendarmerie heeft hem gebracht', wat zullen ze een hoop te kletsen hebben! – scheen opeens de zon; de jaargetijden waren net als de gebeurtenissen in de war geraakt. Ik voelde me vuil en dat lag niet alleen aan mijn drijfnatte kleren. Die paap had me aangekeken alsof ik aan de schandpaal genageld was. Er zijn blikken die sporen achterlaten, striemen, het vuil in de vreemde hoofden geeft af, de hel – in de eindexamenklas zouden jullie dat gelezen hebben –, dat zijn de anderen. Ik reageer te heftig, ik weet het, eigenlijk zou het me koud moeten laten wat een of andere *curé* van me vindt, een dorpspastoor van wie ik niet eens de naam weet. Maar wie dat spitsroeden lopen eenmaal heeft meegemaakt, die hebben ze afgeleerd om verstandig en logisch te denken, de huid van zo iemand is dun geworden, voor eens en voor altijd.

Mijn bad heeft leeuwenpoten, het komt uit een herenhuis waar ze genoeg bedienden hadden om al die emmers met heet water aan te slepen. 'Het is groot genoeg voor twee personen', zei de man op de *foire à la brocante* destijds, en daarmee was het al verkocht omdat ik meteen aan jou moest denken, aan jouw lichaam naast het mijne. (Er is zoveel wat we niet meer hebben meegemaakt.) Toen ze het de volgende dag van de vrachtwagen tilden, beweerde Jean dat we het nooit door de deuren zouden krijgen, maar het ging toch, tot op de centimeter precies, alleen op de muur in de gang waar de bocht te krap was, zit nog een kras.

In die leeuwenbuik kan ik wegkruipen, daar kan ik me achter bergen schuim verschansen en van de vlekken op het plafond een nieuwe wereld in elkaar zetten. Ik moet zo'n haast gehad hebben om het vuil van die dag van mijn ziel te spoelen, om al die tegenstrijdige beelden uit het *bois de la Vierge* in mijn hoofd te ordenen, dat ik de voordeur open liet staan. ('Vroeger deed hier niemand zijn huis op slot,' zegt mademoiselle Millotte, 'maar de tijden zijn veranderd.') Ik had de voetstappen niet aan horen komen en toen er plotseling op de deur werd geklopt, gaf ik een gil.

'Pardon,' riep Elodie van buiten, 'ik wilde u niet aan het schrikken maken. Maar mijn vader vraagt of u zo gauw mogelijk naar ons toe wilt komen. Er is iets gebeurd.'

Dit weekend heeft zijn gebeurtenissen over me uitgestort als een lading aardappelen. Sinds ik weer beter ben (sinds ik ingezien heb dat je je ongeluk niet kunt ontlopen), lijken de klokken vlugger te lopen in Courtillon. Een madonna verdwijnt, een madonna duikt weer op, Bertrand wil rijk worden met een camping en is bereid daarvoor te vechten, en Valentine Charbonnier ...

Alles op z'n beurt. Dat was op zondag en zo ver ben ik nog niet met mijn kroniek. Het is pas zaterdagmiddag en ik wrijf net mijn lichaam droog, het is alsof het nog nooit droog geweest is, ik kleed me aan, zo haastig dat ik niet eens mijn veters behoorlijk strik, ik ren de deur uit en word bijna overhoopgereden door de jonge Simonin, op een reusachtige tractor, ik weet nog niet welke nieuwe verrassing me te wachten staat en hoe die bij de andere zal passen.

Alles op z'n beurt. Geneviève stond me op het erf op te wachten. Haar ogen waren rood, ze had zonder het te merken haar onderlip kapotgebeten en zoog er nu op alsof ze het bloed wilde verdelen als lippenstift. 'Ik ben bang,' zei ze, 'maar we mogen het niet laten merken, hoor! Elodie is zo gevoelig.'

'Wat is er gebeurd?'

'De deur was op slot. Ik weet zeker dat ik hem op slot heb gedaan, ik vergeet het nooit, dat doe ik automatisch.'

'Een inbraak?'

Geneviève knikte. 'Hadden ze maar iets gestolen, dat zou ik kunnen begrijpen.' Haar stem was als een gebalde vuist, zo erg probeerde ze zich te beheersen. 'Dieven maken me niet bang. O ja, ze maken me wel bang, maar het is een angst waar je niet van schrikt. Dat klinkt onzinnig, maar beter kan ik het niet zeggen. Ze pakken wat ze willen hebben en dan is het voorbij. Je kunt opruimen en de politie roepen. Maar zo ...' Er brak een snik uit haar keel, het klonk alsof ze moest overgeven, een golf van onverteerde angsten.

'Rustig maar,' zei ik. Waarom neem je altijd je toevlucht tot zulke banaliteiten als de gevoelens van andere mensen te dichtbij komen?

'Het moet gebeurd zijn terwijl we in de keuken zaten. Maar een paar passen ervandaan, en we hebben niets gemerkt. Misschien houden ze het huis de hele tijd in de gaten, misschien komen ze terug, misschien ...' Ze drukte de rug van haar hand tegen haar mond en staarde toen niet-begrijpend naar het bloedspoor dat haar lip had achtergelaten.

'Over wie hebt u het?'

'Hoe kan ik dat nou weten?' Geneviève schreeuwde plotseling en werd even plotseling weer stil. 'Neem me niet kwalijk. Misschien heeft Jean gelijk en is er geen reden om ongerust te zijn. Ook al kijkt hij langs me heen als hij dat zegt. Ga maar naar binnen en kijk zelf.'

De schuur zag eruit als altijd. Het gereedschap hing in rechte rijen aan de muur, de dozen waarin Jean allerlei reserveonderdelen bewaart, waren keurig opgestapeld. In het rek stonden de weckflessen onaangeroerd, al die potten jam en compote die Geneviève aan het eind van de zomer weggeeft omdat de tuin alweer vol is en ze plaats moet maken voor nieuwe. De grasmaaier stond er, die Jean bijna voor niets heeft gekregen omdat de motor niet meer te repareren was (natuurlijk heeft hij hem weer aan de praat gekregen, een van de vele kleine triomfen waar hij zo trots op is), de blikken met benzine stonden er en ook de twee kruiwagens vol uien en sjalotjes. Op het eerste gezicht was alles zoals altijd: het rijk van een man die zijn kleine wereld onder controle heeft, en mocht die toch een keer kapotgaan, dan is er wel ergens een reserveonderdeel te vinden.

Pas toen ik naar Jean toe liep – hij draaide niet eens zijn hoofd om toen ik binnenkwam –, naast hem ging staan en zijn blik volgde, merkte ik wat er was veranderd.

Tegen de muur waar de schuur aan het huis grenst, links als je binnenkomt, heeft Jean zijn hout opgestapeld, van de vloer tot aan het plafond, drie rijen dik, een onoverwinnelijk bolwerk tegen elke nog zo koude winter. De blokken zijn precies op maat gezaagd, elk blok exact drieëndertig centimeter, en de uiteinden vormen zo'n keurig patroon dat Jean het niet kapot wil maken, daarom heeft hij in een schuurtje achter het huis voor dagelijks gebruik een tweede houtstapel aangelegd. Naar die muur van hout stond Jean te staren. Iemand had er een tekening op gespoten, met rode verf, een man met een reusachtige fallus en eromheen een grote, naar boven geopende driehoek.

Ik had die tekening al eerder gezien, gisteren, in het bos, geschilderd in een kleur die eruitzag als bloed. Maar dat mocht ik niet zeggen, ik kon beter zelf mijn lippen kapotbijten, niet omdat monsieur Deschamps er iets op tegen kon hebben, maar omdat Jean nu al in paniek was. Ik zag de paniek in zijn ogen flakkeren, ook al deed hij nog zo zijn best om rustig en onbewogen te lijken, alsof het voorval voor hem niet meer was dan een puzzel, een logisch probleem dat je alleen hoeft te analyseren, punt voor punt, en dan vind je de goede oplossing en is alles weer in orde.

Door het huis kon niemand in de schuur gekomen zijn, dat sloot hij uit, want dan hadden ze door de keuken moeten lopen, waar de hele tijd iemand was, eerst bij het middageten en later bij de koffie. 'Ik heb vandaag een beetje geluierd, eigenlijk wilde ik oude stenen halen, handgemaakte, bij het huis in Pierrefeu zijn ze met de sloop begonnen, en daar liggen ze voor het oprapen, maar in de regen ging dat natuurlijk niet.' Vervolgens liet hij me zien dat de achterdeur naar de tuin vanbinnen afgesloten was, met een zware grendel die Jean had gered toen iemand in het dorp weer eens zijn huis verpestte door het te moderniseren. De indringer, 'of de indringers', verbeterde hij zichzelf – wie puzzels oplost moet met alle mogelijkheden rekening houden –, wie hier ook was binnengedrongen, kon dus alleen de derde ingang hebben gebruikt, de poort naar het erf. En die moest opengestaan hebben, want opengebroken was er niets.

'Wie heeft er allemaal een sleutel?'

'Eén zit er aan mijn sleutelbos en de andere hangt aan het rekje in de keuken. Geneviève beweert dan wel dat ze de poort op slot heeft gedaan, maar ze zal het vergeten zijn, gewoon slordigheid.'

Geneviève is niet slordig, integendeel, ze is de meest georganiseerde persoon die ik ken. Als je getrouwd bent met een pietluttige ordemaniak zit er ook niets anders op.

'En als er toch een derde sleutel is?'

'Die is er niet!' Jean zei het erg hard, te hard voor iemand die alles onder controle heeft. 'Heel vroeger waren er drie, maar de derde is al jaren zoek. Ze moeten trouwens al voor het middageten hier geweest zijn, want de voetafdrukken hebben de tijd gehad om op te drogen. Anders zou er nog iets van te zien zijn nu het buiten zo nat is. Ik begrijp alleen niet ...' De zin hield plotseling op, als een spoorlijn naar het niets. Jean staarde weer naar de tekening op zijn hout.

Een man met een opgerichte penis. Een tekening die op de deur van een toilet past, maar niet in de schuur van de heilige Jan.

Zou hij weten wie er met die man werd bedoeld? Op het nu spoorloos verdwenen papier had zijn naam gestaan. En een scherpe punt had zijn buik doorboord.

'Vijf ton stenen heb ik uit dit huis gesleept,' zei Jean, en het klonk als een gebed, 'maar dit snap ik niet.'

'Ik weet wie het heeft getekend.' Elodie was geruisloos binnengekomen, even ongemerkt als ze daarstraks voor de deur van mijn badkamer had gestaan.

'Jij weet ...?'

'Allicht,' zei ze onbewogen, alsof pornografisch geklieder voor een twaalfjarige de normaalste zaak van de wereld was. 'Niet zijn naam, maar het is iemand van onze school. Hij heeft zoiets ook op het bord getekend, iets soortgelijks. In de zesde was dat, bij de kleintjes. Toen mademoiselle Rosier het zag, gilde ze zo hard dat het drie lokalen verder nog te horen was. Ze heeft er een wereldkaart voor gehangen, uitvegen mocht ze de tekening niet omdat het bewijsmateriaal was, maar ze hebben ons streng verboden ernaar te gaan kijken, wat we natuurlijk toch allemaal hebben gedaan.'

'Een jongen van jullie school?'

'Maar ze hebben hem nooit gepakt. Hoewel ik er zeker van

ben dat een paar jongens weten wie het was, in elk geval die uit zijn klas. Maar niemand heeft hem verklikt.'

'Een jongen!' herhaalde Jean plotseling opgelucht. Zo had de curé gereageerd toen hij niet wilde geloven wat ik te vertellen had. Leerlingen kunnen doen wat ze willen, de wereldorde wordt er niet door verstoord, je plakt er gewoon een etiket op: 'kwajongensstreek', 'blague de potache', en meteen voel je je niet meer bedreigd. Ze worden vanzelf ouder, denk je bij jezelf, ouder en wijzer. Maar je wordt niet wijzer met het klimmen der jaren, en leerlingen zijn wreed.

'Een jongen maar!' Jean lachte de splinters van zijn paniek uit zijn keel. 'En ik dacht nog wel ...'

'Misschien was het ook wel een meisje,' overwoog Elodie heel zakelijk. 'Ik bedoel: een jongen zou toch moeten weten dat mannen er niet zo uitzien.'

'Elodie! Elodie!' Geneviève kwam de schuur binnengestormd als een furie. (Ik schrijf dat niet zomaar. Het schilderij in het Louvre waar jullie tijdens het schoolreisje naar Parijs voor hebben staan giechelen ... zo zag ze eruit.) Toen ze haar dochter gezond en wel aantrof, moest ze haar opluchting verbergen door Elodie uit te foeteren. 'Ik heb toch gezegd dat je in de keuken moest blijven, of niet soms? En trouwens, wat heb je daar op je hand?' Elodie, gefascineerd door het ongewone, had de contouren van de getekende figuur met haar vinger nagetrokken, van de voeten tot aan de hals, hoger kon ze niet komen, en de verf was nog niet droog geweest. Als je op Genevièves reactie afging, was er geen grotere ramp mogelijk dan die rode vlek op de vinger van haar dochter. Doornroosje had zich aan de spindel geprikt, haar onschuld verloren, en geen enkele prins zou haar ooit weer kunnen verlossen.

'Wat ben jij voor vader?' schreeuwde ze tegen Jean. 'Kun je op z'n minst Elodie buiten je affaires houden?'

'Wat kan ik eraan doen dat een of andere gek ...?'

'Er zal wel een reden zijn. Ik heb je al duizend keer gezegd ...'

Het was een goed geoefende ruzie die daar losbarstte, je moet je al vaak in elkaar hebben vastgebeten om zo direct aan te vallen, ze kenden elkaars zwakke plekken en voelden geen remming de ander juist daar te raken. Hoe langer de woordenwisseling duurde, hoe meer Elodie haar schouders spande en haar hoofd introk, net zoals monsieur Deschamps dat had gedaan om zich te beschermen tegen de stromende regen. Ze keerde haar ouders de rug toe en smeerde met grote, niets ziende ogen de natte verf op het hout, links, rechts, rechts, links, zoals je een fout die je ongedaan wilt maken, meer dan eens doorstreept.

Toen Geneviève en Jean weer waren gekalmeerd – nee, niet gekalmeerd, ze waren alleen bekaf en buiten adem – probeerden ze te doen alsof het allemaal maar een kwestie van temperament was geweest, wie van elkaar houdt, plaagt elkaar, maak je maar geen zorgen, Elodie, kom mee naar de keuken, ik heb nog een ijsje voor je, tropische vruchten, dat vind je toch zo lekker. De twee vrouwen gingen naar buiten (soms heb ik het gevoel dat Elodie de oudste is, dat ze alleen maar voor kind speelt om haar moeder een plezier te doen) en Jean schudde zich uit als een nat geworden hond. 'Ze bedoelt het niet zo,' zei hij, 'ze maakt zich alleen zorgen.' Het klonk niet overtuigend.

Tussen zijn verfblikken heeft de heilige Jan twee flessen neergezet, één met het opschrift 'Brandspiritus' en één met 'Mirabel', maar de inhoud is precies omgekeerd. 'Als hier ooit iemand inbreekt,' heeft Jean me uitgelegd, 'dan kan hij wat beleven.' Nu had er iemand bij hem ingebroken, iemand die op iets anders uit was dan op een snelle slok, en daarom zaten wij tweeën aan Jeans werkbank, hij schonk zelfgestookte brandewijn in, uit de goede verkeerde fles, en samen zochten we naar een verklaring.

Niet naar dezelfde verklaring, maar dat wist Jean niet. Als een schatgraver die zijn partner niet helemaal vertrouwt, had ik besloten hem maar de halve waarheid te vertellen. Ik was vandaag met monsieur Deschamps naar het *bois de la Vierge* gereden – dat was mijn verhaal – omdat iemand het kapelletje van Onze-Lieve-Vrouw in het bos had opengebroken, vernieling, vandalisme, ik had het toevallig ontdekt en het als plichtbewuste gast van de gemeente aangegeven. Geen woord over wat ik gisteren had gezien, daarmee zou ik Jean alleen maar bang hebben gemaakt en dat wilde ik niet. (Dat is natuurlijk gelogen. Het ging me om de macht die je ontleent aan een verhaal dat de ander niet kent.)

'Jij komt uit de stad,' zei Jean, 'jij moet me dat kunnen uitleggen. Wij kennen zoiets niet, wij mensen van het platteland.' De verklaring kwajongensstreek troostte hem al niet meer, de angst was teruggekomen en Jean probeerde hem het hoofd te bieden zoals je op het schoolplein de vechtersbaas uit een hogere klas het hoofd biedt, met gespeelde zorgeloosheid.

'Heb je vijanden?' Het woord was nog steeds te groot voor hem, ondanks alles wat er de laatste tijd was gebeurd.

De heilige Jan leek zich door het idee gevleid te voelen. 'Nou ja,' zei hij, 'wat ik heb ontdekt, komt sommige mensen niet erg gelegen, *je tombe comme un cheveu dans leur soupe*, nu ze met hun grindafgraving grof geld willen verdienen. Ravallet had me het liefst gewurgd, maar ik heb mijn bewijzen en daar kan hij niet tegenop.'

'Ravallet breekt niet bij je in om je houtstapel te bekladden.'

'Er zijn nog een hoop anderen die het niet zint dat bepaalde verhalen weer ter sprake komen.'

'Allemaal oude mensen, de generatie van toen. Maar dit hier ...'

'... moet een jonger iemand gedaan hebben, daar heb je gelijk in.' Het was duidelijk aan Jean te merken dat die andere hypothese hem welkomer was geweest, hij had zichzelf graag als martelaar van de waarheid gezien.

'En die twee die je toen een pak slaag hebben gegeven?'

'Die uit Saint-Loup?'

'Het staat niet vast dat ze daarvandaan kwamen.'

'Waar anders? En hoezo zouden ze zo'n ... zo'n geval op mijn muur schilderen?'

Ik kon zijn vraag evenmin beantwoorden als alle andere die in mijn hoofd rondtolden. Waarom zouden ze een zwarte mis in het *bois de la Vierge* houden, waarom zouden ze bij een karikatuur met zijn naam eronder een puntige paal door de buik rammen? Ik voelde me net mademoiselle Millotte: ik wist dat ik geen rust zou hebben zolang de stukjes niet in elkaar pasten.

Jean draaide zijn glas tussen zijn handpalmen, hij had nog geen slok genomen en dat is bij hem geen goed teken. 'Hoe zou jij mij omschrijven?' vroeg hij opeens.

'Omschrijven?'

'Wat voor mens ben ik?'

'Behulpzaam,' zei ik. 'Vriendelijk. Hardwerkend. Een beetje wispelturig misschien. Een dromer, soms. Een sympathieke dromer.'

Jean trok een gezicht alsof ik net een ernstige ziekte bij hem had geconstateerd, een ziekte waarvan de symptomen hem maar al te vertrouwd waren. 'Een loser, wil je daarmee zeggen. Iemand die zich laat uitbuiten en nooit iets bereikt. Dat denken ze allemaal. Dat denkt Geneviève ook. Maar ze zullen nog raar opkijken. Ze zullen allemaal nog heel raar opkijken.'

Dat zou het moment geweest zijn, exact het goede moment, om hem uit te horen. Hij was iets van plan, iets waarvoor hij alles op alles zette, waarvoor hij met het hoofd door de muur wilde, en op dat moment zou hij bereid geweest zijn mij erover te vertellen, dat weet ik heel zeker, ik had alleen een beetje hoeven aandringen, hij smeekte er gewoon om dat ik aandrong. Maar precies op dat moment klopte er iemand op de open deur van de schuur. 'Toc, toc, toc!' riep een stem en toen kwam Bertrand binnen, de wijnhandelaar, goedgehumeurd en overdreven hartelijk, alsof hij niet pas nog – het was nog geen vierentwintig uur geleden – bij de gedachte aan Jean en zijn activiteiten een knalrode kop had gekregen.

'O, u bent er ook,' riep hij toen hij me zag, 'wat fijn dat u zich een beetje om onze vriend Perrin bekommert, er is niets aangenamers dan een gezellig gesprek tussen buren, dan hoor je altijd wel iets nuttigs, waar of niet? En u, mijn beste Jean, zult me vast niet kwalijk nemen dat ik zomaar bij u binnenval, ik zal geroken hebben dat hier net een glaasje wordt gedronken, hahaha, waarvoor heb je anders een wijnhandelaarsneus.'

Hij moest de op de houtstapel gespoten tekening allang hebben gezien, maar hij zei niets, hij leek haar helemaal niet op te merken, waarschijnlijk had hij nog niet berekend welk voordeel hij uit het een of andere commentaar kon slaan. 'Ja, mijn beste Jean,' zei hij nadat hij zijn glas in één teug had leeggedronken en vol waardering diep had ademgehaald, 'ik ben gekomen om u om een gunst te vragen. De winter is zo vroeg dit jaar en ik heb weer eens veel te weinig hout ingeslagen, ik heb zoveel andere dingen aan mijn hoofd. Daarom wilde ik vragen of u mij niet een paar stère kunt verkopen, tien of vijftien, voor een goede prijs uiteraard, zoals het hoort onder buren.'

Toen ik de avond ervoor in zijn proefkelder afdaalde, heb ik Bertrands houtvoorraad gezien. Die is voldoende voor meer dan één winter. Hij moet besloten hebben van tactiek te veranderen.

*W*at er zondag is gebeurd, zou Jojo je eigenlijk moeten vertellen. Hij stond er de hele tijd naast, klapte in zijn handen en danste zelfs een keer met onbeholpen passen, zoals hij anders doet als hij muziek hoort. 'Het was bijna net zo mooi als een brand,' zei hij achteraf glunderend, 'bijna net zo mooi als een brand.'

Het was niet mooi. Het was walgelijk. Maar het was ook fascinerend, dat moet ik toegeven. Zo fascinerend als vroeger een openbare terechtstelling of een heksenverbranding geweest moet zijn. Niets is zo aantrekkelijk als het stuitende.

We hadden ons moeten afkeren, natuurlijk, gewoon weggaan; zonder gapend publiek was ze misschien eerder gekalmeerd. We zijn allemaal blijven staan, natuurlijk, we hebben een bezorgd of verontwaardigd gezicht getrokken, afhankelijk van de smoes die iedereen had bedacht om te kunnen blijven gapen. Wie erbij is geweest, loopt nu trots en met afgunst bekeken door het dorp, en telkens als hij het verhaal vertelt wordt het een beetje ronder, elke herhaling slijpt een scherp kantje weg; zo ontstaan volksliederen en op een gegeven moment wordt het dan van de daken verkondigd.

Ik heb het verhaal pas één keer hoeven vertellen. Monsieur Deschamps heeft proces-verbaal opgemaakt, hij heeft alles in zijn notitieboekje opgeschreven zonder erbij te zeggen wie een klacht heeft ingediend tegen wie, misschien doet hij dat ook gewoon uit zichzelf, omdat slachtoffers en daders keurig gescheiden moeten zijn in een wereld met afwasbare kunststofvloeren. Bij die gelegenheid heeft hij me ook de uitslag van het laboratorium verteld, 'het was inderdaad bloed', maar de gebeurtenissen in het *bois de la Vierge* vindt hij niet belangrijk meer, althans op dit moment niet, nieuwe sensaties verdringen de oude en kan er iets sensationeler zijn dan wat Valentine Charbonnier beweert? Als je haar mag geloven. Alles op z'n beurt.

Ik was zondagochtend naar Jean gegaan, zonder jas, ondanks de betrokken lucht was de temperatuur aangenaam, de vorst van zaterdag was nog slechts een herinnering uit een ander jaar. Jean had me gevraagd zijn houtstapel weer te helpen opbouwen; meteen na het bezoek van Bertrand had hij hem omvergehaald, althans de voorste rij. Uit angst kun je woede putten en die woede heeft hij op het hout gekoeld. De blokken bedekten de vloer als de puinhopen van een door een aardbeving verwoeste stad, donker hout en lichte snijvlakken, met af en toe een streep rode verf die niet meer in een tekening viel in te passen, niet in een hoofd, een buik of een reusachtige penis.

Ik mocht Jean het hout alleen aangeven, in zijn ogen ben ik verder niet geschikt voor zulke karweitjes. Hij stapelt alsof hij een kathedraal bouwt, de bouwtekening heeft hij in zijn hoofd en daar houdt hij zich strikt aan. Soms brak hij een heel stuk weer af en bouwde het opnieuw op, alleen omdat er een blok verkeerd lag, omdat er nog een rode verfvlek te zien was die hem bleef herinneren aan de inbreuk op zijn leven. Al die sporen – alleen daarom werkte hij zich hier krom – moesten onzichtbaar worden, als een slecht geweten, hij bouwde de bespoten blokken in zijn stapel in zoals de stenen van ketterbegraafplaatsen worden ingevoegd in de muren van een nieuwe kerk, met de tekst naar binnen, zodat nooit meer iemand die kan lezen.

Het werk duurde lang, nog langer omdat we het zwijgend deden. Zwijgzaamheid maakt Jean kleiner, hij gelooft niet echt in zichzelf en moet zich met lange verhalen telkens opnieuw uitvinden. Pas toen de stapel het plafond al bijna had bereikt, toen de muur weer stond en we de stukken hout al een voor een moesten uitzoeken om ze in de laatste openingen te schuiven, begon hij weer te praten. Bertrand, zo schijnt het (ik was de vorige avond al snel weggegaan en had van hun onderhandelingen niets meer gehoord), heeft zijn mooie woorden op een gegeven moment achterwege gelaten en hem een heel duidelijke deal aangeboden: als Jean de plannen voor de grindafgraving niet langer dwarsboomt, is hij van zijn kant bereid in de beurs te tasten. 'Ik betaal het hout onmiddellijk,' heeft hij gezegd, 'en of u het me nu levert of over vijf jaar of helemaal niet, daar zullen wij tweeën geen ruzie over krijgen.'

'En? Wat heb je geantwoord?'

'Dat ik erover na zal denken. Maar ik ben niet van plan me te laten omkopen voor de prijs van tien stère brandhout. Zijn camping kan Bertrand vergeten.'

'Daar weet je ook van?'

Jean lachte. 'Dat is een oude droom van hem die nooit zal uitkomen, om heel praktische redenen. Voor een camping zijn sanitaire voorzieningen nodig, dat is voorschrift. En telkens als de rivier buiten zijn oevers treedt, twee keer per jaar of nog vaker, zouden die weggespoeld worden. Weet je waarom Bertrand er toch steeds weer over begint? Juist nu? Nou?' Hij knipte met zijn vingers zoals je doet bij een leerling die traag van begrip is. 'Omdat hij denkt dat er geen overstromingen meer zullen zijn als de rivierbedding eenmaal is uitgebaggerd en verbreed. Maar dat zal niet gebeuren. Ravallet zal tegen de grindafgraving stemmen en dan is de zaak van de baan.' Jean hamerde het laatste stuk hout in de laatste opening, hij klopte zijn orde weer vast.

Maar er was nog altijd het dreigement dat Bertrand had uitgesproken, met een rood aangelopen gezicht. Hij had de kurk uit de fles gerukt zoals je een vijand zijn wapen uit de hand rukt. Toen ik Jean erover vertelde, wuifde hij mijn waarschuwing echter weg als een lastige vlieg. 'Bertrand is laf. Zijn eigen huis in de fik steken om de verzekering te belazeren, dat is het dapperste waartoe hij in staat is. Je hebt zelf gezien hoe hij hier gisteren binnenkwam, suikerzoet, *tout sucre, tout miel.*' Hij pakte een bezem en begon de vloer van de schuur aan te vegen, hij veegde de laatste sporen van het voorval van gisteren op een hoop.

'En Geneviève? Is ze weer gekalmeerd?'

'Je weet hoe vrouwen zijn.'

Nee, Jean, dat weet ik niet. Ik heb geen idee.

'Ze neemt alles veel te serieus. Met dat geklieder gisteren' – zijn blik ging automatisch na of er echt niets meer van te zien was – 'heeft ze het vreselijk moeilijk gehad. En vandaag loopt ze al de hele dag als een kloek om Elodie heen, alsof iemand haar wil afpakken. Geneviève denkt dat ik geheimen voor haar heb.'

'Heb je ook.'

'Maar niet het soort dat zij bedoelt. Niet zoiets als toen met de *greluche.*' Jean haalde de bezem over de vloer als een wapen. 'Eén keer in je leven doe je iets verkeerd ...'

Ik begrijp je, Jean. Ik heb één keer in mijn leven iets goed gedaan, het beste wat ik kon doen, en daarvoor hebben ze me hier opgesloten, in dit dorp met zijn gewitte voorgevels.

Mijn buurman die zijn schuur aanveegt. Het liefst zou ik gewoon over dat moment blijven vertellen, nog een keer de houtstapel beschrijven en het op een rij gehangen gereedschap, de benzineblikken en de kruiwagens vol uien, nog een keer de voorraden in de rekken opsommen, me nog een keer de heilige Jan herinneren die alweer glimlachte, opgeruimd betekent ook goedgehumeurd, het liefst zou ik hier met het verhaal stoppen en niet verder hoeven vertellen. Ik heb het gevoel dat alles pas echt wordt als ik het opschrijf, alsof je het daarvoor nog ongedaan kunt maken, het gewoon herroepen, sorry, beste Jean, zo was het niet bedoeld. Hoewel het zich natuurlijk al in de hoofden heeft vastgezet, de nieuwste sensatie van Courtillon, hoewel het er telkens als iemand erover vertelt nog vaster in wordt gestampt, hoewel je intussen al zou kunnen denken dat ze er allemaal bij geweest zijn, niet alleen die paar, dat ze daar allemaal met open oren hebben gestaan, dat ze net als Jojo hebben gedanst, in hun handen hebben geklapt en zich hebben verheugd alsof er iets in brand stond. Ik kan het niet veranderen. Ik kan het alleen beschrijven. Het begon met een stem op het erf die 'Perrin!' riep. Niet 'Monsieur Perrin!' en ook niet 'Jean!' Gewoon alleen 'Perrin!' Een ruwe mannenstem, gewend om ruzie te zoeken en te vinden. Je houdt je portefeuille vast als je zo wordt aangesproken, je zoekt naar een vluchtweg, terwijl je al vermoedt dat die er niet zal zijn. 'Perrin,' riep de stem, 'kom naar buiten!'

Jean keek me aan, eerst meer verrast dan geschrokken. 'Weet jij wie dat is?'

'Geen idee.' Pas nu ik het opschrijf, besef ik dat we allebei fluisterden.

Jean zette de bezem zorgvuldig op zijn plaats, je merkte dat het hem erom ging nu alles precies goed te doen. Uit de rij met gereedschap koos hij een hamer, ik ben geen klusser, ik weet niet waarvoor je zulke grote hamers nodig hebt, hij woog hem onderzoekend in zijn hand en stak hem in een van de talrijke zakken van zijn werkbroek. Of iets een stuk gereedschap of een wapen is, hangt alleen af van hoe je het vastpakt.

'Perrin!' riep de stem. 'Waar blijf je?'

De zon scheen heel helder toen Jean de schuurdeur opendeed.

Op het erf stond Valentine Charbonnier, met het licht achter zich zodat door haar rok haar dunne benen zich aftekenden. Ik heb haar anders altijd alleen in een spijkerbroek gezien, in deze kleren zag ze er kwetsbaarder en tegelijk provocerender uit. De kraag was verdwenen, haar haar had een madonna-achtige, strenge scheiding in het midden, haar zwart omlijste gezicht was nog bleker dan anders. Ze staarde ons uitdagend aan. (Maar misschien dicht ik haar die houding ook pas achteraf toe en was het alleen de rook van haar sigaret die haar ogen zo smal maakte.)

Links en rechts van haar, een pas naar achteren zoals lijfwachten, stonden de twee jongens met wie ze de laatste tijd altijd samen wordt gezien. Allebei hadden ze hun armen over elkaar geslagen; bij de donkere zag dat er geforceerd uit, hij had iets van een aardige jongen die als vechtersbaas naar een gekostumeerd feest gaat, terwijl die pose bij de tengere blanke paste als zijn strakke leren jack. Anders zegt hij bijna nooit wat, alsof zijn hele leven één groot verhoor is, en toen hij begon te praten leek zijn stem, de stem die zo uitdagend om Jean had geroepen, van een grotere en oudere man te zijn, alsof hij hem had geleend zoals je een pistool of een ploertendoder kunt lenen.

'Perrin,' zei hij, 'je bent er nog steeds. Dat is niet zo slim van je. Er zou je iets kunnen overkomen. Stel je voor dat je paddenstoelen gaat zoeken en dat iemand je in het bos in elkaar slaat. Dat zou toch jammer zijn. Van de paddenstoelen en van jou.'

'Jullie waren het dus.' Jean slikte. Angst smaakt bitter.

'Misschien.' De jongen spreidde zijn vingers en bekeek zijn hand als een pas gekocht stuk gereedschap. 'Wil je het zeker weten?'

Jean gaf geen antwoord. Hij ademde alleen uit, een lange, duidelijk hoorbare zucht. *'Il se dégonfle'* heet dat hier als iemand de moed laat varen, 'hij laat de lucht ontsnappen'.

'Ik sla je met plezier op je bek,' zei de jongen en de woorden klonken extra dreigend omdat ze als een vriendelijk aanbod werden gebracht, 'dan kun je me vertellen of je je mijn vuist herinnert.'

Valentine bewoog niet, niet merkbaar, ze zei alleen één enkele lettergreep en de jongen deinsde terug alsof ze hem had geslagen. 'Fi!' zei Valentine, het klonk als 'Foei!', als het 'Koest!' waarmee je een ongehoorzame hond tot de orde roept. Pas toen ze verder praatte, werd me duidelijk dat 'Phi' de verkorte vorm was van een naam.

'Je moet het Philippe maar niet kwalijk nemen.' Valentine had haar sigarettenpeuk uitgespuugd en glimlachte nu. Ze praatte in de ruimte; hoewel haar ogen op Jean waren gericht, leek ze hem niet te zien. Haar stem was zacht en monotoon, als de uit zinloze lettergrepen samengestelde taal van een automaat. 'Het valt niet mee voor hem. Hij wil graag iemand doodslaan, maar hij mag het nog niet van mij. Het zou veel mooier zijn als die iemand zichzelf van kant maakte.'

'Waar heb je het over?'

Ik meen me te herinneren dat ik in Jeans vraag onzekerheid hoorde. Maar de herinnering zet zich niet af in keurig gescheiden lagen; wat echt gebeurt en wat we er achteraf van denken, schuift algauw onlosmakelijk in elkaar. Ben ik echt verliefd op je geworden toen ik je voor het eerst zag of lijkt dat maar zo omdat ik me een tijd waarin ik niet van je hield, niet meer kan voorstellen?

Misschien interpreteer ik Valentines gelaatsuitdrukking te eigenzinnig als ik beweer dat me al op dat moment haar gelijkenis met het schilderij in onze kerk opviel, met de popperig starre maagdelijkheid van de Moeder Gods in het bos, als ik me een glimlach zonder vrolijkheid herinner, alsof die per ongeluk bij haar was terechtgekomen en eigenlijk heel ergens anders thuishoorde, als ik me meen te herinneren dat haar ogen groter waren dan anders, pijnlijk open zoals die van de generaal. Maar ik verzin beslist niet dat haar taal me eigenaardig voorkwam, vol ongedefinieerde subjecten en objecten, *quelqu'un* en *quelqu'une*, de taal van iemand die de wereld onscherp ziet of de scherpte ervan niet kan verdragen.

'Iemand moet het uitspreken,' zei ze, 'omdat het steeds erger wordt als je het niet uitspreekt en er niet meer tegen kunt.' Ze dreunde de zinnen op zoals een leerling een tegen zijn zin geleerde les opzegt. 'Iemand is er de schuld van, hij denkt dat het vergeten is, maar het is niet vergeten.' Haar stem – je vermoedde het meer dan dat je het kon horen – naderde een punt waarop hij moest overslaan of stokken. Ik zag dat de donkere jongen een beweging wilde maken en toen toch bleef staan. Hij had waarschijnlijk troostend zijn arm om Valentines schouder willen slaan, maar durfde niet.

Jean is iemand die zich langs vele kleine zekerheden door het leven beweegt, met de leuning van een vaste regel altijd binnen handbereik: zo en niet anders repareer je een grasmaaier, snoei je een boom, stapel je hout. Hij houdt van zijn gereedschap om de betrouwbaarheid ervan en van zijn machines om hun innerlijke logica, en zo behandelt hij ook de mensen, alsof je alleen op de juiste knop moet drukken, aan de juiste schakelaar moet draaien om ze in werking te stellen: 'Als ik haar brieven in kleine stukjes scheur, kan de *greluche* niet meer van me houden; als ik hem publiekelijk aan de schandpaal dreig te nagelen, moet Ravallet tegen de grindafgraving stemmen.' Om zich zeker te voelen heeft Jean een verklaarbare wereld nodig, het is niet toevallig dat hij gebruiksaanwijzingen verzamelt. En nu stond daar dat meisje voor hem, die vrouw, en niets in die situatie was voorzien, niets paste bij elkaar. Waarom had Valentine een glimlach opgezet die te groot was voor haar smalle gezicht, waarom had ze die twee jongens meegebracht en liet ze hen wijdbeens en met de armen over elkaar achter zich staan, waarom zei ze 'iemand', terwijl ze niemand anders kon bedoelen dan hem? Jean was hulpeloos, een michelinmannetje dat je zijn banden hebt afgepakt. Zijn handen trilden in ongeboren gebaren, hij wilde iets zeggen en slikte de woorden weer in en ...

En ik noteer dit alles alleen zo uitvoerig omdat ik te laf ben om te beschrijven wat er daarna gebeurde.

'Het is namelijk zo,' zei Valentine en op dat moment deed Philippe, de blanke, opeens een stap in onze richting, de beweging leek reusachtig omdat hij zo lang had stilgestaan, hij sloeg van achteren zijn armen om Valentine heen, het zag eruit alsof hij haar keel dicht wilde knijpen, maar hij legde alleen heel zachtjes zijn wijsvinger op haar lippen en zei: 'Wacht! Er zijn hier te weinig mensen. Dit moeten ze allemaal horen!'

'Allemaal,' herhaalde Valentine, die nog steeds knikte en glimlachte. 'Je hebt gelijk, Phi, allemaal.'

Phi keek rond, op zoek naar een wapen, dacht ik, en Jean moet hetzelfde hebben gevoeld, want zonder het te merken tastte hij naar de hamer in zijn zak. Maar de jongen wendde zich van ons af, hij keerde ons uitdagend de rug toe, nu zouden jullie me kunnen aanvallen, leek hij te willen zeggen, maar ik weet dat jullie niet durven. Hij liep een paar passen naar het hek en pakte de grote zinken emmer waarin Jeans afval wacht om opgehaald te worden. Hij haalde het deksel eraf, tilde de emmer op, met maar één hand als om terloops zijn kracht te demonstreren, en gooide hem leeg.

Jean maakte een ongearticuleerd geluid, de geaborteerde foetus van een protest.

Valentine glimlachte.

Phi begon met het deksel op de emmer te trommelen, zonder ritme, gewoon lawaai, metaal op metaal, en in de pauzes schreeuwde hij: 'Hier, *messieurs, dames*, hier is iets te zien, hier is iets te horen!'

De andere jongen, de donkere, keek eerst besluiteloos van hem naar Valentine en weer terug, hij leek te wachten op een teken of een bevel, ten slotte greep hij een stuk ijzer (op Jeans erf ligt genoeg, alles is op een gegeven moment te gebruiken) en rammelde ermee op het hek van het erf. Hij deed het zonder enthousiasme, als een brave leerling die alleen met tegenzin, omdat de klas het heeft beslist, meedoet met een geintje, terwijl Phi op de vuilnisemmer insloeg als op een glansrijk verslagen vijand.

Valentine glimlachte nog steeds.

Geneviève kwam het huis uit gestormd, gevolgd door Elodie. 'Wat is hier aan de hand?' vroeg ze en Jean, die de hele tijd vergeefs naar zijn stem had gezocht, vond hem plotseling terug en schreeuwde tegen zijn vrouw: 'Hou dat kind binnen!' Geneviève duwde Elodie weer de gang in, deed de deur dicht en leunde er beschermend en strijdvaardig met haar rug tegenaan.

'*Bonjour*, madame Perrin,' zei Valentine beleefd.

De twee jongens bleven alarm slaan; steeds weer herhaalde Phi zijn schreeuwerige oproep.

Ik stond er hulpeloos bij te kijken.

Jean was zijn stem al weer kwijt.

Het was twaalf uur, een tijdstip waarop het dorp aan tafel

gaat, zeker 's zondags, wanneer je in Courtillon een kanon kunt afschieten. Ze hebben de soep allemaal op tafel laten staan en zijn hongerig aan komen rennen; niets wekt de eetlust zo goed op als een klein schandaal. Jojo was er als eerste, met een geruite theedoek nog als servet om zijn hals. Ook Bertrand kwam natuurlijk, alleen wie alles weet kan met iedereen zakendoen. Madame Simonin arriveerde, discreet nieuwsgierig op de achtergrond, en nog een paar andere mensen uit het dorp die ik alleen van gezicht en van het groeten ken. Geen van hen zette een voet op Jeans erf, dat zou het idee hebben verstoord dat ze allemaal toevallig langs waren gekomen en alleen uit heel oppervlakkige belangstelling waren blijven staan. Als voor het optreden van een straatmuzikant gingen ze voor de poort in de rij staan.

Phi hield op met trommelen en liet de vuilnisemmer vallen. Het ijzer van het hek rinkelde nog een poosje na, toen was het stil, zo stil dat je van verre kon horen hoe de jonge Simonin met een van zijn reusachtige machines ratelend het spoor overstak. De twee jongens namen hun plaats weer in, links en rechts, twee passen achter Valentine. Ze moeten die scène ingestudeerd hebben, dacht ik, ze weten precies wat er gaat gebeuren en dit is pas het begin.

Valentine liep nog steeds glimlachend op Jean af.

Jean haalde diep adem en spande zijn buik alsof hij een klap verwachtte.

Valentine streek met een bijna teder gebaar over de mouw van zijn trui, bracht haar hand naar haar mond en likte een voor een haar vingers af, zorgvuldig en nieuwsgierig, alsof ze een smaak op het spoor probeerde te komen die ze allang verloren had gewaand. 'Dit is Jean Perrin,' zei ze toen vriendelijk, 'hij heeft me geneukt.'

Baisé was het woord dat ze gebruikte, een heel lelijk woord in een land waar ze de voorkeur geven aan het eufemisme *faire l'amour*, alsof de liefde iets is wat je kunt maken, alsof de liefde er niet gewoon is en je overrompelt. Uit Valentines mond klonk het woord net zo misplaatst als de snor op het gezicht van de madonna in de kerk. We vroegen ons even af of ze niet iets anders bedoeld kon hebben, *baiser quelqu'un* betekent oorspronkelijk 'iemand kussen' of 'iemand erin luizen'. Maar ze had niets anders bedoeld. 'Het is lang geleden', zei Valentine en haar stem stond naast haar, alsof hij niets met haar te maken had. 'Ik was het vergeten, maar nu herinner ik het me weer. Ik was pas tien toen hij voor het eerst zijn pik in me stak.'

Ik zou je nu moeten kunnen vertellen hoe iedereen reageerde, hoe Jean schrok en wat Geneviève voor gezicht trok, maar hoewel het pas een paar uur geleden is, weet ik het niet meer. Valentines woorden sloegen als een golf over me heen, ze benamen me de adem en overspoelden mijn ogen, en voor ik me er weer uit had gewerkt, voor ik weer adem kon halen, voor ik besefte dat het niets met mij te maken had, helemaal niets, dat ik alleen een van de vele toeschouwers was, had iedereen zijn rol al gevonden, de verontwaardigde, de gekwetste, de medelijdende, iedereen had al het masker opgezet waarmee hij de komende dagen rond zal lopen, alleen de dikke Jojo klapte in zijn handen en was blij.

'Dat is niet waar', zei Jean en hij had het misschien al een paar keer gezegd. Ik zag een paar hoofden knikken, maar of ze het eens waren met de beschuldiging of met de verdediging, was niet op hun gezicht te lezen.

Geneviève duwde met haar rug tegen de voordeur, ze gebruikte – hoewel aan de andere kant van de deur waarschijnlijk niemand weerstand bood – al haar kracht om Elodie achter slot en grendel te houden, om haar niet bloot te stellen aan het vuurpeloton van nieuwsgierige blikken. Haar ogen waren wijd opengesperd, het bindvlies was door de chronische ontsteking rooddooraderd.

Valentine had de volgende sigaret uit het pakje gehaald (haar leeftijd, ik kan het niet beter omschrijven, leek te schommelen, heel jong, heel volwassen, helemaal kind, helemaal vrouw) en haar beide lijfwachten stonden al klaar, ieder met zijn aansteker in de hand en naar elkaar loerend, alsof met het recht om die sigaret aan te steken een groot voordeel verbonden was, iets wat de moeite waard was om voor te vechten. Maar Valentine schudde bijna onmerkbaar haar hoofd (wie zeker weet dat hij wordt gehoorzaamd, heeft geen grote gebaren nodig) en zei: 'Iemand anders moet me vuur geven, iemand voor wie ik een pijp heb gemaakt.'

Onzinnig genoeg zag ik heel even Jean voor me, die voor het kleine meisje Valentine een pijp aansteekt, toen pas werd in mijn hoofd de verbinding gelegd tussen het woordenboek en de werkelijkheid. *Faire une pipe à quelqu'un* betekent iemand pijpen.

Geneviève hapte rochelend naar lucht, het klonk als een inwendige kreet, en Valentine vroeg met de beleefdheid van een welopgevoed meisje bezorgd: 'Wist u dat niet, madame Perrin? Zal ik u de tatoeage op zijn achterwerk beschrijven?'

Dat was het moment waarop Jean op haar afvloog. Hij wilde haar tot zwijgen brengen, denk ik, hij wilde haar mond dichthouden, die ordinaire, onschuldige meisjesmond waarin nog steeds de onaangestoken sigaret bungelde, hij wilde de verwijten terugduwen tussen haar lippen, (heeft zij ze echt gebruikt toen ze nog smaller en kinderlijker waren?), hij zou, denk ik, steeds weer op haar ingeslagen hebben zoals je op een walgelijk insect blijft inslaan, ook al is het allang dood en niet meer gevaarlijk, hij wilde misschien iets doen waar hij zijn hele leven spijt van gehad zou hebben (of had hij dat al gedaan?), maar Phi versperde hem de weg, hij lichtte hem beentje, smeet hem tegen de grond, trapte hem in zijn gezicht, en ik zou nu graag zeggen dat het zo vlug ging dat je niet kon ingrijpen, maar dat zou gelogen zijn, niemand peinsde erover om zich ermee te bemoeien, ook ik niet, wij waren toeschouwers, en toeschouwers observeren alleen.

Voor de poort sloeg madame Simonin een kruis, heel langzaam, het zag eruit alsof ze iets onder haar jurk zocht, de man naast haar had zijn rechteroorlelletje vastgepakt en leek het eraf te willen trekken, een vrouw had haar handen voor haar gezicht geslagen, maar niet zo dat haar gespreide vingers haar het zicht belemmerden, Bertrand wreef nadenkend over zijn neusrug, en Jojo had de theedoek van zijn hals gerukt en zwaaide ermee zoals je naar een vriend zwaait die je een hele tijd niet hebt gezien.

Geneviève huilde.

En ik betrap mezelf er alweer op dat ik te laf ben om te vertellen wat er vervolgens gebeurde. Dat waarvan Jojo achteraf zo stralend zei: 'Het was bijna net zo mooi als een brand.'

*V*oor ik het beschrijf, moet ik proberen orde in mijn hoofd te scheppen. Jij hebt me steeds weer verweten dat ik de dingen liever definieer dan dat ik ze beleef, 'jij verschanst je', heb je ooit gezegd, 'achter een muur van woordenboeken'. Je had niet helemaal ongelijk. Ik heb mijn beroep gekozen (of mijn beroep mij) omdat de Franse taal met zijn duidelijke, voor eens en voor altijd vastgelegde structuren me altijd al fascineerde; elk woord heeft zijn plaats, een onderwerp is geen lijdend voorwerp en wat fout is kan niet goed zijn. Regels – ik weet niet of je dat op jouw leeftijd kunt begrijpen – beperken niet alleen, maar beschermen ook. Er gebeurt niet veel achter een muur van woordenboeken, maar er kan je ook niet veel gebeuren.

Misschien denk je nu dat dit hier niet thuishoort, maar dan vergis je je. Wie gebeurtenissen liever rangschikt dan ze meemaakt, wie zich meer voor de grammatica van de werkelijkheid interesseert dan voor de inhoud ervan, wordt in elk geval een betrouwbaar observator. Heb je zelf niet vaak gezegd dat ik kijk heb op mensen? Alleen bespiegeling – wat een prachtig dubbelzinnig woord! – leidt tot duidelijkheid.

Maar ik moet toegeven dat er ook een keerzijde is. Als je mij geen waarnemer meer laat zijn, als er gaten in mijn verdedigingswal vallen en ikzelf in de veldslag betrokken word, dan raak ik reddeloos verdwaald in de wereld, dan verandert alles wat vanaf de muur zo overzichtelijk leek in een labyrint. Toen jij er opeens was, toen je midden in mijn vesting gewoon voor me stond, heb ik de grond onder mijn voeten verloren. Ja, het werd de mooiste tijd van mijn leven, alleen zonder grond onder je voeten leer je vliegen, maar als ik ons jaar zou willen beschrijven (niet eens een heel jaar en toch heeft het alles verdeeld in ervoor en erna), als ik zakelijk en ordelijk zou willen opschrijven wat we allemaal hebben gedaan en gezegd en gedacht en gedroomd, dan zou ik niet verder komen dan de eerste zin en prompt onzeker worden, niet omdat ik weet hoe het afgelopen is (het is afgelopen, ik heb het ingezien), maar omdat ik er zelf te dicht op zat om de dingen duidelijk te herkennen. Je kunt iemand niet kussen en hem tegelijk in de ogen kijken.

Vanmiddag verging het me net zo. Jean is weliswaar maar een buurman, een vriend misschien als je het woord niet te zwaar opvat, en Valentine Charbonnier ken ik nauwelijks, maar wat zich daar tussen die twee afspeelde, dat vond niet buiten mij plaats, ook al stond ik er alleen naast en greep ik niet in, zelfs niet toen het een moment lang om leven en dood leek te gaan. Het was mijn eigen verhaal, verdraaid en verwrongen, en elke trap die Jean in zijn gezicht raakte, was voor mij bedoeld. Jij bent de enige tegen wie ik dit kan zeggen en de enige tegen wie ik dit niet hoef te zeggen. Zo beschouwd is een brief die jij nooit zult lezen, precies het goede medium.

Je hebt van die trucfoto's die je op twee manieren kunt bekijken, je ziet een witte vaas of een paar zwarte profielen, en als je hoofd voor de ene zienswijze heeft gekozen, wordt de andere daarmee uitgewist. Precies zo vergaat het me met die scène op Jeans erf. Het ene moment zie ik een misbruikt kind voor me, een slachtoffer dat eindelijk de kracht heeft gevonden om rekenschap te eisen, en het volgende moment heeft de foto zich in mijn hoofd opnieuw samengevoegd en staat er een verwarde minderjarige die met haar overspannen fantasie een brave man in het ongeluk stort. Hoe moet je een gebeurtenis beschrijven die in haar eigen tegendeel verkeert?

Ook met logische overwegingen kom ik niet verder. Dat Valentine uit het raam is gesprongen (gevallen, zegt haar moeder, maar dat wil niemand geloven), moet verband houden met de gebeurtenissen van vandaag. Het meisje is labiel, dat is wel duidelijk. Als ze in de stad woonde en niet hier op het platteland, aan het eind van de wereld, was ze allang bij de schoolpsycholoog geweest en had ze hulp gekregen. Maar is ze nu verward omdat ze iets verschrikkelijks heeft meegemaakt of denkt ze iets verschrikkelijks meegemaakt te hebben omdat ze verward is?

En hoe weet ze van Jeans tatoeage?

En hoe zit het met hem? Dat hij een verhouding had met Valentines moeder, met de *greluche*, pleit dat tegen hem omdat het hem gelegenheid gaf zolang hij in huize Charbonnier verkeerde? (Ik heb die woordspeling niet met opzet gebruikt, maar nu laat ik haar staan.) Of ontlast het hem juist omdat zijn behoeften al bevredigd werden, behoeften die ik me, Jean kennende, alleen heel traditioneel kan voorstellen.

Dat hij zich niet verweerde, niet in het minst, dat hij alleen zijn gezicht achter zijn armen verborg, voor de trappen of voor de blikken, was dat een schuldbekentenis? Of alleen hulpeloosheid (wat zou ik hem dan goed kunnen begrijpen!) tegenover een aanklacht die geen onschuldigen kent, die van iedereen tegen wie hij eenmaal wordt uitgesproken, een dader maakt?

Ik weet het niet. Vertrouw dus niet op mijn verslag.

De voet haalde uit, voor de derde of voor de tiende keer, Valentines stem – een van haar stemmen, het is alsof ze per zin wisselt – commandeerde 'Phi!' en de jongen ging als vanzelfsprekend weer achter haar staan, sloeg zijn armen over elkaar en haalde niet eens vlugger adem.

Jean bleef nog even in het grind liggen, zijn benen beschermend opgetrokken, en toen hij eindelijk langzaam en voorzichtig zijn armen van zijn gezicht haalde, kon ik zien dat de toeschouwers voor de poort hun ogen van hem afwendden en een neutraal doel voor hun blik zochten. (En pas nu ik dit opschrijf, besef ik dat ik dat alleen kon observeren omdat ik precies hetzelfde deed. Ook ik kon hem niet in zijn gezicht kijken.)

Geneviève stond er nog steeds bij zoals eerst, met haar rug

tegen de deur, maar ik interpreteerde haar houding nu anders, zoals je een boek met andere ogen leest als je het eind van het verhaal of het lot van de schrijver kent. Eerst had het eruitgezien alsof ze hoe dan ook wilde voorkomen dat haar dochter ontsnapte uit de beschutting van het veilige huis, nu leek het of ze zelf in die intacte, geborgen wereld wilde binnendringen, maar hoe ze ook duwde, de deur bleef dicht en ze was vergeten hoe je hem open moet maken.

Toen Jean eindelijk overeind kwam, schijnbaar ongedeerd, deed Valentine een stap achteruit. Even leek het of hij voor haar knielde zoals de berouwvolle graaf op het schilderij in de kerk voor de Maagd knielt. En toen ...

Ik kan je niet vertellen of hij haar met opzet aanraakte. Misschien heeft hij, versuft als hij was, even zijn evenwicht verloren, misschien raakte hij haar ook helemaal niet aan en was het alleen de door een beweging veroorzaakte tocht die ze op haar huid voelde, alleen de herinnering aan een hand die haar been had vastgepakt en onder haar rok had gegrepen.

Ik heb nog nooit iemand zo horen schreeuwen. Mensen schreeuwen niet zo.

Jean heeft ooit bij een bevriende boer een varken gekocht en mij meegenomen toen hij het ging slachten. Het geluid dat uit de keel van dat dier kwam, uit de opengesneden luchtpijp, de fluitende, rochelende, klokkende karikatuur van een schreeuw, het geluid dat toen meteen weer ophield en werd gevolgd door het ruisen van de straal bloed in de emmer, dat geluid duurde nu eindeloos, langer dan een mens adem heeft, langer dan ik ernaar kon luisteren. 'Iemand schreeuwt zijn hart uit zijn lijf', zeggen ze, maar het hart verzet zich en klampt zich vast en maakt wonden, 'iemand is buiten zichzelf', zeggen ze, en zo was ook Valentine opeens verdwenen, het meisje en de vrouw, er was geen gezicht meer, alleen nog een wijd opengesperde mond, met een uitgestoken tong die iets probeerde uit te braken, iets wat vastzat, heel diep vanbinnen.

Gaandeweg vermengden zich woorden met de schreeuw, eerst alleen losse en toen hele klonten, zoals iemand met een longziekte eerst alleen een druppel bloed uitspuugt en dan meer en meer en meer. Ze braakte halve zinnen uit, stukken en flarden, ongezegde en onzegbare dingen, haar lichaam schokte van de inspanning en kromp in elkaar, ze kneep met haar handen in haar buik alsof ze zich helemaal leeg moest persen, haar benen hadden geen kracht meer, ze liet zich vallen, kermend en krassend en naar adem snakkend, op haar mond stond schuimend speeksel en ten slotte lag ze voor Jean op haar knieën, net zoals hij voor haar had geknield, een lange minuut geleden pas.

Jojo, die van enthousiasme over heel zijn dikke gezicht straalde, begon te dansen.

Wij anderen, ook ik, staarden Jean en Valentine gretig en nieuwsgierig aan, we wachtten ongeduldig op een vervolg, op een verklaring, op een bekentenis of een protest, onze eetlust was nu echt gewekt en wilde bevredigd worden, en toen Jean zich omdraaide, gewoon op de vlucht sloeg, waren we woedend op hem, ook ik, we namen hem onze eigen teleurstelling kwalijk, hij was ons iets schuldig, vonden we, tenslotte hadden we het verhaal al aangevuld, ieder voor zich, en nu wilden we ook gelijk krijgen met onze fantasieën, we wilden meemaken hoe Jean smekend zijn hand naar Valentine uitstrekte en haar dan toch niet durfde aan te raken, of hoe hij Geneviève voor zijn misstap om vergeving vroeg, met een door tranen gesmoorde stem, of hoe Valentine plotseling door berouw werd overmand en al haar verwijten terugnam. Iets moest er nog gebeuren, wat dan ook, het mocht vooral nog niet afgelopen zijn.

De drama's van andere mensen werken verslavend.

En het was ook nog niet afgelopen, want de twee jongens lieten Jean niet gaan. Ze versperden hem de weg, nonchalant maar dreigend, al maakten ze niet meer zo'n zelfverzekerde indruk als in het begin; het verhaal had een wending genomen die ze kennelijk niet hadden voorzien, Valentines instorting was niet in hun plannen opgenomen. Jean kwam terug, met hangende schouders, een verdachte die de motivatie van het vonnis nog moet aanhoren, hoewel hem niets meer interesseert na het 'levenslang'. Hij ging weer op zijn oude plaats staan, vlak voor de op de grond hurkende Valentine, en wachtte.

Wij wachtten.

Nieuwsgierigheid scherpt het gehoor zoals honger de reukzin. Ik nam Jojo's geklap en gedans waar; zonder te kijken kon ik volgen hoe beide langzamer werden en ten slotte helemaal ophielden. Heel duidelijk drong ook Genevièves gekerm tot me door, hoewel het bijna geluidloos geweest moet zijn, een lied zonder melodie, zoals een klein kind zich in slaap huilt. Ik hoorde ook – waarschijnlijk was ik de enige die het merkte – hoe boven mij een raam openging. Elodie had toch nog een manier gevonden om het gebeuren niet te missen.

Valentine begon opnieuw te praten en had alweer een andere stem, een nauwkeurig en overduidelijk articulerende, een stem waarmee je nieuwsberichten of politieke bekendmakingen voorleest. Ze knielde op de grond en staarde in de ruimte, als iemand die zonden biecht die hem niets aangaan, en in die rustige, ordelijke, exacte taal somde ze een eindeloze reeks schunnigheden op, ze gebruikte op uiterst zakelijke toon de meest afschuwelijke woorden (veel ervan kende ik niet en heb ik achteraf ook in geen enkel woordenboek kunnen vinden, ik heb alleen aan de gezichten van de anderen gezien hoe choquerend ze waren), een pornografische litanie die we, zoals ik moet toegeven, eerst met spanning volgden omdat we iets over een werkelijke affaire meenden te horen, tot de opsomming steeds bizarder werd en het ook niet meer over Valentine en Jean ging, maar over ons allemaal. Ze beschreef Courtillon als een universum van perversiteiten, waar Geneviève zich door een ezel liet dekken en madame Simonin door Jojo, waar Bertrand in zijn wijnflessen masturbeerde voordat hij ze vulde, en dat allemaal in een verzorgde spreektrant, zonder ook maar één keer haar stem te verheffen. Ze bleef maar praten, schijnbaar zonder adem te halen, ze begon steeds weer opnieuw met haar lijst en was allang – ik kan het niet beter omschrijven – bij het anatomisch onmogelijke aangekomen toen de donkere jongen eindelijk naast haar neerhurkte, haar gezicht uit alle macht tegen zijn borst drukte, op haar inpraatte in een taal die ik niet herkende, haar wiegde, tot ze ten slotte kalmeerde, haar hoofd in zijn schoot liet zakken en in slaap leek te vallen. Het enige wat nog bewoog was de hand van de jongen die steeds weer over Valentines haar streek, met twee witte littekens op zijn handrug.

Dat is wat er vandaag is gebeurd. Wat volgde was alleen nog een naspel en hoorde er niet meer echt bij, net zomin als het bij het toneelstuk hoort dat je je na het vallen van het doek tussen de stoelenrijen door wurmt of je jas uit de garderobe haalt.

Door de instorting van Valentine was de lijfwachtpose van Phi zinloos geworden. Zoals hij daar stond, nog steeds kracht tentoonspreidend, hoewel er alleen nog omzichtigheid en medeleven werden gevraagd, moet hij zich zo misplaatst gevoeld hebben als iemand die zich voor een gemaskerd bal verkleedt, terwijl alle anderen in een keurig pak komen. Hij verdoezelde, wat hij waarschijnlijk zijn hele leven heeft gedaan, zijn eigen onzekerheid door grofheid en keerde Valentine en de donkere jongen vol minachting de rug toe; met mensen die hun zwakte lieten zien wilde hij niets te maken hebben. In de poort duwde hij Jojo met zijn schouder opzij en toen hoorden we hem weglopen, voor zich uit fluitend, demonstratief zorgeloos.

Bertrand keek als eerste op zijn horloge, madame Simonin volgde zijn voorbeeld en toen, als op commando, ook alle anderen. Plotseling was hun te binnen geschoten dat ze alleen een luchtje hadden willen scheppen voor het zondagsmaal, dat de soep en de salade met de croutons al op tafel stonden, en nu hadden ze allemaal zo'n haast dat ze zonder elkaar aan te kijken of te groeten uiteengingen. Alleen Jojo bleef staan. Je moet tegen hem zeggen wanneer hij moet ophouden met eten of met kijken, anders stopt hij zich vol tot hij erbij neervalt.

Na een tijdje hielp de gekleurde jongen Valentine weer overeind, nog steeds sussend tegen haar pratend of zingend, door de vreemde klanken was dat niet te onderscheiden. Hij sloeg haar arm om zijn hals om haar meer te kunnen dragen dan te ondersteunen, en greep haar om haar heupen, bezorgd en teder en tegelijk vol gelukzalige trots dat hij nu degene was die voor haar mocht zorgen. Hij houdt van haar, dacht ik toen ze het erf af liepen, en ik verbaasde me erover dat me dat niet eerder was opgevallen.

Waar Valentine in het grind had geknield, lag nog steeds haar onaangestoken sigaret. Jean raapte hem op en drukte hem tussen zijn handen fijn, hij wreef zijn handpalmen nog langs elkaar toen er allang geen kruimel meer te bekennen was. Daarna haalde hij de hamer uit zijn zak, de grote hamer waarmee hij zich had willen verdedigen, en liet hem vallen. Hij deed een stap in de richting van Geneviève, een aarzelende stap, alsof hij de stevigheid van een vermolmde vloer in een verlaten huis moest controleren. Ik weet niet wat hij in haar ogen las, maar ik kon wel zien hoe hij erop reageerde: alsof hij was getroffen door een niet onverwachte klap. Hij knikte meer dan eens, zoals je afwerend knikt wanneer na een lange discussie steeds dezelfde argumenten worden herhaald, hoewel je ze allang hebt begrepen. Toen liep hij terug naar de schuur, met zware benen over het grind sloffend, en deed de deur achter zich dicht.

Boven mij klapte het raam dicht en deze keer hoorde ook Geneviève het, die op hetzelfde moment wist wie daarboven alles had afgeluisterd en alles had gezien. 'Elodie!' riep ze en ze rukte de deur open en stormde het huis binnen, haar schoenen op de trap waren tot op het erf te horen. Misschien heeft ze haar dochter toen geslagen, misschien heeft ze samen met haar gehuild, misschien is ze ook wel voor Elodies kamer blijven staan en helemaal niet naar binnen gegaan, hulpeloos omdat kennis niet ongedaan gemaakt kan worden.

Ik bleef alleen op het erf achter, bijna alleen, want nu kwam Jojo aangerend, vol verlangen om zijn enthousiasme te delen met een vriend, hij was zo mateloos gelukkig als hij geweest moet zijn toen het huis van Bertrand afbrandde, en hij herhaalde steeds maar: 'Het was bijna net zo mooi als een brand, bijna net zo mooi als een brand.'

Ik heb hem naar huis gestuurd (ik besefte dat ik niet eens wist waar hij woonde). Voor de poort heb ik zijn theedoekservet nog opgeraapt en weer om zijn hals geknoopt, ik heb hem plaatsvervangend alle zorg gegeven die mijn slechte geweten me voorschreef. Jean zat intussen alleen in zijn schuur op iemand te wachten, iemand die niet van hem walgde, en ik was te laf om die iemand te zijn.

In plaats daarvan zat ik aan mijn keukentafel medelijden met mezelf te hebben.

Ik was echt dankbaar toen monsieur Deschamps langskwam om me uit te horen. Ik heb erop gestaan dat hij eerst een kop koffie dronk, heb het oude Italiaanse apparaat aangezet, waar jij je altijd vrolijk over maakte omdat het zo onpraktisch is, heb alles gedaan om de tijd te rekken waarin ik helaas, helaas onmisbaar was en me niet met Jean bezig kon houden. Monsieur Deschamps zat kaarsrecht op zijn stoel, zonder ook maar één keer achterover te leunen, en liet zich het verhaal vertellen, eigenlijk alleen maar bevestigen, want natuurlijk – we zijn hier in Courtillon – had hij alles al gehoord. Zelfs van het pornografische geklieder op Jeans hout was hij op de hoogte, waaruit ik opmaak dat Bertrand zijn informant geweest moet zijn; hij is de enige die dat heeft gezien.

Toen ik mijn verhaal had beëindigd, met een grapje over Jojo en zijn onverzadigbaarheid, maakte monsieur Deschamps een laatste notitie; hij wilde zijn boekje al dichtklappen toen hem toch nog een vraag te binnen schoot. (Of was hij alleen vanwege die vraag gekomen? Hoe meer ik erover nadenk, hoe meer ik daarvan overtuigd raak.) 'Wat denkt u?' wilde hij van me weten, 'berust hetgeen de jonge Charbonnier vertelt op feiten of is alles uit de lucht gegrepen, *inventé de toutes pièces*? Ik zou u zeer dankbaar zijn, monsieur, als u uw strikt persoonlijke oordeel over die zaken met mij zou delen.'

'Ik weet het werkelijk niet,' zei ik.

Monsieur Deschamps keek in zijn notitieboekje en knikte. Ik zou op dat moment gezworen hebben dat mijn antwoord daar al genoteerd stond, al bij voorbaat, dat hij nooit iets anders van me had verwacht.

'Toch zou ik u willen vragen een mening te geven. Als vakman zult u zich er toch wel een gevormd hebben.'

'Vakman? Ik begrijp niet wat u daarmee bedoelt, monsieur Deschamps.'

'U bent toch leraar van beroep,' zei hij terwijl hij opkeek van zijn notities, 'is het niet?'

Ik heb dat nooit aan iemand hier in het dorp verteld. Als iemand ernaar vroeg, zei ik vaag iets als 'ambtenaar', een volstrekt afdoende antwoord in dit land van *fonctionnaires*.

'Is het niet?' herhaalde monsieur Deschamps.

'Ja, ik ben leraar, ik ben leraar geweest.' Het moet geklonken hebben als een bekentenis. 'Ik was alleen even verrast dat u dat wist.'

'Ik ben zo vrij geweest inlichtingen in te winnen,' zei monsieur Deschamps met een zeer Frans verontschuldigend gebaar. 'In mijn beroep weet je graag met wie je te maken hebt.'

In zijn stem klonk geen spoor van een dreigement. Maar kan hij met die woorden iets anders beoogd hebben? En wat zat er achter zijn volgende zin?

'Als leraar, heb ik zo gedacht, moet u toch bekend zijn met meisjes van die leeftijd en met hun problemen. Of vergis ik me?' Hij keek me in de ogen, heel lang voor mijn gevoel, maar misschien waren het ook maar seconden, en toen stak hij opeens zijn notitieboekje in zijn zak en knoopte zijn jasje dicht. 'Waarschijnlijk hebt u gelijk, het is beter om geen vermoedens te uiten als je niet helemaal zeker van je zaak bent. Trouwens, het laboratorium is op mijn verzoek zo vriendelijk geweest om in het weekend te werken, en de uitslag van de analyse is slechts voor één uitleg vatbaar. De verf in de sneeuw was inderdaad bloed.'

*H*oe Courtillon iets beoordeelt, valt af te lezen aan de naam die eraan wordt gegeven. Als mademoiselle Millotte had geïnformeerd naar 'de affaire met Valentine', dan had die formulering mij onmiddellijk duidelijk gemaakt dat ze het meisje als de bron van alle opwinding beschouwt en haar verwijten niet vertrouwt. 'De affaire met Jean' – dat had betekend: er zal wel iets van waar zijn. Maar de oude dame vroeg alleen: 'Wat vindt u van die affaire?' En toen, rondspiedend als een roofvogeltje dat zich geen enkel lekker hapje wil laten ontgaan: 'Uw auto heeft inderdaad geen banden, monsieur.'

Ja, mademoiselle Millotte is me komen opzoeken. De hogepriesteres van de nieuwsgierigheid, die de uitkijkpost voor haar huis anders nooit verlaat, heeft haar rolstoel door Jojo de straat uit laten duwen en is naar me toe gekomen: de berg naar de profeet. Alle anderen die erbij waren, hebben naderhand hun verslag bij haar ingeleverd. Alleen ik heb geweigerd, ik ben weggekropen in mijn huis en heb twee dagen met niemand gepraat. Maar je kunt je niet verstoppen in Courtillon, ook niet in een bad met leeuwenpoten of in een bed als een reddingsvlot.

Ze had zich door Jojo het erf op laten duwen, nee, ze wilde niet binnenkomen, in geen geval, ook al is de wind weer kouder; de winter is klaar met wat hij ergens anders nog te doen had en kondigt zijn terugkeer naar Courtillon aan. 'Ik kom alleen toevallig langs', loog mademoiselle Millotte, die zolang het dorp kan denken nergens langs is gekomen, niet toevallig en ook niet opzettelijk, 'maar nu ik er toch ben, zou ik weleens willen weten wat u van die affaire vindt'.

Wat ze bij mij zocht, was geen mening maar een extra perspectief. Ik had niet samen met de andere toeschouwers voor de poort gestaan, maar vlak naast de heilige Jan, dus zou het kunnen dat ik een of ander detail had waargenomen dat nog niet aan haar was gerapporteerd.

Om haar gesprekspartners tot vertrouwelijke nabijheid te verlokken koketteert mademoiselle Millotte met haar hardhorendheid; ze gebruikt de gebreken van haar ouderdom net zo handig als ze dat waarschijnlijk vroeger met haar jeugdige bekoorlijkheden deed. Je moet voor haar neerbuigen of neerknielen als voor een kind, en als je op de zijleuning van haar rolstoel steunt, legt ze haar hand vol levervlekken op je arm en laat hem niet los voor ze alles heeft gehoord wat ze wil horen.

Dus vertelde ik, terwijl Jojo in mijn misvormde auto 'brom brom' zat te doen. Ik vertelde en de oude dame luisterde, met haar ogen dicht, een schaakster in een blinde partij die zich het bord en de positie van alle stukken moet voorstellen. Ze bewoog niet; alleen als een detail haar bijzonder fascineerde, sloot haar hand zich vaster om mijn arm. Eén keer lachte ze, dat was toen Valentine de tatoeage op Jeans achterwerk noemde. 'Vive la république!' riep mademoiselle Millotte en ze giechelde. Ze kon niet meer ophouden en moest onder haar dekens naar de bidon zoeken en een slok nemen. (En pas achteraf, nu ik het opschrijf, vraag ik me af: hoe wist zij wat die tatoeage voorstelt?)

Toen ik klaar was met mijn verslag – het begint al een afgerond geheel te worden, zoals alle verhalen oppervlakkig en glad worden als je opnieuw nadenkt en vertelt –, toen Valentine was weggeleid en Jojo naar huis gestuurd, staarde mademoiselle Millotte nog een poosje in de ruimte en liet haar vingers, die op de middelste na kromgegroeid zijn, over mijn arm gaan, zoals een componist op de piano naar een melodie zoekt die hij al wel voelt maar nog niet kan vasthouden. Toen knikte ze plotseling een paar keer bevestigend en zei: 'Ravallet.'

Haar hoofd zit zo vol herinneringen dat ze soms de verkeerde afslag neemt en ergens aankomt waar ze helemaal niet heen wilde. 'De burgemeester? Waarom denkt u nu aan hem?'

'Niet *monsieur le maire*. Zijn vader. Auguste Ravallet.' Haar glimlach had iets meewarigs, ze had een raadsel opgelost en kon maar niet begrijpen waarom ik bij diezelfde opgave zo stuntelde. 'Kijk, monsieur! De twee jongens die bij Valentine Charbonnier waren, Philippe en Maurice ...'

Hoe kwam ze nu weer op die jongens? En hoe kende ze de naam van de donkere jongen? Niemand had hem daarmee aangesproken. Maar we zijn in Courtillon, als één persoon in het dorp iets weet, hoort vroeg of laat ook mademoiselle Millotte het. Waarschijnlijk heeft monsieur Deschamps inlichtingen over de jongens ingewonnen en haar erover verteld.

'Waar u stond, monsieur, daar moet u toch de gezichten van die twee gezien hebben. Probeert u het zich te herinneren! Terwijl alles gebeurde wat er is gebeurd, keken ze toen naar Jean Perrin of naar het meisje?' Een verrassende vraag, maar het antwoord was duidelijk: naar Valentine, alleen naar Valentine. Ze hebben haar met hun blikken vastgehouden, geliefkoosd, aanbeden, beschermd. Ze waren gehypnotiseerd door haar.

'Ziet u,' zei mademoiselle en ze liet mijn arm los, 'het is net als destijds met Ravallet.'

'Ik begrijp u niet.'

'Natuurlijk niet. U hebt nog niet lang genoeg geleefd. Auguste Ravallet had dezelfde gave. Ook hij kon de mensen zo ver krijgen dat ze alles voor hem deden. Als kleine jongen al. Je hebt leiders en je hebt meelopers. Dat moet u toch weten, als Duitser.'

'En u bedoelt dat Valentine Charbonnier ...?'

'Ik bedoel Ravallet,' zei mademoiselle Millotte, 'de oude Ravallet. Die met een eigen mausoleum. Weet u wat zijn methode was? Ceremonies. Toen hij negen was, heeft hij een geheim genootschap opgericht. Ze kwamen bij elkaar op de hooizolder, in de stal van zijn ouders, wie erbij wilde zijn, moest het klopsignaal kennen en een wachtwoord dat hij elke week veranderde. Iedereen wilde erbij zijn, terwijl ze niets anders deden dan in het hooi zitten en chocola eten. Het waren natuurlijk altijd de anderen die de chocola meebrachten, maar dat is hun nooit opgevallen. Toen hij misdienaar werd, leerde hij de hele mis uit zijn hoofd, de oude Latijnse mis, de geheimzinnige, niet de nieuwe waarvan je elk woord verstaat. "Je kunt ermee toveren," zei hij, en hij vond altijd wel iemand die hem geloofde. Later vervulde het patriottisme die rol. De mensen doen bijna alles als je er het volkslied bij speelt.'

Niemand kan me zo in verwarring brengen als mademoiselle Millotte. Hoe waren we nu van de gebeurtenissen op Jeans erf op de vaderlandse schapenaard gekomen? Maar ze weigerde nog een van mijn vragen te beantwoorden, ze leek ze niet eens meer te horen, ze keek alleen ongeduldig naar Jojo, die nog altijd aan het stuur draaide en mijn auto in steeds wildere denkbeeldige bochten gooide. 'De ouderdom is een ziekte,' heeft ze een keer tegen me gezegd, 'maar hij brengt een onschatbaar voordeel met zich mee: het recht om onbeleefd te zijn.'

Nadat Jojo haar in haar rolstoel had weggeduwd, terug naar haar uitkijkpost, wist ik nog steeds niet of ik nu met een wijze oude vrouw had gepraat of alleen met een verwarde bejaarde. Daarna had ik echter een ontmoeting die me duidelijk maakte dat ze volkomen gelijk had, een gesprek dat niet alleen een totaal nieuw licht wierp op het voorval op Jeans erf, maar ook de merkwaardige gebeurtenissen in het *bois de la Vierge* verklaarde.

Het begon met een bezoek van madame Deschamps.

Toen ik haar met haar hoog oprijzende kapsel en haar hulpverlenersglimlach voor mijn deur zag staan, dacht ik eerst dat ze zich nu ook over mij wilde ontfermen, dat ze besloten had dat het slecht met me ging en voor me wilde zorgen, *coûte que coûte*. Ik was, geloof ik, nogal onbeleefd tegen haar en de zin waarmee ze haar verzoek inleidde, maakte me niet vriendelijker.

'U bent toch leraar.'

Ik schaam me niet voor mijn beroep, ik ben er ooit trots op geweest, maar het is me afgepakt en sindsdien doet het me pijn als ik alleen al het woord hoor.

Nee, ik lieg. Ik ben bang.

Ik heb mezelf met een grote, pijnlijke snee uit mijn verleden weggesneden om alles achter me te laten, ik heb mijn eigen geschiedenis geamputeerd om verder te kunnen leven, onvolledig maar niet geruïneerd, ik tast mezelf elke dag, elke minuut af of er niet weer een knobbel, een verharding zit, of de verwijten en de schuine blikken niet weer beginnen te etteren. 'U bent toch leraar' – dat is voor mij een alarmsignaal. Ik heb die zin zo vaak gehoord, en telkens betekende hij: 'Je had beter moeten weten. Hoe kon je zoiets doen? Schaam je je niet?'

Nee, ik schaam me niet. We hielden van elkaar.

'U bent toch leraar', zei madame Deschamps, maar er klonk geen verwijt in haar stem. Ze pakt de problemen van andere mensen even resoluut aan als de vuile vlekken op haar kunststofvloer, je moet alleen het juiste middel vinden, dan krijg je elke vlek weg, voor de vloer heb je een Witte Reus of een Mister Proper nodig, en voor de mensen de ene keer een dokter, de andere keer een psycholoog of een leraar. Ze was gekomen om mijn hulp te vragen.

'Ik let een beetje op de Charbonniers', zei ze terwijl ze automatisch de vuile kopjes op mijn keukentafel keurig op een rij zette. 'Het meisje heeft toch dat ongeluk gehad en daarna was er die onverkwikkelijke scène bij de Perrins, u bent erbij geweest, heb ik gehoord. Het is niet eenvoudig met dat gezin, de vader zegt amper een woord en de moeder is erg ... laten we zeggen: wispelturig. Ik heb Valentine een therapie aangeraden, we leven niet in de grote stad, maar in Montigny ken ik een zeer bekwaam iemand, gepensioneerd eigenlijk, maar als hij wordt gevraagd, is hij beslist bereid ... Doet er ook niet toe. In elk geval zouden er mogelijkheden zijn. Alleen ... ze willen niet. Het meisje wordt bokkig en haar moeder begint meteen te gillen. "Ze moet geen elektroshocks krijgen of zoiets," heb ik tegen hen gezegd, "maar het zou haar zeker goeddoen als ze eens over alles kon praten, met een vakman." Maar nee, ze willen niet.'

Als madame Deschamps praat, strijkt ze de hele tijd met haar hand door haar haar, maar ze kan haar kapsel omhoogduwen zoveel ze wil, ze wordt er niet groter van. Als ze zit, bevindt haar hoofd zich zo dicht bij het tafelblad dat het lijkt of ze knielt.

'Op het meisje krijg je geen vat. Als je met haar wilt praten, kijkt ze langs je heen alsof je niet bestaat. En dat gepaf! U rookt ook, zie ik, maar bij zo'n jong iemand is het nog veel schadelijker. Hoewel ... waarschijnlijk zijn de sigaretten nog het minste probleem. Doet er ook niet toe. In elk geval praat ze met niemand. Alleen met die ene vriend, die neger.'

'Maurice.'

Madame Deschamps knikte goedkeurend. Dat is precies wat ze van een specialist had verwacht: dat hij op de hoogte is. 'Hij maakt een heel verstandige indruk, ook al komt hij uit Saint-Loup. Die jongen is de enige die invloed op haar heeft.'

'En Philippe?'

Nog een goedkeurende blik. 'Die is spoorloos verdwenen. Weggelopen uit het opvoedingsgesticht. Ik heb al vaak tegen mijn man gezegd: "Ik begrijp niet waarom daar niet beter toezicht wordt gehouden." Ze gaan naar de openbare school en hoeven pas 's avonds terug te zijn. Als je bedenkt hoeveel geld de staat ... Doet er ook niet toe. In elk geval heb ik die Maurice een keer apart genomen en een beetje uitgehoord. Je kunt alleen zinvol helpen als je weet ... Maar hij ontwijkt me. Eén keer, toen Valentine er bijzonder slecht aan toe was, had ik hem bijna zo ver. Maar toen zei hij: "Dat zijn zaken waarover je niet met een vrouw kunt praten." Ik heb de *curé* voorgesteld, maar met hem wilde de jongen in geen geval ... Ik begrijp niet waarom.'

Ik begrijp het heel goed. Geen enkele tiener op deze wereld zou die vette buldog van een pastoor in vertrouwen nemen.

'Terwijl ik de indruk heb dat hij blij zou zijn als hij met iemand kon praten. Met een man.' Madame Deschamps wroette alweer in haar haar. 'En omdat u leraar bent en omdat u erbij bent geweest, bij die onverkwikkelijke scène, had ik gedacht ... U zou iets nuttigs doen, geloof ik.'

Ik weet niet waarom ik heb toegezegd.

Ja, ik weet het wel. Om beter te zijn dan de *curé* van Saint-Loup. En uit nieuwsgierigheid natuurlijk.

Toen we voor het huis afscheid namen, kwam madame Deschamps heel dicht bij me staan – een vreemd gevoel, je kijkt dan op haar neer en ziet alleen haren en geen gezicht meer – en zei vertrouwelijk: 'Er is nog iets. Ik maak me grote zorgen om het meisje. U zou een beetje op haar moeten letten, u bent toch met het gezin bevriend.'

'Ik ken de Charbonniers helemaal niet.'

'Niet Valentine. Die aan de overkant.' Het kapsel wees met een ruk naar het huis van Jean. 'Ik bedoel Elodie. In deze situatie heeft ze vast iemand nodig die ze kan vertrouwen.'

Heeft Elodie uitgerekend mij nodig? Ik ben geen betrouwbare vriend. Na alles wat er is gebeurd, heb ik de Perrins ontweken, ik ben zelfs de deur niet meer uit gegaan om elke toevallige ontmoeting te vermijden. Het vergaat mij met Jean zoals het de mensen destijds met mij vergaan moet zijn. Ik weet niet wat voor gezicht ik zou moeten trekken als ik hem tegenkwam, of hij een ernstig gezicht ongewild als verwijt zou uitleggen of een glimlach nog ongewilder als instemming. Als je voor het eten bent uitgenodigd en midden in de kamer ligt een dode kat ... maak je er dan een opmerking over of doe je alsof je niets ziet? Het beste kun je de uitnodiging helemaal niet aannemen.

Sinds de affaire met Valentine, sinds de affaire met Jean, sinds die affaire heb ik de heilige Jan noch Geneviève ontmoet. Alleen Elodie heb ik een paar keer gezien, vanuit mijn slaapkamer. Ze is uren in haar eentje op het erf en oefent de salto, ze valt en neemt een nieuwe aanloop, eindeloos.

Madame Deschamps, efficiënt en altijd optimistisch als een vertegenwoordiger van het Rode Kruis in een burgeroorlog, arrangeerde het gesprek met Maurice. We ontmoetten elkaar bij het oorlogsmonument, precies op het moment dat de jonge Simonin voorbijratelde, op een tractor als een oorlogsmachine. Het was een heldere, koude dag en Maurice stopte zijn handen diep in de zakken van zijn jack. 'Laten we naar de kerk gaan,' zei hij, 'daar is nooit iemand.'

Hij had een metalen haak in zijn zak, daarmee opende hij het portaal zo vlug en probleemloos alsof hij de sleutel van madame Simonin had geleend. Hoewel het donker was in het halletje waar het klokkentouw als een reusachtig spinnenweb aan het plafond hing, leek hij de vraag op mijn gezicht te lezen. 'Ik heb lange vingers. Daarom zit ik in Saint-Loup.' Zijn Frans had een heel licht, melodieus accent, dat ik niet kon thuisbrengen. Weer beantwoordde hij mijn vraag voordat ik hem had gesteld. 'Guadeloupe. Eerst hebben ze ons als slaven daarheen gebracht en nu zijn we Fransen. *Vive la patrie!*' Hij zei het niet uitdagend of cynisch, maar heel zakelijk en een beetje triest. Het zijn vaak de intelligentste leerlingen die als eersten het vertrouwen in het systeem verliezen.

In het licht in de kerk, vervalst door de logge heiligen op het gekleurde vensterglas, kwamen de lichte plekken op zijn huid nog duidelijker uit, blauwige vlokken, als zieke sneeuw. 'Wat wilt u weten?' vroeg hij.

'Wat wil je me vertellen?'

Hij keek om zich heen alsof hij ergens een begin zocht, in de gereproduceerde gevoelens van de kruiswegstaties of in de gipsen glimlach van de heiligenbeelden, Saint Martin met zijn halve mantel en Saint Pierre, die er met zijn sleutelbos uitziet als een gevangenbewaarder. Ten slotte wees hij naar het schilderij van *Notre Dame du bois*. 'Ziet u die snor? Die heb ik getekend.'

'Waarom?'

'Valentine wilde het. "Door geen man aangeraakt, haar leven lang", daar kon ze niet tegen.'

'Omdat ze iets anders heeft meegemaakt?' had ik graag gevraagd, maar dat zou te vroeg geweest zijn. Wat hij me ook wilde vertellen, het zat nog te vast. Ik kon alleen mijn over-hoorgezicht opzetten en wachten.

'Ook de tekening op de houtstapel was van mij,' zei hij ten slotte.

'Hoe ben je in de schuur gekomen? Ook met je loper?' *Rossignol* heet dat hier. In Frankrijk openen ze sloten met een nachtegaal.

Maurice schudde zijn hoofd. 'Madame Charbonnier had een sleutel. Ik weet niet waar ze die voor nodig had.' Ik had tegen hem kunnen zeggen: om stiekem liefdesbrieven op Jeans werkbank te leggen. 'Ze had hem in een la verstopt, maar Valentine heeft hem gevonden. Je kunt voor haar niets geheimhouden.'

'Ik heb je kunstwerk gezien. Je hebt talent.'

Hij keek de andere kant op, alsof hij niet wilde laten merken dat hij bloosde, hoewel ik niet zeker weet of je wel kunt blozen met zo'n donkere huid. 'Het liefst zou ik schilder worden. Of valsemunter. Wat je zoal wordt als je in Saint-Loup hebt gezeten.'

'Je andere tekening vond ik bijna nog beter.'

'Die in de school? Hoe hebt u ...?'

'Nee, Maurice.' Ik beheers de schoolmeesterstoon nog steeds, die ik-weet-dat-je-bij-het-examen-hebt-gespiekt-toon, streng maar rechtvaardig, die ik-ben-echt-heel-erg-in-je-teleurge-steld-intonatie, waarop dan meestal nog een allerlaatste smoes volgt en daarna de bekentenis.

'Geen idee waar u het over hebt.'

'Ik heb het over het *bois de la Vierge*. Over een houten paal door een getekende man. Over een madonnabeeld op een graf.'

'Er was geen graf!' Tot nu toe hadden we heel zachtjes ge-praat, de lege kerk leek niets anders toe te laten, en zijn luide protest verbrijzelde de vertrouwelijke sfeer als een steenworp. 'We hebben toch niemand vermoord. We hebben alleen ...'

'Ja?'

'Hoezo graf? Hoe komt u op een graf?'

Misschien wisten ze het echt niet, misschien hadden ze geen idee gehad van de begraven koerier en zijn geschiedenis en hadden ze alleen een hoop aarde gezien, zonder verdere betekenis, een natuurlijk decorstuk dat geschikt was voor wat ze van plan waren.

Wat dat dan ook was.

'Het zag er zo uit,' zei ik bagatelliserend. 'Het deed me aan een graf denken, de heuvel waar jullie het beeld op hebben gezet. Waarom hebben jullie dat eigenlijk gedaan?'

Maurice streek met de hand met de littekens over zijn gezicht, alsof hij zichzelf wilde schoonmaken of wekken na een nare droom. Toen stond hij op en liep door het middenpad naar het beeld van de madonna, waarbij hij door een bundel kille zonnestralen heen liep als door een lichtslot. Links voorin, onder de preekstoel, die ongeproportioneerd uit een zuil oprees, stond een ouderwets elektrisch orgel, zoals je vroeger zag bij dansorkestjes, met een verschoten, wijnrode, stoffen hoes vermomd als kerkorgel. Maurice opende de klep en begon een melodie te spelen, waarvan echter niets anders te horen was dan het mechanische geklik van de toetsen. Toen ik naar hem toe ging, kon ik het verlengsnoer zien dat langs de balustrade voor het altaar omhoogkronkelde. Ik legde mijn hand op zijn schouder, hij draaide zijn hoofd naar me om en misschien waren zijn ogen vochtig, maar dat kon ook weer vroom bedrog zijn in het gekleurde licht van de kerkramen.

Toen Maurice eindelijk begon te vertellen, zei hij niets van wat ik had verwacht. 'Weet u wie Saint Loup was?' vroeg hij. 'Een bisschop. Zijn standbeeld staat voor het gesticht. Hij heeft een bijbel in zijn linkerhand en een zwaard in zijn rechter. De *curé* heeft het vaak over hem in de preken waar we naar moeten luisteren.

Toen de Hunnen kwamen, heeft Saint Loup zijn stad verdedigd. Met het geloof en met het wapen. Samen zijn die onoverwinnelijk, zegt de *curé*. Ik geloof niets van wat hij zegt, hij zweet en als je alleen met hem bent, wil hij je aanraken.

Maar dat je moet vechten als je in iets gelooft, dat heb ik begrepen. Ik geloofde in Valentine.
Maar nu ben ik er niet zo zeker meer van.'

*E*erst was ze zomaar een meisje geweest. In een opvoedingsgesticht wordt veel over het andere geslacht gepraat; met verhalen over verzonnen veroveringen wordt er om status gevochten en met de herinnering aan vluchtige ontmoetingen worden de nachten mooier gemaakt. De fantasie slaat op hol onder de grijze dekens.

Ze waren haar op hun brommers voorbijgereden en hadden haar nagefloten, ze hadden een uitnodiging naar haar geroepen, zo'n voorstel waarop je op die leeftijd geen antwoord verwacht, dat je alleen doet om daarna keihard te lachen en de motor te laten loeien, omdat je jong bent en alleen en opgesloten met dertig anderen wie het net zo vergaat. Behalve een minachtend schouderophalen hadden ze geen reactie verwacht, niet van dat meisje met het gezicht van een engel.

Maar Valentine had zich omgedraaid en gezegd: 'Waarom niet? Wat krijg ik ervoor?'

'Ze had het niet over geld,' zei Maurice vlug, 'zo is ze niet, en dat zouden we ook niet gehad hebben. Ze wilde ...'

Ze begrepen niet wat ze van hen wilde en waren daardoor meteen in haar ban. Tegen Philippe zei ze: 'Je kunt me zoenen, met tong, maar alleen als ik van tevoren mijn sigaret op je arm mag uitdrukken.' En tegen Maurice: 'Heb je een foto van je moeder? Als je hem verbrandt, mag je me aanraken.'

'Ze bedenkt graag hoe je anderen pijn kunt doen,' zei Maurice, 'maar als ze het dan doet, heeft ze er geen plezier meer in.'

We zaten ieder aan het uiteinde van een bank, gescheiden door het middenpad, we hadden allebei onze armen over elkaar geslagen tegen de kou; zo hoefde hij me niet aan te kijken terwijl hij vertelde, hij kon naar voren kijken, naar de Maagd in het bos met haar snor, hij kon zichzelf wijsmaken dat hij geen bekentenis aflegde, maar gewoon voor zich uit praatte, zoals je doet in een kerk waar je een toehoorder mag bedenken die je God noemt.

Ze hadden haar steeds weer ontmoet, ze hadden ook gespijbeld of waren tijdens de uren dat ze binnen moesten blijven via de brandladder het tehuis uit geslopen als Valentine weer eens alleen rond middernacht tijd voor hen had. Soms was Valentine vrolijk en uitgelaten, op een keer deed ze met een opgevulde buik en een hoge stem de dikke *curé* na, en de jongens mochten haar ring kussen en haar arm en nog meer. Soms was ze ook gesloten – 'alsof ze in zichzelf was weggekropen', zei Maurice – en op zulke dagen bedacht ze de pijnlijkste bewijzen van moed. Maurice heeft een keer met zijn gezicht in een mierenhoop gelegen, een minuut lang, met verstopte neusgaten en krampachtig dichtgeknepen ogen, hij nam het prikken en branden op de koop toe, alleen om achteraf door Valentine te worden geprezen en getroost en gestreeld.

Op een dag bracht ze van thuis een mes mee, een lang, scherp vleesmes, en eiste ze dat de twee een teken in hun huid lieten snijden, 'zoals bij het vee in het wilde Westen', de V van Valentine.

'Ceremonies', heeft mademoiselle Millotte gezegd, 'daarmee kun je over mensen heersen.'

Phi liet zijn bovenarm merken, boven de stevige spieren waarvoor hij elke dag gewichten heft, en Maurice stak haar zijn hand toe, zijn rechterhand, die zo belangrijk voor hem is omdat hij ermee tekent. Valentine hanteerde het mes met beide handen, zoals je je eeuwige liefde of je eeuwige haat in een boomstam kerft, en daarna likte ze hun bloed af en leek ze wel dronken.

Maar toen ze hen naderhand beloonde voor hun pijn en de littekens, lag ze er onbeweeglijk bij, ze liet het gewoon gebeuren. 'Alsof ze dood was', zei Maurice. Hij verstomde en staarde naar *Notre Dame du bois* in haar blauwe mantel, door geen man aangeraakt, haar leven lang. Ook de snor op het Maria-beeld was een bewijs van moed geweest.

Op een gegeven moment had Valentine haar vazallen hele-maal afgericht en eiste ze meer van hen. Het was een hete dag, Maurice kon het zich nog goed herinneren. Het drietal had het zich onder een boom gemakkelijk gemaakt, Valentine leunde met haar rug tegen de stam, de twee jongens lagen languit in het gras en gebruikten ieder een dij van het meisje als hoofdkussen. Ze hadden een hele tijd gezwegen en de rook van hun sigaretten nagekeken toen Valentine plotseling vroeg, *à propos de rien*: 'Zouden jullie ook iemand voor mij ver-moorden?'

Maurice is nog steeds verbaasd dat ze geen van beiden gie-chelden, Philippe niet, voor wie gewelddadige praatjes anders altijd iets vermakelijks hadden, en ook hijzelf niet, hoewel het zo'n situatie was waar je je graag met een grap van af zou ma-ken. Maar het was geen grap. Valentines intonatie liet die mogelijkheid niet open.

'Haar stem klonk als kiezelstenen.' Maurice praatte allang niet meer tegen mij, maar alleen nog tegen de knielende Maagd op het grote schilderij. 'Als kiezelstenen waar je met je blote voeten overheen loopt.'

'Er is een man,' zei Valentine, 'die me iets misdaan heeft.'

'Wie?' vroeg Phi meteen.

Valentine schudde haar hoofd. 'Nog niet. Later. Misschien. Als ik heel zeker weet dat ik op jullie kan rekenen.'

Ze noemde de naam niet, ze wilde ook de daad niet beschrij-ven, ze herhaalde alleen telkens: 'Ik haat die man. Ik haat hem. Hij heeft alles kapotgemaakt.' Meer vertelde ze die dag niet, hoewel je kon zien dat ze door de herinnering werd geplaagd als door koorts. Haar handen, waarmee ze de twee jongens op hun hoofd had gekrauwd zoals je dat bij honden doet, ver-krampten steeds meer, ze rukte aan hun haar alsof ze daarmee zelf iets pijnlijks uit haar lijf of haar ziel kon trekken.

'De volgende nacht was het volle maan,' zei Maurice, 'en toen is Valentine uit het raam gesprongen.'

'Haar moeder zegt dat het een ongeluk was.'
'Het was geen ongeluk,' zei Maurice met de koppige intonatie waarmee je iets bevestigt waarvan je niet zeker bent. 'Ze kon er gewoon niet meer tegen.'
'Waartegen?'
Ik kreeg geen antwoord. We waren niet meer in dezelfde wereld. Zonder zijn blik af te wenden van het schilderij achter het altaar, van de madonna met haar snor, haalde Maurice zijn loper uit zijn zak, de nachtegaal, en begon daarmee de korsten op de rug van zijn hand weg te krabben, nieuwe korsten, dat viel me nu pas op, veel te nieuw voor oude littekens. De adem dampte uit zijn mond als de rook van Valentines sigaretten.
Ik heb leren wachten in Courtillon. Wie niets meer verwacht, heeft geen haast.
Het was pas middag, maar de bontgekleurde zonnestralen spanden zich al bijna horizontaal over onze hoofden. De stilte in een lege kerk heeft een eigen karakter, het is een kille, stoffige stilte, waarin zelfs het zwijgen nog een echo heeft.
Pas toen zijn littekens weer open waren – hij likte het bloed af zoals Valentine het destijds afgelikt moet hebben –, pas toen de metalige smaak hem weer had teruggehaald vanwaar hij geweest was, pas toen vertelde Maurice verder.
'We wilden Valentine in het ziekenhuis opzoeken, maar we mochten niet bij haar. Omdat we geen familie waren, zeiden ze, maar ze bedoelden natuurlijk: omdat we uit Saint-Loup kwamen. We zijn toen een paar dagen niet teruggegaan naar het tehuis, naar school al helemaal niet, we sliepen waar we moe werden. Het was alsof we verdwaald waren, alsof we geen doel meer hadden zonder Valentine. Het was als ... als ... Ik heb eens een *copain* gehad, in Parijs nog, die had een auto gejat en is daarmee tegen een boom gereden. Dood. Weg. Maar zijn hond, een lelijk mormel, heeft nog dagenlang zitten janken voor het huis waar hij een kamer had gehad. Precies zo verging het ons. Die hond hebben ze ten slotte gevangen en naar het asiel gebracht. Waarschijnlijk hebben ze hem laten inslapen, er was vast niemand die hem wilde hebben. Het was ook beter

zo.' Weer likte hij aan de rug van zijn hand, waar de littekens intussen niet meer bloedden, maar in het valse licht van de zon lichtrood glansden, *V for victory*, de V van Valentine.

'We wilden per se iets ondernemen, iets voor haar doen, en toen we hoorden hoe madame Charbonnier die Perrin de schuld had gegeven, waar iedereen bij stond, toen wisten we zeker dat dat de man moest zijn over wie Valentine het had gehad.'

'En? Was hij het?'

'Ik weet het niet,' zei Maurice. 'Ik weet helemaal niets meer. Alleen dat Valentine geholpen moet worden.'

De twee jongens hebben Jean dagenlang in de gaten gehouden, zoals je geduldig een huis observeert waar je wilt inbreken, ze hebben gewacht tot hij alleen was, ver weg van getuigen, en bij de hoornen des overvloeds hebben ze hem te grazen genomen.

'Het leek wel een wedstrijd. Wie harder kon slaan. Toen hij eenmaal op de grond lag en zich niet meer verweerde, ging het helemaal niet meer om hem. Het ging om Valentine. Om haar hebben we met elkaar gevochten en Perrin heeft de klappen gekregen.'

Zij hebben Jean dus in elkaar geslagen en toen Valentine uit het ziekenhuis kwam, hebben ze haar hun daad zo trots gepresenteerd als dolende ridders de kop van een gedode draak voor de voeten van hun prinses leggen.

'Maar ze was niet blij. Ze wil niet dat we dingen doen die ze ons niet heeft opgedragen.'

Valentine had eigen plannen met Jean, heel precieze plannen, maar als de jongens ernaar vroegen, zweeg ze, een agressief, luid zwijgen, waarvoor ze hun hals introkken als geslagen honden. Ze liet zich ook niet meer aanraken, niet door de een en niet door de ander, en gaf geen andere verklaring dan: 'Niet zolang ik die lelijke kraag draag.' Ze zei bijna niets meer, ze was alleen met zichzelf bezig en toch zaten ze met z'n drieën urenlang bij elkaar, elke dag. Het moet in de tijd geweest zijn dat ik hen voor het eerst heb gezien.

'U zult dat wel niet begrijpen. Dat je je zo laat commanderen door zo'n jong meisje.'

Ach, Maurice.

Het licht was al bijna helemaal weggeslopen uit de kerk en dat was maar goed ook, want nu vertelde Maurice over de gebeurtenissen in het *bois de la Vierge*. Er zijn verhalen die je beter in het donker kunt vertellen.

Toen ze hun opdracht had gegeven om voor een koevoet te zorgen, hadden ze vanzelfsprekend aan een inbraak in het huis van Jean gedacht. Maar Valentine had alleen maar gelachen en gezegd: 'Daar heb ik een sleutel voor. Al jaren.'

Ze stond voor het gesticht op hen te wachten. Dat had men niet graag, daarom deed ze het des te liever. Ze had een rugzak bij zich, niet zo'n modieus gevalletje als jij ooit wilde hebben, maar een bollend, grijsgroen, naar vis ruikend monster, dat haar vader anders waarschijnlijk meenam als hij ging vissen. Toen de twee jongens naar buiten kwamen, kregen ze zelfs geen glimlach, ze draaide zich om en liep zonder om te kijken weg. Ze wist dat ze haar zouden volgen.

Het sneeuwde al dagen (ik heb de vlokken voor mijn raam zien vallen toen ik ziek wilde zijn en het niet mocht blijven), maar Valentine droeg geen handschoenen en geen sjaal. Ze leek de kou niet te voelen. Misschien had ze het niet koud meer omdat ze al koud was.

Ze liep vlug vooruit, doelbewust, ze had haast om haar bestemming te bereiken. Ze stopte niet eens voor het schuurtje waar Phi het breekijzer had verstopt, ze liet hem met het zware stuk gereedschap achter zich aan rennen. Geen van de jongens vroeg waar ze heen gingen, Valentine had hun afgeleerd om vragen te stellen. Alleen toen ze het bos in liepen, over de smalle brandgang waar wortels en stengels het lopen bemoeilijkten, waar ze in gaten trapten zodat hun schoenen zich met sneeuw vulden, zei Maurice een keer verbaasd, meer tegen zichzelf: 'Waarheen ...' maar de rest van de zin liet hij toch liever in de koude lucht verwaaien.

Op een gegeven moment begon Valentine te zingen, een

kerklied dat de jongens niet kenden, over een ongerepte maagd, beschermd door de mantel der kuisheid. De meisjes in Courtillon leren het nog steeds uit hun hoofd, ook al vindt de jaarlijkse bedevaart naar de Mariakapel allang niet meer plaats, een simpel, kort loflied met steeds hetzelfde rijm, van *'Sainte Vierge sans péché'* tot *'manteau de la pureté'*. Valentine zong het lied telkens van voren af aan en op een gegeven moment vielen ook de twee jongens in, zonder daartoe aangespoord te zijn, gewoon omdat ze voelden dat het van hen werd verwacht.

Wat zei Auguste Ravallet ook weer over de heilige mis? 'Je kunt ermee toveren.'

Het moet een merkwaardige processie geweest zijn die daar zingend door het ondergesneeuwde bos trok, voorop Valentine, het lange zwarte haar bekroond met sneeuw, de kraag als onderdeel van een nonnenkleed, daarna Philippe, die het breekijzer droeg als een miraculeuze relikwie, en als laatste Maurice, de koning van het land der Moren, op weg naar een winters Bethlehem. Als pelgrims die gedroogde erwten in hun schoenen doen om met elke bloederige blaar God nog een beetje welgevalliger te worden, verdroegen ze met een blij gemoed de bijtende kou aan hun natte voeten. Valentine wilde het zo en met elke pijnlijke stap kwamen ze dichter bij haar, zoals elke klap die Jean had geraakt, een heimelijke liefdedienst was geweest.

'Ze had gevraagd of we iemand voor haar zouden vermoorden,' zei Maurice, 'en bijna had ze ons zo ver. We loerden al naar elkaar om vooral niet minder gedienstig te lijken dan de ander, misschien had ze immers maar één van ons nodig voor wat ze van plan was. Allebei probeerden we harder te zingen, we brulden zodat de vogels opvlogen, *"Sainte Vierge sans péché, manteau de la pureté"*, maar Valentine maakte alleen een beweging met haar hoofd, een heel klein "Nee", ze keek niet eens om, en we schaamden ons alsof we ons bij een plechtige gelegenheid hadden misdragen.'

Ceremonies. U had gelijk, mademoiselle Millotte.

Ze sloegen het veldweggetje in waarop ik hun sporen nog heb gezien, het lied was op een gegeven moment afgelopen en dreunde alleen nog na in hun hoofd en toen ze ten slotte bij het kapelletje aankwamen, eiste Valentine dat Maurice en Philippe diep voor het beeld bogen. Zelf maakte ze een bijna hoofse reverence, ze moet er bespottelijk uitgezien hebben in haar spijkerbroek en met een groene rugzak op haar schouders, maar de twee jongens waren zo in haar ban dat ze alles vanzelfsprekend vonden. Het was alsof het zo moest zijn.

Ceremonies.

Ze gaf Phi opdracht het hek open te breken, wat hij met één enkele ruk deed; op de plek waar zijn breekijzer het slot uit de bakstenen had gerukt, dwarrelde roodachtig stof omlaag. Valentine stak haar wijsvinger diep in haar mond om hem nat te maken, daarna duwde ze hem in het gat in de muur, trok hem er roodgekleurd uit en schilderde haar teken op Phi's voorhoofd. De V van Valentine.

Je kunt ermee toveren.

Uit haar rugzak haalde ze een verfdoos en een kwast, ze had alles voorbereid en was niets vergeten. Maurice mocht een snor op het gezicht van de madonna schilderen. Hij zei inderdaad: 'Ik mocht.' Toen hij er in de donkere kerk over vertelde, was zijn stem nog steeds vol trots over die onderscheiding, waarvoor ook hij een teken op zijn voorhoofd kreeg.

Daarna ging Valentine weg, 'zonder om te kijken', benadrukte Maurice alweer. (En terwijl ik het opschrijf, besef ik dat je in plaats van 'Ze keek niet om' ook zou kunnen zeggen: 'Ze keek niet naar hen om.') De jongens tilden het beeld van zijn sokkel en volgden Valentine naar de kleine open plek tussen de hoge bomen. Een altaardoek van sneeuw bedekte de hoop aarde (ze schijnen echt niet geweten te hebben dat het een graf was), drie brandende kaarsen stonden al in de grond, en Valentine zong nog een keer haar lied, deze keer alleen en met een andere tekst. '*Sainte Vierge sans péché, cigare à moustaches sous ton nez.*'

Ik moest in het Bargoens woordenboek kijken om dat te begrijpen. Een sigaar met snor is een piemel.

Valentine deed heel langzaam haar kraag af – het was alsof ze zich uitkleedde tot op haar huid – en legde hem als een offergave voor het beeld. Ze knielde op de grond, 'ik dacht eerst dat ze bad', zei Maurice, maar ze zocht alleen het volgende rekwisiet in haar rugzak en haalde ten slotte het mes tevoorschijn dat de twee jongens al kenden. Het mes en een glazen schaal.

Ceremonies.

Ze schoof de mouw van haar trui omhoog, ontblootte haar witte arm en ging met het lemmet over de tere huid. Uit de lange snee kwam bloed, dat in de schaal druppelde.

Offers.

Daarna was Phi aan de beurt en toen Maurice, en zonder dat het gezegd hoefde te worden, was hun duidelijk dat je niet mocht trillen en geen spier mocht vertrekken terwijl je in je huid sneed. De open wonden wreven ze langs elkaar, zodat hun bloed zich al vermengde voordat het in de schaal druppelde.

Bloedbroederschap.

In Valentines onuitputtelijke rugzak – er zat ook verbandmateriaal in, ze had aan alles gedacht – zat ook een vulpen, een ouderwets model, waarbij je aan de zijkant een hendeltje moet spannen om hem met inkt te vullen. Alleen was het deze keer geen inkt, maar bloed. Ook papier had ze meegebracht en Phi bukte zich zodat Maurice zijn rug als lessenaar kon gebruiken. Ze fluisterde hem haar wensen in het oor en toen de getekende man met zijn bespottelijke proporties klaar was, precies volgens haar aanwijzingen, nam ze de vulpen uit zijn hand en schreef er een naam onder.

Jean Perrin.

Daarna legde ze hem op de grond en ramde een puntige paal door zijn lijf.

'Wat er van het bloed nog over was, goot ze in de sneeuw,' zei Maurice.

Ik knikte, al kon hij dat in het donker niet zien. 'In de vorm van een pijl, ik weet het.'

'Nee,' zei Maurice, 'in de vorm van een V. De V van Valentine.'

En toen begon Valentine te vertellen.

Over de heilige Jan, die ze altijd al had gekend, iedereen kent hem, met wie ze als klein meisje graag speelde, hij kon een stuk hout nemen en erin snijden, slechts twee, drie sneden met zijn mes en het was al een mens of een dier of een auto, over Jean Perrin, die af en toe in het huis van de Charbonniers was verschenen als er iets gerepareerd of veranderd moest worden, over Jean, die ze altijd had vertrouwd en die haar op een dag had aangeraakt, eerst bij het spelen, schijnbaar toevallig, en toen steeds nadrukkelijker, die had verlangd dat ook zij hem aanraakte, in ruil daarvoor zou hij een pop of een klapperend waterrad voor haar snijden, die ze had vertrouwd omdat hij immers een volwassene en een vriend was, wiens gulp ze had moeten openmaken (en terwijl ze het zei, zat ze met haar handen aan de ritsen van de jongens), die had gewild dat ze voor hem neerknielde (en ze deed het), dat ze haar mond wijd opensperde, heel wijd, het deed geen pijn en het was fijn, is het niet fijn?

Toen Maurice eerst niet wilde en haar hoofd probeerde weg te duwen, lachte ze hem uit en zei: 'Ik heb geen kraag meer nodig.'

Naderhand vertelde ze verder alsof er helemaal geen onderbreking was geweest, ze veegde alleen haar mond af en had dezelfde stem als eerst, verveeld bijna, alsof het verhaal haar niets aanging, niet echt.

Hoe Jean op de bank in de woonkamer weer eens op haar had gelegen, hoe hij zich tussen haar meisjesbenen had vermaakt, hoe haar moeder was binnengekomen en zijn blote achterwerk met de tatoeage had gezien, hoe madame Charbonnier had gegild en hem had geslagen, eerst alleen hem en toen hij van haar af was gerold ook haar dochter, hoe lang dat geleden was en hoe ze alles was vergeten, jarenlang, omdat ze het had willen vergeten, en hoe het weer boven was komen drijven, kwellend, zodat ze alleen uit het raam kon springen of het bekendmaken, publiekelijk en waar iedereen bij was, zodat het eindelijk geen geheim meer was waarin ze stikte, zodat hij eindelijk moest boeten omdat hij haar leven voorgoed kapot had gemaakt.

'Zou u haar niet geloofd hebben?' vroeg Maurice, die helemaal geen antwoord wilde horen.

'En nu? Geloof je haar nog steeds?'

Ik kon vaag zien dat hij zijn voorhoofd op de rugleuning van de bank voor hem had laten zakken. 'Phi gelooft haar,' zei hij ten slotte, 'hij wil haar geloven omdat het hemzelf belangrijk maakt. Maar hij heeft nooit van Valentine gehouden. Hij wilde altijd alleen met haar ... Voor hem zou het ook ieder ander meisje kunnen zijn.'

'En jij?'

'Ik zou met haar naar bed kunnen gaan wanneer ik maar wilde. Maar ik doe het niet. Betekent dat dat ik van haar hou?'

Ja, Maurice, dat betekent waarschijnlijk dat je van haar houdt.

'Ik dacht dat het haar goed zou doen als ze haar hart luchtte. Zoals wanneer je iets verkeerds hebt gegeten en het er weer uit moet. Maar het gaat sindsdien niet beter met haar. Integendeel. En ze heeft zoveel gezegd wat niet kan. Als het de waarheid was geweest, zou ze dan niet opgelucht moeten zijn?'

Dat heb ik ook ooit gedacht, Maurice. Maar ik heb moeten leren dat de waarheid niet altijd de waarheid blijft, dat je dingen heel goed in je geheugen kunt hebben zonder zeker te weten of ze inderdaad zijn gebeurd, dat ook angsten en dromen herinneringen worden en dat niet altijd uit elkaar valt te houden wat het een is en wat het ander.

Hij wilde een advies van me horen, hij wilde zijn twijfels bevestigd of ontkracht zien, het deed er niet toe, als iemand ze maar wegnam, en ik geloof niet dat hij tevreden was met mijn zowel-als, met een smoes, vermomd als aartsvaderlijk wijs gepraat: 'Het gaat er niet om wat er gebeurd is. Het verleden is niet belangrijk zolang jullie maar een toekomst hebben. Maar wat er ook gebeurt, blijf in haar buurt! Laat je niet wegjagen! Als er anderen tussenkomen, kun jij haar niet meer helpen.' Zoals ik jou niet meer kan helpen.

Maurice was leeggepraat, hij had alles gezegd wat hij kwijt moest, en hij voelde zich genoodzaakt zich weer om Valentine te bekommeren. Maar ik liet hem nog niet gaan. Ook ik had twijfels die iemand moest wegnemen.

'Wie heeft de madonna weer teruggebracht?'

'Dat heb ik gedaan. Die dag zijn we uit elkaar gegaan, Valentine ging terug naar Courtillon, en Phi en ik naar Saint-Loup. Twee nachten later begon het te regenen en ik was bang dat het beeld zou beschadigen. Ik vreesde dat dat op de een of andere manier nadelige gevolgen voor Valentine zou hebben. Ik ben de hele weg nog een keer teruggegaan, alleen. Het beeld was niet zwaar, het is verbazingwekkend hoe makkelijk zo'n heilige te verplaatsen is. Ik heb alles meegenomen, ook de koevoet, en heb de spullen in de bosjes gegooid. Alleen Valentines kraag, haar *minerve*, heb ik gehouden. Ze heeft hem zo lang op haar lichaam gedragen, dat maakt hem waardevol voor mij. Kunt u dat begrijpen?'

Had ik maar iets van jou.

Het was intussen heel donker geworden in de kerk; toen we naar buiten gingen, moesten we op de tast langs de rijen banken lopen. In het halletje had Maurice met zijn loper de deur al opengemaakt en een stroom muffe kuilvoerlucht in de kerk gelaten toen ik over het klokkentouw struikelde en me er van schrik aan vastklampte. Een metalige slag dreunde over het dorp als om een sterfgeval aan te kondigen. Tot mijn verbazing – ik had niet gedacht dat hij gelovig was – sloeg Maurice een kruis.

Ceremonies.

*V*andaag ben ik eindelijk naar Jean gegaan. Vóór de affaire met Valentine (ja, ik heb voor een benaming gekozen en daarmee voor een mening) zou ik het niet in mijn hoofd gehaald hebben dat op te schrijven. Jean en ik ontmoetten elkaar vroeger bijna elke dag, toevallig of bewust, om een praatje te maken of een paar glazen te drinken, maar die vanzelfsprekendheid is voorbij, en zoals ons gesprek is verlopen, zal ze ook wel niet meer terugkeren. Het was als een bezoek in het ziekenhuis; de persoon die je kent is verdwenen achter vreemde geuren en vreemde voorschriften, en tegen de onbekende die daar in bed ligt, kun je alleen nog beleefd zijn, niet meer hartelijk.

Wie Jean nu leerde kennen, zou niet meer op het idee komen hem de heilige Jan te noemen. Heiligen moeten door de werkelijkheid onaangetast blijven en vergeeflijk glimlachen als ze worden gemarteld. Jean kan niet meer lachen. Dat noemt men ook wel volwassen worden: jezelf niet meer wijs kunnen maken dat altijd alles goed komt, ooit, hoe dan ook. Tot nu toe heeft Jean met een jongensachtig optimisme geleefd, ook vijf ton stenen was voor hem geen onoplosbaar probleem. Nu voelt hij de last. Vroeger dronk hij overdag nooit, zeker niet alleen, maar het was nog geen vier uur in de middag toen hij de deur voor me opendeed en al naar wijn rook.

Niet alleen Jean is veranderd, eigenlijk is bij de Perrins alles anders geworden, dat blijkt uit allerlei irritante kleinigheden. Op de tafel in de woonkamer stond een bord met aangekoekte etensresten, bij mij zou zoiets gewoon zijn, maar in Genevièves zorgvuldig gevoerde huishouding valt het op als baardstoppels in een gezicht dat anders altijd perfect geschoren is. 'Ze dekt niet meer voor mij', zei Jean, 'en als ik zelf een bord haal, ruimt ze het achteraf niet op.' Hij sloeg het bord uit alle macht tegen de rand van de tafel, maar het porselein bleef heel. Jean knikte alsof hij niet anders had verwacht, bracht het bord naar de keuken en liet er water overheen lopen. 'Ze wast ook mijn vuile kleren niet meer. Ik leg ze neer waar ik ze altijd neerleg, maar ze laat ze liggen.'

Geneviève boycot haar man, ze denkt dat ze hem heeft leren kennen en wil daarom niets meer van hem weten. 'Eerst de moeder en dan de dochter', is het laatste wat ze rechtstreeks tegen hem heeft gezegd, 'wat ben jij voor mens?' Zijn bezweringen gelooft ze niet, ze luistert er niet eens naar, hij heeft de *greluche* en haar liefdesbrieven destijds voor haar verzwegen, waarom zou hij dus niet over nog ergere dingen hebben gelogen? Ze heeft hem in zijn eigen huis tot persona non grata verklaard, maar ze heeft hem niet uit de gemeenschappelijke slaapkamer verbannen – Jean is zo opgelucht dat hij eindelijk met iemand kan praten dat hij me alles vertelt –, ze maakt alleen zijn helft van het bed niet meer op, aan de ene kant is alles zorgvuldig gladgestreken en aan de andere kant blijven de lakens verkreukeld. Jean slaapt onrustig de laatste nachten. 'Ik hoor haar naast me ademhalen, ik weet dat ze wakker is, maar als ik met haar wil praten geeft ze geen antwoord.'

Elodie huist in het niemandsland tussen haar ouders en houdt daar de normaliteit in stand, ze vertelt verhalen over school alsof er niets anders voor haar bestaat, alsof ze niet bij het raam heeft gestaan en alles heeft gehoord. Met de ernst van een poppenbruiloft blijft ze het leven van alledag spelen, maar zodra de maaltijden afgelopen zijn, gaat ze naar de zolder om daar de salto te oefenen, of naar een plek waar niemand haar kan vinden, tot de volgende maaltijd of tot het tijd is om naar bed te gaan, dan is ze er plotseling weer en babbelt en lacht en doet alsof ze niet merkt dat haar ouders altijd alleen met haar praten en nooit met elkaar. '*Elle fait l'enfant*', zegt Jean, 'ze doet of ze een kind is', alsof Elodie allang volwassen is en haar leeftijd alleen nog een rol.

Slechts één keer heeft ze hem direct over de kwestie aangesproken, in elk geval had hij dat idee, ze vroeg hem namelijk waarom hij die tatoeage op zijn achterwerk had laten maken en of zijn kameraden uit het leger er ook allemaal zo een hadden. 'Maar in werkelijkheid wilde ze natuurlijk weten hoe dat meisje' – Jean vermijdt het Valentines naam uit te spreken –, 'hoe ze kon weten dat ik een tatoeage heb.'

Heel Courtillon vraagt zich dat af; ik ben de enige aan wie Jean een verklaring heeft gegeven en die lijkt me overtuigend omdat ze hemzelf in een kwaad daglicht stelt.

'Ik had toen iets met de *greluche*, dat is allang geen geheim meer, het hele dorp weet het. We deden het bij haar in de woonkamer, meestal laat in de middag als Geneviève met de schoolbus onderweg was. Op een keer ging de deur open zonder dat we het merkten, we waren bezig, snap je. Het meisje' – weer vermijdt hij de naam – 'kwam binnen en heeft van mij waarschijnlijk alleen mijn achterwerk gezien, de tatoeage die op en neer ging. Ik weet niet hoe lang ze daar heeft gestaan, ik merkte het pas toen ze met haar vuistjes op mijn rug hamerde. Niet dat het zeer deed, maar het was natuurlijk pijnlijk, en toen ik uitweek sloeg ze haar moeder en gilde ze. De *greluche* bleef maar zeggen: "Het is heel anders, *chérie*, heel anders", en ze probeerde haar rok omlaag te trekken, en ik stond ernaast en kreeg mijn stijve niet in mijn broek. En het kind stond erbij met een gezicht alsof ze er een foto van wilde maken, als je begrijpt wat ik bedoel.'

Elke foto heeft een tweelingbroer, een negatief waarop het lichte donker is en het donkere licht. Wat in Valentines geheugen gegrift staat, zo diep gegrift dat het litteken nog altijd pijn doet, moet zo'n omkering geweest zijn, een zoekplaatje waarop zij en haar moeder steeds weer van rol wisselden: de geslagene sloeg en de ontdekster werd betrapt, beneden was boven en boven was beneden. Alleen het midden van het plaatje is altijd hetzelfde gebleven, al die jaren: de naakte Jean en zijn schokkende achterwerk met de tatoeage *République Française*.

Als het inderdaad zo was – en waarom zou het niet zo geweest zijn? – worden veel dingen duidelijk. Jean heeft Valentine nooit aangeraakt en haar toch misbruikt. Al zijn haar wonden haar niet toegebracht zoals ze het zich herinnert, ze zijn toch reëel. *'Tu es coupable'*, heeft madame Charbonnier tegen Jean gezegd, maar *'c'est ta faute'* was juister geweest, hij is niet schuldig, het is alleen zijn schuld.

Een verschil waar hij niets aan heeft, zeker niet bij Geneviève. 'Ze wil niet naar me luisteren,' klaagt Jean, maar ik weet zeker dat hij ook nooit echt een poging heeft gedaan haar alles uit te leggen; het is niet het soort verhaal dat makkelijk over je lippen komt.

In het dorp hebben ze hun mening al klaar. Er zal wel iets van waar zijn, denken de meesten, en Jean voelt de uitwerking al: ze hebben opeens niets meer te repareren, geen keukens te verven en geen rekken te bouwen, terwijl Jean al twee keer de auto van een timmerman uit Montigny in het dorp heeft gezien. 'Vroeger zouden ze mij hebben laten komen, maar nu geven ze liever een hoop geld uit.'

De oude Jean was een overijverige gastheer, de nieuwe schonk alleen zichzelf in, 'je weet waar de glazen staan,' en nam al grote slokken voordat ik een glas had gepakt. 'Dat gaat erin,' zei hij, *'comme un pavé dans la gueule d'un flic'*, als een straatsteen in de smoel van een smeris. Ook op dat punt is hij veranderd, zijn taal is grover geworden, hij houdt nergens meer rekening mee of wil in elk geval de indruk wekken dat hij nergens meer rekening mee houdt, zoals iemand die zich op het schoolplein vlerkerig gedraagt omdat hij bang is dat de anderen zullen merken dat hij zwakker is dan zij. 'Ik zal het ze betaald zetten,' herhaalde hij steeds weer, 'ik zal het ze allemaal betaald zetten.'

Jean beschouwt mij als zijn vriend en met de juiste woorden had ik hem misschien kunnen helpen. Ik heb die woorden echter niet gevonden. Hoe kun je tegen iemand zeggen dat je in zijn onschuld gelooft zonder tegelijk toe te geven dat je het op z'n minst mogelijk hebt geacht dat hij ook schuldig zou kunnen zijn?

Toen de klopjacht destijds begon, heb ik me telkens geërgerd aan de collega's die weliswaar bleven staan als ze me op straat tegenkwamen, die zich dapper samen met mij lieten zien, ook al was ik een paria geworden, een melaatse, geschorst als leraar om redenen die niemand kende en die iedereen meende te kennen (ook een school is een dorp waar in geruchten wordt gehandeld), maar die dan niet echt met me praatten, die alleen een babbeltje maakten over mijn gezondheid en hun vakantieplannen, die gauw over onbelangrijke zaken begonnen en elke stilte vlug met een vrolijke opmerking vulden, zodat er vooral geen plaats overbleef voor het onderwerp dat ze per se wilden vermijden. Ik heb die collega's geminacht, maar ik ben geen haar beter dan zij.

Ook ik vond de juiste formulering niet en nam mijn toevlucht tot holle frasen, 'Geneviève zal wel kalmeren' en 'Je moet alleen geduld hebben', ook ik was niet handig en niet moedig, ik prees ten slotte volkomen zinloos de middelmatige wijn en vroeg of Jean die bij Bertrand had gekocht. Ik zie de dode kat niet, de dode kat zie ik niet.

Jean luisterde al niet meer echt naar me. De alcohol – het was waarschijnlijk niet zijn eerste fles – had hem huilerig gemaakt, vol zelfbeklag. Ze wilden Elodie van hem afpakken, jammerde hij, dat wist hij heel zeker, alles was al gepland, ze beweerden dat ze bij hem moreel werd bedreigd, 'mijn eigen dochter!', en dan zouden ze haar in een tehuis stoppen, of Geneviève zou verhuizen en Elodie meenemen en hij, de vader, zou vanwege zijn slechte invloed een bezoekverbod krijgen. 'Maar als ze dat doen,' zei hij en hij probeerde vergeefs zijn stem niet te laten trillen, 'maar als ze dat doen, dan maak ik iemand van kant.'

Ik probeerde hem zijn angst natuurlijk uit het hoofd te praten (pas later heb ik van monsieur Brossard gehoord dat die angst minder ongegrond was dan ik dacht), maar Jean ziet overal radertjes die in elkaar grijpen en was niet van het idee af te brengen dat er een algemene samenzwering tegen hem gaande was, Valentine was er een onderdeel van en de *grelu-*

che al helemaal, 'ze spelen allemaal onder één hoedje, *ils sont tous de mèche*', hij moest worden kapotgemaakt, geïntimideerd en uit het dorp verdreven, daarom hadden ze Maurice en Philippe er ook toe aangezet hem op te wachten en in elkaar te slaan. Maar wie die 'ze' dan wel waren, dat wilde of kon hij me niet vertellen.

Ik ben niet lang meer gebleven, het was zinloos om zijn rodewijnlogica met argumenten te willen bestrijden. Maar ik voelde vooral dat ik Jean onaangenaam begon te vinden, dat zich een bijna lichamelijk gevoel van afkeer van me meester maakte, alsof zijn problemen een vuile, stinkende uitwaseming hadden. Ik vraag me af of ik op mijn collega's destijds ook die indruk heb gemaakt.

Hij bracht me naar de deur, zijn arm in hinderlijke verbroedering om mijn schouders geslagen. 'Met jou kan ik praten', zei hij terwijl de klinkers over de medeklinkers struikelden, 'omdat jij niet hier geboren bent en daarom geen idee hebt. Als je wist hoe Courtillon echt is, zou je je huis verkopen en hier nooit meer komen.' Ik kon hem er niet van weerhouden me op beide wangen te kussen, hij rook naar wijn en angst. Met een groot gebaar wees hij naar zijn lege erf en zei, alsof dat alles bewees en verklaarde: 'Zie je, Elodie is er al weer niet. Het is koud en nat buiten, maar ze zwerft liever rond dan dat ze naar huis komt, ik heb geen idee waar ze is. Het is al zo ver gekomen dat ze zich voor mij verstopt, voor haar eigen vader.'

Ik ben toen naar huis gegaan en daar ...

Nee, eerst moet ik je beschrijven hoe het er normaal bij mij uitziet. Ik heb een huis, maar geen huishouden, ik zou niet weten waarvoor en voor wie ik dat moest doen. Wie gedwongen wordt als kluizenaar te leven, heeft op z'n minst het recht om met zijn handen te eten. Ze hebben me laten gaan en nu laat ik me gaan. Ik trek mijn schoenen niet uit als ik binnenkom, ik sleep de vochtige winter mee over alle vloeren. Het serviesgoed was ik af als er niets schoons meer te vinden is, hetzelfde koffiekopje doet een week lang dienst. Het beddengoed verschoon ik als het laken vol plooien zit en de plooien vol kruimels; waarvoor heb ik schone lakens nodig als ik er toch alleen tussen lig?

(En als me dat echt allemaal niets kan schelen, waarom heb ik dan zoveel woorden nodig voor het simpele feit dat ik me gedraag als een clochard?)

Ik was meer dan twee uur bij Jean gebleven, hij had me meer dan twee uur vastgehouden en toen ik weer thuiskwam, hing er een ongewone geur, *eau de Javel* en citroen; bij de Deschamps met hun kunststofvloeren had het ook zo geroken. Ik dacht meteen aan de hulpverlenersblik waarmee mijn wanorde zo kritisch was bekeken, waarschijnlijk was madame Deschamps op haar nieuwste liefdadige kruistocht bij me binnengevallen, 'die arme man woont helemaal alleen, er moet daar eens flink schoongemaakt worden'. In de keuken stond al mijn serviesgoed op tafel, schoon afgewassen, borden en kopjes in het gelid, de pannen waren hun aangekoekte korsten kwijt en het fornuis leek jonger geworden zonder de sporen van vetspetters en overgekookte melk. In een lege cognacfles, waarvan het etiket zorgvuldig was verwijderd, stond een tak met rode besjes.

Ik heb pas één keer bloemen van iemand gekregen (weet je nog?), jij kwam met een hele bos tulpen aan, je had ze in het park geplukt, midden op de dag, en niemand had je iets in de weg gelegd omdat je het zo zelfverzekerd en vanzelfsprekend deed als alles in je leven. Ze hebben lang op mijn bureau gestaan, tot de stengels waren kromgebogen en de bloemblaadjes afgevallen, en zelfs toen alleen de kale, weerloze meeldraden nog over waren, kon ik het niet over mijn hart verkrijgen de bloemen gewoon in de biobak te smijten; ik was zo gek om de kale stengels terug naar het park te brengen. Dat er nu weer een vaas stond, ook al was hij afkomstig van madame Deschamps, raakte bij mij een snaar waarvan ik dacht dat die allang gevoelloos was geworden; haar schoonmaakactie had me nog lastig geleken, maar dat kleine overbodige gebaar vervulde me met dankbaarheid.

Ik hoorde haar voetstappen in de gang en had me al voorgenomen haar de hand te kussen, 'vous êtes trop aimable, madame', maar toen was het helemaal geen overgedienstige vrouw die met een schort voor en een poetsdoek in haar hand binnenkwam, het was een twaalfjarig meisje.

'Jammer,' zei Elodie, 'als u een beetje later was gekomen, had ik alles al opgeruimd.'

'Maar ... Hoezo ...?' Ik begon te stotteren, wat ze met volwassen hoffelijkheid negeerde.

'Ik kan ook voor u koken, maar alleen 's avonds, want tussen de middag blijven we op school.'

Jij kon me ook altijd zo van mijn stuk brengen als je iets volslagen idioots deed en daarbij vriendelijk tegen me glimlachte, alsof je wilde zeggen: 'Had je dat dan niet verwacht?'

'Hoe ben je eigenlijk binnengekomen?' Een overbodige vraag; ik heb Jean ooit een sleutel gegeven, voor noodgevallen, en bij zo'n ordemaniak zal die niet moeilijk te vinden geweest zijn.

Elodie gaf dan ook geen antwoord. Ze rangschikte het bestek in een la en wreef het ene stuk na het andere nog een keer af aan haar schort, er was voor haar niets belangrijkers dan mijn oude messen glimmend te poetsen. 'Het zou natuurlijk eenvoudiger zijn als ik u geld kon aanbieden,' zei ze ten slotte, 'maar ik dacht dat u het misschien ook goed zou vinden als ik ervoor werkte.'

'Waar heb je het over?'

Elodie legde het laatste mes bij de andere en duwde de la dicht. 'Ik wilde vragen of ik bij u mag wonen. Ik moet het huis uit.'

Ik heb nee gezegd, natuurlijk, en ik heb me ook niet laten ompraten, hoewel Elodie het me niet eenvoudig maakte. Niet dat ze huilde of klaagde, daar had ik makkelijker mee om kunnen gaan, ze beschreef alleen de sfeer bij haar thuis, het tweegevecht dat daar werd geleverd, de hele dag en altijd zonder woorden, en zoals ze daar zat, kaarsrecht en met haar handen tussen haar knieën, had ik haar het liefst in mijn armen genomen, haar getroost en haar alles beloofd, ook het onmogelijke. Elodie beschreef hoe ze elk woord op een goudschaaltje moest wegen om toch vooral niet de een of de ander voor te trekken, 'het zijn mijn ouders en ik wil dat ze bij elkaar blijven'. Misschien, zo had ze bedacht, zou het zonder haar beter gaan, misschien zouden Jean en Geneviève weer met elkaar gaan praten als er niemand meer was tot wie ze de woorden konden richten die eigenlijk voor de ander bestemd waren.

Uiterlijk lijkt Elodie niet erg op haar ouders, maar toch heeft ze van allebei iets meegekregen, van Jean het romantische geloof in de maakbaarheid der dingen en van Geneviève de aardse zekerheid dat je niets krijgt zonder ervoor te betalen. Als je de salto moet kunnen om met een goed cijfer de huiselijke vrede te bevorderen, dan wordt die geoefend tot je hem kunt. Als de buurman lege kamers in zijn huis heeft en je wilt bij hem intrekken, dan moet je hem daar ook iets voor aanbieden. Dus had ze mijn fornuis schoongemaakt, mijn serviesgoed afgewassen en het intussen ook alweer in de kast opgeborgen.

Ze wilde maar niet begrijpen waarom ik niet akkoord ging, ze had er zo goed over nagedacht en we zouden er allebei alleen maar voordeel van hebben. Ze wees naar de opgeruimde tafel waaraan we elke avond zouden zitten. 'Ik zou koffie voor u zetten en u zou me kunnen helpen met mijn Duitse oefeningen, als u wilt. Altijd alleen zijn, dat kunt u toch ook niet leuk vinden. Bovendien zou het niet voor altijd zijn, alleen tot er iets verandert.'

Als ze je heel serieus haar plannen uitlegt, die ze zelf zo overtuigend vindt en die toch zo uitzichtloos zijn, dan vergeet je makkelijk dat Elodie pas twaalf is. Ze heeft heel verstandige opvattingen, zelfs over dingen die ze op haar leeftijd onmogelijk helemaal begrepen kan hebben. Zo is ze ervan overtuigd dat Valentine het nooit zal opgeven, 'ze zal steeds terugkomen en ons niet met rust laten tot we hier weggaan of tot mijn vader en moeder ...' Ze schudde driftig haar hoofd, ze had zichzelf betrapt op een gedachte die ze niet wilde horen.

'Vroeger maakten ze ruzie met elkaar, ik dacht dat ik daar niet tegen kon, maar wat ze nu doen is veel erger. Soms wou ik dat ze elkaar sloegen, echt met hun vuisten, daar zouden ze op een gegeven moment namelijk ook weer mee moeten stoppen. Maar doen alsof de ander dood is ... Is er weleens iemand gestorven die u graag mocht?'

Ik dacht aan jou, hoewel je nog leeft.

Toen Elodie merkte dat ik echt niet over te halen was, ook niet met het aanbod al mijn knopen aan te zetten, wat ze heel goed zei te kunnen, legde ze haar volwassen houding af als een te grote jas, bijna had ze gehuild, haar onderlip trilde al, maar ze heeft geleerd zich te beheersen. 'Dan ga ik maar,' zei ze, 'neem me niet kwalijk dat ik u heb gestoord.' Ik had met haar te doen en dus zei ik – waarschijnlijk had ik ook dat niet moeten doen – dat ze me altijd mocht komen opzoeken als ze behoefte had aan hulp of een gesprek of gewoon een rustig plekje.

Buiten was het donker en mistig en ze ging naar haar ouders als naar een executie.

De volgende ochtend zat ik bij de Brossards ('u neemt toch wel twee kopjes koffie, mijn apparaat werkt niet anders') en *le juge* legde me uit waarom het niet van belang was of Valentine wel of niet de waarheid had gezegd. 'Waarheid is een filosofisch begrip en de filosofie past bij het echte leven als een chique das bij een vuile hals.'

Madame Brossard kuchte misprijzend. Aan de opvattingen van haar man is ze gewend geraakt, maar in fatsoenlijk gezelschap praat je niet over ongewassen lichaamsdelen.

'Nu kan immers niemand meer vaststellen wat er vijf jaar geleden echt is gebeurd. Of hij toen met het meisje alleen verstoppertje heeft gespeeld of alle boeken van De Sade heeft uitgespeld doet er ook helemaal niet toe.' Monsieur Brossard had alweer lachrimpeltjes rond zijn ogen, zoals altijd wanneer hij geniet van zijn provocaties. 'Wat denk jij,' zei hij tegen zijn vrouw, 'is *Saint Jean* een goed mens of een kinderverkrachter?'

'Ik kan het gewoon niet geloven.'

'Aha!' zei *le juge* triomfantelijk. 'Het gaat dus om geloof en daarmee om filosofie. Quod erat demonstrandum. Het staat iedereen in dit land vrij om in de parthenogenese of in een miraculeuze cavia te geloven, maar als iemand bij mij voor de rechtbank had gestaan en met dat geloof had geargumenteerd, had hij het proces verloren.'

'Dat is immoreel!'

'Dat mag ik hopen! Moraal is een filosofische grootheid en de staat heeft mij al die jaren niet betaald om te filosoferen, maar om recht te spreken. En het recht definieert "schuldig" niet als "hij heeft iets gedaan", maar als "hij is voor iets veroordeeld". Wat onze Jean, vrees ik, niet veel kans geeft.'

'U bedoelt dat ze hem voor de rechter zullen slepen?'

'Dat zeker niet. Het enige bewijs is de verklaring van dat meisje en die haalt elke deskundige binnen vijf minuten onderuit. Maar het dorp zal hem veroordelen, het heeft dat waarschijnlijk al gedaan. Op grond van de paragraaf "Waar rook is, is vuur". Een heel nuttige paragraaf, soms. Zal ik u een verhaal vertellen?'

Het was een retorische vraag, monsieur Brossard gaat ervan uit dat iedereen zijn verhalen wil horen. Toen ik kwam, zat hij de krant te lezen en nu begon hij een pagina ervan in steeds kleinere reepjes te vouwen. Zijn handen moeten iets te doen hebben als zijn hoofd vrij moet zijn.

'Toen ik nog rechter was in Parijs, in de negentiende eeuw ...' Al zijn herinneringen beginnen zo en ik weet nooit zeker of hij over feiten spreekt of alleen maar parabels bedenkt om er iets mee te bewijzen. 'Toen ik nog rechter was, moest ik een keer over de zaak van een jongeman oordelen. Een oud familielid had hem al haar geld toevertrouwd, heel veel geld, en hij kon de verleiding niet weerstaan het te verduisteren.'

Monsieur Brossard wordt langzamerhand net als mademoiselle Millotte, dacht ik, hij is niets vergeten van wat hij heeft meegemaakt, maar hij kan niet meer onthouden aan wie hij het al heeft verteld. 'Ik val u niet graag in de rede,' zei ik, 'maar dat verhaal ken ik al.'

Le juge was absoluut niet van zijn stuk gebracht. 'Dan kunt u me vast ook vertellen hoe mijn vonnis luidde.'

'Vrijspraak.'

'Heel goed!' Hij knikte me bemoedigend toe, als een student die op het tentamen een vraag goed heeft beantwoord, geen belangrijke vraag, maar toch. 'En hoe ging het verhaal verder?'

'Het was afgelopen.'

'Een verhaal is nooit afgelopen, *mon cher ami*. Het vonnis sluit alleen het juridische deel af. De moraal' – hij maakte al zittend een perfecte buiging in de richting van zijn vrouw – 'begint dan pas.'

Madame Brossard tuitte haar lippen tot een kus. Die twee zijn al zo lang samen en nog altijd verliefd. Ik ben jaloers op ze.

'De oude dame had zich opgehangen,' vervolgde *le juge*, 'aan de kachelpijp – omdat u altijd zo goed naar me luistert, zult u het zich vast herinneren – en de neef, die nu niemand meer had om voor te zorgen, gaf zijn beroep op, kocht een mooi huis in Aix-en-Provence en genoot als vooraanstaand man van het leven in de zon. Tot helaas, helaas, in de stad het gerucht opdook dat hij een moordenaar was en alleen door een of andere juridische truc aan de gevangenis was ontkomen. Ze zijn heel bekrompen in zulke dingen, daar in het zuiden, en opeens wilde niemand meer iets met hem te maken hebben. Dat lijkt me heel saai: een leven zonder werk, een mooi huis en niemand die met je wil praten.'

'Waar kwam het gerucht vandaan?'

Monsieur Brossard was opeens een en al aandacht voor zijn papiervouwerij. 'Geen idee. Het is natuurlijk mogelijk, zuiver theoretisch, dat ik in een of ander telefoongesprek met een collega uit de buurt een beetje indiscreet ben geweest, dat die het verhaal ook weer heeft doorverteld en dat daarom … Maar dat zou dan niet juridisch meer zijn, maar al moreel. Ik heb u dat alles ook alleen maar verteld om duidelijk te maken dat de heilige Jan heel andere dingen te wachten staan dan een gerechtelijk vonnis. Onze burgemeester is er al mee begonnen.'

Volgens het verhaal van monsieur Brossard – en als het om politiek gaat, is hij altijd op de hoogte – heeft Ravallet Jean op de *mairie* ontboden, op zijn kantoor, waar het naar aftershave ruikt. Hij heeft het gehad over de zorgplicht die hij als burgemeester nu eenmaal had, vooral als het ging om een minderjarig meisje, en dat hij moest overwegen of het met het oog op de gegeven onaangename omstandigheden niet gewenst was Elodie in een tehuis te plaatsen, natuurlijk maar tijdelijk en voor haar eigen bestwil. Aan de andere kant – ook dat moest hij in het kader van zijn verplichtingen nagaan – was het beslist denkbaar dat ze de traumatische ervaringen van de afgelopen dagen even goed of zelfs beter in de schoot van de familie kon verwerken, maar dan moest hij de zekerheid hebben dat haar ouders, en hij dacht daarbij vooral aan Jean, bedachtzame en verstandige mensen waren. Als zijn superieuren zich ermee bemoeiden, zouden ze het zeker zeer negatief beoordelen wanneer Jean werd afgeschilderd als een dwarsligger die de gekozen vertegenwoordiger van het dorp steeds weer moeilijkheden bezorgde. 'Met andere woorden,' zei monsieur Brossard, 'hij heeft gedreigd Elodie van hem af te pakken als Jean niet ophoudt met zijn actie tegen de plannen voor de grindafgraving.'

Nu begrijp ik Jean weer beter. In zijn situatie zou ik me ook bedronken hebben. 'Hij is dus gechanteerd?'

'Natuurlijk niet, *mon cher ami*. Hier bestaat een mooi woord voor dat we uit uw taal hebben overgenomen: *la Realpolitik*.' Monsieur Brossard trok zijn papieren harmonica uit elkaar en scheurde het blad doormidden. 'Overigens heb ik het verhaal daarnet niet helemaal afgemaakt. De jongeman met wie niemand meer iets te maken wilde hebben, heeft zich uiteindelijk van het leven beroofd. Opgehangen, net als zijn tante. Je zou het gerechtigheid kunnen noemen, maar dat zou alweer filosofie zijn.'

*I*k weet niet meer welke kleur je ogen hebben.
Het is het eerste wat ik niet meer van je weet en dat verlies maakt me bang. Ze waren licht, geloof ik, maar ik weet het niet zeker meer. Het vergaat me met jouw beeld zoals met een heiligenbeeld waarvan de voeten door zoveel pelgrims zijn gekust dat alleen het ruwe hout nog over is, zoals met een verhaal dat je zo vaak hebt verteld dat het alleen zichzelf nog weergeeft.

Ik heb je kapotherinnerd.

Natuurlijk weet ik nog heel goed hoe je me aankeek, ik geloof dat ik het weet, ik wil dat ik het weet, maar een glimlach is geen woord dat je je maar één keer hoeft in te prenten en dan eeuwig kunt oproepen, er bestaan geen geheugensteuntjes voor emoties en geen ezelsbruggetjes voor gevoelens. Hoe moet ik je gezicht bestuderen in de uren dat de nacht voorbij is en de dag niet begint, hoe moet ik in mijn hoofd met je praten als je geen ogen meer hebt?

En als je ogen (grijs? groen?) nog maar het begin zijn? Als vervolgens je haar of je lippen door de geheugenschimmel worden aangetast? Je haar is bruin, daar hoef ik niet over na te denken, ik zie de rossige glans voor me, ik voel het onder mijn handen. Ik zou zelfs het exacte woord voor de geur weten, maar telkens als ik de herinnering naar boven haal, voeg ik er ook iets eigens aan toe, als een restaurateur die penseelstreek na penseelstreek het origineel ruïneert.

Ik wil je niet bij elkaar moeten fantaseren zoals de generaal zijn heldhaftigheid bij elkaar fantaseert of de oude Simonin de triomf over zijn zoon, ik wil niet worden zoals al die mensen hier in Courtillon, die elkaar telkens dezelfde verhalen vertel-

len, telkens weer, met elke herhaling drogen hun herinneringen verder op, verschrompelen ze tot steeds minder zinnen, ik wil niet dat er van de belangrijkste tijd van mijn leven niets anders overblijft dan: 'We hielden van elkaar. Zij was jonger dan ik. Het was niet blijvend.'
De nachten zijn gewoon te lang.

Ik heb je een keer uitgenodigd voor een Franse gastvoorstelling in de schouwburg, in de pauze ontmoetten we elkaar als bij toeval. Jij kon niets met het *Spel van liefde en toeval* en zei tegen me: 'Je verveelt je nog vlugger dan dat je op je horloge kunt kijken.'

Zo is ook de winter in Courtillon: een eindeloos nablijven. Echte sneeuw hadden we alleen in november (een roestbruin verkleurd restje ervan wordt waarschijnlijk nog steeds bewaard in het laboratorium van de politie), daarna was het veel te warm en nu kruipt al weken elke dag de nevel vanaf de rivier het dorp in, koud en vochtig en donker, als de damp van vuil wasgoed. Het is alsof de kalender is blijven steken, alsof je steeds weer dezelfde dag meemaakt, steeds weer hetzelfde hout naar binnen sleept en dezelfde as naar buiten. Een jaargetijde voor spoken; een paar dagen geleden heeft de generaal 's nachts weer staan knallen om zijn eigen spoken te verdrijven.

Buiten de nare dromen beweegt er niets meer; al die verhalen waarover Courtillon zich zo heeft opgewonden, zijn als het ware bevroren, de dreigementen liggen te roesten en de hoop is weggekropen. De winter heeft ons allemaal eenzaam opgesloten en de weinige gebeurtenissen steken als punten uit de nevel.

Gebeurtenissen? De paardenboer is gestorven, wat Jojo erg gelukkig maakte. Bij begrafenissen mag hij namelijk een stropdas omdoen en in de hal van de kerk langzaam en plechtig aan het klokkentouw trekken. Hij voelt zich dan altijd heel belangrijk. Tegen mademoiselle Millotte, van wie hij boven alles houdt, zei hij in zijn enthousiasme: 'Als u dood bent, ga ik ook de klok luiden, ja, dan ga ik ook de klok luiden.'

Jojo – dat heb ik nu pas gehoord – was trouwens het neefje van de paardenboer en woonde bij hem in huis. 'Het zal een probleem worden,' zegt het dorp, 'als hij daar helemaal alleen woont.' Er zal een voogd benoemd moeten worden, niet zozeer vanwege Jojo als wel vanwege de boerderij die de paardenboer heeft nagelaten.

De paardenboer is verbazingwekkend genoeg toch niet in zijn emfyseem gestikt, zoals we allemaal hadden verwacht, hij heeft zich een kogel door het hoofd geschoten, met een jachtgeweer. Paardenhandelaren zijn slim en zo heeft hij zijn voorbestemde dood een hak gezet.

Zijn twee laatste paarden zijn weggebracht, waarschijnlijk naar het slachthuis, en binnenkort zullen de mensen zich ook de paardenboer nog maar met drie zinnen herinneren: 'Hij was degene die altijd werd gehaald als een beest moest jongen. Hij had het aan zijn longen. Hij heeft zichzelf doodgeschoten.'

Bij de uitvaartdienst zag ik voor het eerst de dikke pastoor van Saint-Loup weer. Het was ijskoud in de kerk en terwijl hij met zijn hoge stem over Gods genade sprak, wreef hij voortdurend in zijn handen, alsof hij met deze dood goede zaken had gedaan.

Het is hier gebruikelijk dat alleen de naaste familie mee naar het kerkhof gaat, en omdat de paardenboer niemand had, werd hij alleen vergezeld door de *cantonnier*, die ook dienstdoet als doodgraver. Dat zal geen pretje zijn met dit weer.

Na de mis, terwijl we allemaal voor de kerk stonden te trappelen (de chauffeur van de lijkwagen had de koplampen laten branden, zodat de accu leeg was), deelde monsieur Deschamps me mee dat alle onderzoeken waren stopgezet, niet alleen dat tegen mij. Wat zich in het *bois de la Vierge* had afgespeeld, was nu wel zo'n beetje bekend, er was hoogstens sprake van vernieling, en vanwege het incident op Jeans erf had niemand aangifte gedaan. Bovendien had zijn vrouw hem verzocht Maurice vanwege zijn kalmerende invloed op Valentine zo veel mogelijk te ontzien, ik kende de achtergronden waarschijnlijk beter dan wie ook. Overigens wilde hij graag van de gelegenheid gebruikmaken mij nog eens hartelijk te bedanken voor mijn pedagogische bemoeienissen met de jongen. Het zag ernaar uit dat de voornaamste vechtjas toch die Philippe was geweest, van wie ze nog steeds geen spoor hadden, waarschijnlijk zat hij alweer in Parijs, en hij, Deschamps, vond het allang best als de collega's daar weer het nodige met hem te stellen hadden. Monsieur Deschamps was in uniform naar de uitvaartdienst gekomen, ook piëteit is een officiële daad.

Zijn vrouw had voor de kerk een kanten doek in haar haar vastgestoken, die bij elke hoofdbeweging wapperde als een seinvlag. Sinds mijn gesprek met Maurice heeft ze mij in haar hart gesloten, ze denkt een nieuwe rekruut gevonden te hebben voor haar liefdadigheidsgroep en was bijzonder enthousiast dat ik zo aardig voor Elodie zorgde, ze had gehoord dat het meisje nu geregeld bij me op bezoek kwam. Ik was erg opgelucht toen de jonge Simonin eindelijk met een tractor kwam om de motor van de lijkwagen te starten. De dorpsetiquette staat niet toe dat je naar huis gaat voordat het lijk aan zijn laatste gang is begonnen.

Elodie is inderdaad vaak bij me, maar ik zorg niet voor haar, ik verleen haar alleen asiel. We praten weinig met elkaar, zelfs als we aan dezelfde tafel zitten, het doet haar goed een uur of twee gewoon stil te mogen zijn voordat ze thuis weer komedie moet spelen. Vaak krijg ik haar niet eens te zien; als ze niet toevallig huiswerk maakt, vindt ze in huis altijd wel iets te doen, mijn ramen zijn nog nooit zo vaak gelapt en ze heeft zelfs een *tête-de-loup* meegebracht, een soort schrobber met een lange steel waarmee je spinnenwebben te lijf gaat.

Op haar verzoek om bij me in te trekken is ze nooit meer teruggekomen, maar ik weet zeker – of ze zou niet de dochter van haar vader zijn – dat ze het plan niet heeft opgegeven. Ze vestigt nu haar hoop op de macht der gewoonte, ze wil me verleiden met gestreken overhemden en een bed dat elke dag wordt opgemaakt. Heel vanzelfsprekend en zonder me iets te vragen is ze zelfs begonnen met het opruimen van de tweede kamer, waar mijn hele verleden in kisten staat. De boekendozen heeft ze op elkaar gestapeld, ze heeft een kasteelmuur van met wijsheid bedrukt papier opgetrokken, die des te meer bescherming biedt omdat de boeken geschreven zijn in een taal die ze niet begrijpt. Daartussen heeft ze precies genoeg plaats gelaten om op elk moment een matras neer te kunnen leggen en weg te kruipen.

Thuis speelt ze weer het kind en vertelt ze onschuldige dingen over school, dat ze nu telefoonkaarten sparen bijvoorbeeld en dat nog niemand in de klas de salto kan, echt niemand.

Haar moeder schijnt er niets op tegen te hebben dat Elodie zo vaak naar mij toe vlucht, alsof het de normaalste zaak van de wereld is dat een meisje van twaalf liever bij haar buurman is dan bij haar ouders. Op een keer belde Geneviève bij me aan, maar ze wilde in geen geval dat ik haar dochter haalde, ik moest alleen tegen haar zeggen dat ze die avond vroeger aten, ze moest nog naar een cursus rijveiligheid. (Ik heb de geur van die dag nog in mijn neus. Elodie had de grote eikenhouten tafel in de keuken ingewreven met bijenwas, sindsdien glanst hij en ruikt hij naar een echt thuis.) We maakten nog even een babbeltje, Geneviève en ik, de gebruikelijke nietszeggende dialoog tussen buren, het doet er niet toe waarover je praat, zolang je de dode kat maar niet noemt. Wie Geneviève minder goed kent, zou niet op het idee komen dat ze problemen heeft, terwijl ze met haar man alleen nog samenleeft als met een bezetter. Ze noemt Jean nooit, maar dat kan ook toeval zijn, en rode ogen had ze altijd al.

Jean zelf is voortdurend op pad, ook al is er nauwelijks nog werk voor hem. Op een keer zag ik hem aan het eind van het dorp bij de gekke vrouw met de zwarte kippen. (Ja, ik weet intussen dat ze madame Ravallet heet, dat ze de moeder van de burgemeester is, dat ze ooit een schoonheid was, een geboren Du Rivault en een goede partij, maar voor mij zal ze altijd de kippenvrouw blijven.) Jean stond druk tegen haar te praten, ik heb geen idee wat hij van haar wilde, ze luisterde helemaal niet naar hem, natuurlijk niet, ze zag hem niet eens, en toch bleef hij maar gebaren en argumenteren. Misschien is hij ook al een beetje gek.

Hij gaat ook veel naar het bos, urenlang, hoewel het er niet de tijd van het jaar voor is. Als hij terugkomt, laat hij in de hele kamer moddersporen achter, opzettelijk, en Geneviève laat ze opdrogen, demonstratief. Als haar man niet bestaat, bestaan ook zijn voetsporen niet. Ik vraag me af of hij ondanks de waarschuwing van Ravallet nog altijd bezig is met die oude geschiedenis van de koerier.

Onze burgemeester heeft het kennelijk bij een dreigement gelaten; als eraan gewerkt werd om Elodie in een tehuis te stoppen, had ik dat vast wel van madame Deschamps gehoord. Ik heb Ravallet al een hele tijd niet meer in het dorp gezien, bij de *permanence*, twee keer per week, laat hij zich door Bertrand vertegenwoordigen, die is *premier adjoint*, wat betekent dat hij de klusjes in de *mairie* mag opknappen en zich in ruil daarvoor belangrijk mag voelen. Hoe het tussen Bertrand en Jean staat weet ik niet, ik kom niet meer bij de Perrins thuis en met dit weer zijn toevallige ontmoetingen moeilijk tot stand te brengen.

De afgelopen weken heb ik maar één keer met Jean gepraat. Hij klopte op een ochtend helemaal opgewonden op mijn raam en stond erop dat ik meteen mijn jas aantrok en een eindje met hem meeliep, hij moest me iets belangrijks laten zien. Het was nog donker buiten, (het is nu eigenlijk altijd donker) en we moeten eruitgezien hebben als twee samenzweerders, zoals we daar naast elkaar liepen, allebei met onze kraag omhoog en de handen in de zakken. Buiten ons was er niemand op straat, alleen de jonge Simonin kwam op een van zijn machines langsdenderen. Ik weet niet wat er in deze tijd van het jaar op het land te doen valt.

Pas ver achter het kerkhof, waar ook de generaal ons niet meer vanuit een raam kon observeren, liet Jean me zien wat hem zo van zijn stuk had gebracht. Hij had die dag een brief gekregen, een anonieme dreigbrief, afgestempeld in Aubervilliers, een satellietstad ten oosten van Parijs, en hij wilde dat ik zijn vermoeden bevestigde dat alleen Philippe de schrijver kon zijn, Phi, de jonge vechtjas die 'm uit Saint-Loup is gesmeerd. Jean had de envelop in een plastic hoesje gestopt, als een rechercheur die geen vingerafdrukken wil uitwissen. Toen hij hem eruit haalde, trilde zijn hand.

Ik ben het met hem eens dat de brief van Philippe komt, de inhoud en de hele toon zijn onmiskenbaar. Jean moest oppassen, schreef Phi, hij had hem al twee keer in elkaar geslagen en zou het weer doen, steeds weer, 'et un jour je te vianderai, en op een dag steek ik je dood'. Jean moest boeten voor alles wat hij Valentine had aangedaan. (In de brief staat alleen 'V', de naam gereduceerd tot twee littekens.) Het epistel eindigt met een melodramatisch dreigement dat Phi in een film opgepikt moet hebben. 'Je bent al dood,' staat er, 'je weet het alleen nog niet.'

Jean was bang, hoe harder hij praatte, hoe duidelijker de angst in zijn woorden doorklonk. Toch wilde hij er in geen geval met monsieur Deschamps over praten, als gendarme stond die in dienst van de burgemeester en ze zouden ook dit dreigement nog tegen hem uitspelen. Nee, ook dit probleem moest hij alleen zien op te lossen en hij wist ook al hoe, hij zou zich niet nog eens van achteren laten verrassen, nooit meer, ze zouden nog van hem opkijken, tenslotte had hij in het leger gezeten en geleerd van man tot man te vechten en iemand met blote handen de nek om te draaien. Hij gelooft niet erg in zijn eigen moed, hij weet heel goed dat het uniform geen held van hem heeft gemaakt, ook al heeft hij twaalf maanden met kortgeschoren haar en met een getatoeëerde dolk op zijn achterwerk rondgelopen. 'Je vais leur casser la figure,' dreigde hij zonder te merken dat hij over Philippe alweer in het meervoud sprak, als over een overmacht waartegen je je niet echt kunt verweren.

Misschien had hij verwacht dat het hem opluchtte als hij me de brief liet zien, maar die hoop kwam niet uit. Angst wordt alleen maar groter als je hem met anderen deelt.

'Ik wil niet dat je er met iemand over praat,' zei Jean en hij schoof de envelop zorgvuldig terug in het plastic hoesje. Nu pas zag ik wat hij had gebruikt: een diepvrieszakje waarin je doorgaans groente vers houdt, geen dreigementen. Hij blijft een praktisch mens, ook in zijn paniek.

Ik heb me aan zijn verbod gehouden en ook Jean zelf schijnt zijn oude praatzucht afgelegd te hebben. Zelfs mademoiselle Millotte heeft niets van de brief gehoord, hoewel ze het nieuwtje vast net zo graag op haar weegschaal had gelegd als monsieur Charbonnier een zware karper. Als enige in het dorp laat ze zich niet door het slechte weer opsluiten en blijft ze in haar uitkijkpost zitten, ook al valt er niet veel te zien in die kille prut. Op een gegeven moment is het een gewoonte geworden dat de mensen haar hun afgedankte kleren brengen; deze keer droeg mademoiselle een voor kinderen bedoelde blauwe regencape, met een capuchon als een puntmuts. Ze had de openingen voor de armen nog niet ontdekt en zat in haar rolstoel als de torso van een oude vrouw.

In het koude jaargetijde groeien er te weinig gebeurtenissen in Courtillon, de tuinen zijn kaal. In een ideale wereld zouden nieuwtjes ingemaakt moeten kunnen worden in potten, zodat je ze desgewenst uit de kelder kunt halen. De oude dame was duidelijk teleurgesteld dat ik niets opwindends te vertellen had, maar ze kwam op haar beurt wel triomfantelijk met een kleine sensatie aanzetten. Het schijnt (het verhaal is uit de derde hand, maar de informanten van mademoiselle Millotte zijn betrouwbaar) dat Valentine afgelopen dinsdag, even voor middernacht, ergens heeft aangebeld, bij een gezin dat pas in het dorp is komen wonen; de huizen zijn hier goedkoper dan in Montigny. Valentine moet eerst heel beleefd geweest zijn, ze verontschuldigde zich voor de nachtelijke storing, maar het was helaas dringend volgens haar, ze had net gehoord dat het gezin twee kleine dochtertjes had en er was iets wat geen uitstel duldde. De nog niet in het plaatselijke geruchtencircuit opgenomen nieuwkomers wisten kennelijk niets van Valentine en haar voorliefde voor dramatische scènes, ze zullen gedacht hebben dat het echt om een noodsituatie ging.

U moet de meisjes in geen geval zonder toezicht op straat laten spelen, was Valentine verdergegaan, er was een zedendelinquent in Courtillon, een zekere Jean Perrin, die bij voorkeur met kinderen aanpapte, maar omdat hij met de autoriteiten onder één hoedje speelde, had men tot nu toe alles verdoezeld.

Ik kan me de scène goed voorstellen, de gele lichtstreep uit de open deur (na halfelf brandt hier geen enkele lantaarn meer), Valentine in de motregen als achter een gazen gordijn, haar ernstige, bleke gezicht, de lichtende boog van haar sigaret bij elk gebaar, de beide ouders dicht opeen, elkaar beschermend tegen de nachtelijke kou en de vreemde situatie, hun vragende blikken, de ontsteltenis toen Valentine begon te vertellen wat Jean met haar had gedaan toen ze zelf nog een klein meisje was, wat niet alleen Jean met haar had gedaan, maar ook zijn vrouw en de burgemeester, trouwens iedereen in het dorp, de toenemende verwarring, de twijfels en daarna de schrik toen Valentines stem steeds luider werd, toen ze begon te gillen, op straat, midden in de nacht, ze zullen de deur hebben dichtgeslagen en de sleutel in het slot omgedraaid nog voordat Valentine met het schuim op de mond over het natte plaveisel rolde, en daarna zullen ze alleen nog van achter het gordijn hebben gekeken hoe Maurice erbij kwam, die hulpeloos in het donker had staan wachten, hoe hij Valentine kalmeerde, troostte en haar ten slotte wegvoerde, de nacht in, die nooit zo donker kan zijn als haar fantasieën.

De volgende dag is madame Charbonnier, de *greluche*, bij die mensen langsgegaan om zich voor haar dochter te verontschuldigen.

Toch – dat weet ik weer van monsieur Brossard – heeft de man van het stel zich heel officieel op het gemeentehuis gemeld en geëist dat de gemeente iets doet, het meisje was volgens hem duidelijk in de war, zo iemand hoorde onder behandeling en niet op straat. Bertrand, als spreekbuis van Ravallet, heeft de zaak gesust en gezegd dat *monsieur le maire* zich beslist bewust was van het probleem maar dat ze, ook na overleg met deskundigen, tot de conclusie waren gekomen dat mademoiselle Charbonnier geen gevaar voor derden vormde, de nodige maatregelen waren al getroffen en de nachtelijke scène, een betreurenswaardige terugval, zou zich zeker niet herhalen.

'Ravallet kan die situatie alleen maar toejuichen,' luidde het commentaar van *le juge*, 'zolang de mensen Valentine door het slijk halen, denken ze niet na over de grindafgraving.'

De affaire heeft geen vervolg gekregen. Slechts een enkele keer zie ik Valentine door het dorp lopen, met een zoekende blik, alsof ze iets waardevols heeft verloren, en altijd erg gehaast. Een paar passen achter haar volgt Maurice, maar hij kijkt me niet aan als we elkaar tegenkomen.

En verder? Het is koud, het is nat en elke dag is als de vorige.

O ja, op een gegeven moment was het ook oudjaar. Ik heb voor Jojo een paar vuurpijlen gekocht omdat hij zo van vuur houdt. Hij wilde niet wachten tot het nacht was, hij heeft ze in het middaglicht een voor een aangestoken en was vreselijk teleurgesteld. Zelfs vuurwerk schittert niet in Courtillon.

En toen kwam jouw brief.

Je weet wat je me daarmee hebt aangedaan.

Je weet het niet.

Ik zag het handschrift op de envelop en kon mijn ogen niet geloven. Dat is weliswaar een van die kant-en-klare formuleringen die op de bodem van de taal liggen als uitgedroogde vliegen, maar in dit geval omschrijft ze exact wat er in me omging. Ik wist zeker dat het niet waar kon zijn, dat ik het me verbeeldde, dat het een droom was die zich in de dag had vergist. Maar in een droom had er naast jouw brief geen reclamefolder voor goedkoop vlees gelegen, 'vul nu uw diepvrieskist en al uw zorgen zijn verleden tijd', in een droom had de envelop niet dagenlang in de brievenbus liggen wachten tot het papier vochtig en muf was, ik zou hem meteen gevonden hebben, in een droom waren er altijd brieven van jou.

Ik ken je handschrift zo goed, het staat schuin op de regel en dringt vol ondernemingslust naar voren. De laatste letter van een woord is nooit voluit geschreven, alleen een slinger in de lucht, je hebt geen tijd en bent alweer bij de volgende. 'Courtillon' heb je onderstreept, waarbij de balpen is uitgegleden, het lijkt alsof je het adres ongeldig hebt willen maken: ik heb me bedacht, nee, ik schrijf hem toch niet.

Had je het maar niet gedaan.

Ik heb de brief opengescheurd, in de gang nog, ik heb de envelop kapotgetrokken en mijn ongeduld op hetzelfde moment weer betreurd. Ik wilde immers van elk detail ten volle genieten, seconde na seconde, ik had er zo lang op gewacht en nu was het eindelijk zover.

Wat ben ik toch een idioot.

Ik dacht echt dat het wachten voorbij was.

Ik was zo gelukkig toen ik de brief uit de envelop haalde. Sinds ik in Courtillon ben, heb ik hem al duizend keer gekregen en duizend keer beantwoord. 'Kom, ik wacht op je,' heb ik je telkens geschreven. 'Ik wist dat je voor mij zou kiezen.'

Je hebt gekozen.

Ik heb je brief heel langzaam opengevouwen, aan de keukentafel, waar het naar thuis-zijn ruikt. Het is niet waar dat je je adem op zo'n moment inhoudt, hij gaat vlugger.

Je bent eroverheen, schrijf je.

Alsof het een ziekte was waarvan je met een goede verzorging en de juiste begeleiding moet herstellen.

Alsof ik je heb overvallen.

De therapie heeft succes gehad, schrijf je. Je hebt geleerd dat je mij geen verwijten mag maken, verwijten houden iemand maar in het verleden vast, en voor jou is nu alleen de toekomst nog belangrijk.

Welke verwijten? Welke toekomst?

Je hebt zelf ook fouten gemaakt, schrijf je, al had ik je daarvan moeten weerhouden omdat ik ouder en ervarener ben.

Maar ik had nog nooit iemand als jij ervaren!

Nooit.

Je wilde me dat alles nog een keer persoonlijk zeggen, schrijf je, het zelf formuleren, voor de laatste keer, om het voorgoed achter je te laten.

Je laat mij achter je.

Het is goed, schrijf je, dat ik me in Frankrijk heb teruggetrokken. De zekerheid dat je mij nooit meer hoeft tegen te komen, maakt het makkelijker voor je.

Schrijf je.

Schrijft iemand die met jouw naam ondertekent.

Het is voorgoed voorbij.

Ik blijf opgesloten in Courtillon en weet niet meer welke kleur je ogen hebben.

Je hebt geen ogen meer.

*I*k ben nooit je leraar geweest.
'Dat is geen excuus!' snauwden ze me toe, ze lieten me niet eens uitpraten. Ze zouden toch niet begrepen hebben wat ik hun wilde uitleggen. Als ik je langer had gekend, zou het wonder van je glimlach me niet zo hebben overweldigd. Als ik je eerst in de klas had meegemaakt, hulpeloos onregelmatige werkwoorden stotterend, zou de klank van je stem me niet zo hebben betoverd. Ik zou afstand hebben bewaard, pedagogisch correct.

Misschien.

'Aan schoolreisjes van meer dan één dag moeten twee leden van het docentenkorps deelnemen.' De reis ging naar Parijs, dus was het logisch dat als tweede man een leraar Frans meeging.

Ik zag je voor het eerst op het station. Jullie vormden het gebruikelijke kakelende groepje, onvolwassen stemmen en onvolwassen gezichten, jullie zaten op de grond, tegen jullie reistassen en rugzakken aan. De klassenleraar noemde me jullie namen en ik deed niet eens moeite ze te onthouden. We zouden vijf dagen samen zijn en elkaar daarna nooit meer zien. Toen ik ter begroeting van de een naar de ander liep, gaven jullie me een hand zonder me echt waar te nemen.

Behalve jij.

'Hoe kon u zoiets doen?' vroegen ze me steeds weer en ik mocht niet het antwoord geven dat voor op mijn tong lag.

Het was eenvoudig.

Je tilde je hoofd op. Je haar viel opzij. Je glimlachte.

Ik weet zeker dat je glimlachte, al heb ik de herinnering aan die eerste ontmoeting zo vaak opgehaald dat ze glimmend is gepoetst, een spiegel waarin ik alleen nog mezelf sprakeloos zie staan. Dat was je eerste geschenk aan mij: sprakeloosheid. Mijn leven had uit woorden bestaan en nu begon zonder woorden het leven. Men noemde me je naam en ik hoorde hem niet. Je was als een golf over me heen geslagen.

Ik ben waarschijnlijk niet eindeloos blijven staan, hoewel het in mijn herinnering zo lijkt, de eeuwigheid duurde waarschijnlijk niet langer dan een blik van je ogen. Waarvan ik de kleur niet meer weet.

In plaats daarvan zie ik nog heel precies de foto die de directeur zo verwijtend voor mijn ogen hield, voordat hij hem liet rondgaan in de kring van verontwaardigden. Iedereen mocht jou een keer vastpakken en daarna naar mij kijken en misprijzend zijn hoofd schudden. Tenslotte waren ze daarvoor gekomen. Het was een zwart-witfoto die niets met jou te maken had, een massaproduct uit de automaat, een willekeurig meisje met een willekeurig gezicht. Het flitslicht had je ogen dom verblind, er was geen verklaring in te vinden. Van de tekening in het plantkundeboek leer je niets over de geur van een roos.

'U hebt het met een leerling aangelegd.' Aangelegd. Wat waren ze trots op hun eigen verontwaardiging, wat geilden ze zich op aan hun eigen zedigheid. Terwijl alles heel anders was.

Tijdens de reis had ik vier plaatsen voor mij alleen; ik hoorde er niet echt bij en dus was er niemand naast me komen zitten. Ik had iets meegenomen om te lezen, natuurlijk, een boek met liedteksten en gedichten van Jacques Prévert. Ik heb het boek nog steeds, het ligt naast mijn bed en ik zal het nooit meer ter hand nemen. Op het omslag heeft Prévert net zijn hoofd omgedraaid en kijkt hij iemand aan, van onder zijn sportpet, half minachtend en half meewarig.

Cet amour si beau
Si heureux
Si joyeux

Et si dérisoire.
Tremblant de peur comme un enfant dans le noir.
Et si sûr de lui
Comme un homme tranquille au milieu de la nuit.
Jullie zongen andere liedjes, zoals je ze in de Franse les leert, *'Sur le pont d'Avignon'* en *'Au clair de la lune'.* Jullie hadden er lol in de kinderachtige melodieën zo vals mogelijk te blèren. Ik probeerde jou erbovenuit te horen, 'Hallo, dag', had je tegen me gezegd, meer niet, maar ik herkende je stem tussen alle andere. Je zong met enthousiasme vals en ik luisterde verrukt.
Si beau
Si heureux
Si joyeux.
'Misbruik van een afhankelijkheidsrelatie', noemden ze het en dat woord was zo goed en zo verkeerd dat ik tot ieders verontwaardiging hard moest lachen. Ik hoorde niet te lachen, ik hoorde berouwvol te zijn, me nederig te onderwerpen, terwijl zij met hun morele rode potlood mijn leven zaten te corrigeren als een verprutst examen. Ze duldden geen tegenspraak, zeker niet de tegenspraak die ik had beleefd.
Si dérisoire.
Ik ben je uit de weg gegaan bij alle gebruikelijke haltes van een leerzame reis naar Parijs, ik ben in de Eiffeltoren niet in dezelfde lift gestapt en heb in het Louvre gedaan of ik belangstelling had voor schilderijen waar jij al voorbij was. Alleen in het labyrint van Versailles zijn we een keer naar elkaar toe gelopen, heel even waren we alleen op de wereld, toen opende zich een zijpad tussen de groene muren en heb ik me uit de voeten gemaakt.
We hebben geen woord met elkaar gewisseld, jij en ik. Wat had jij moeten bespreken met een vreemde leraar die alleen als paragraaf van het schoolreglement aanwezig was, gewoon omdat er iemand moest zijn die steeds weer telde of iedereen wel in de bus zat? Wat had ik moeten bespreken met een leerlinge die ik niet kon aankijken zonder dat mijn adem stokte?

'Het hart klopt in de keel' is geen holle frase. Het bonst zo hard in je slapen dat je denkt dat iedereen het moet horen. Ik ben voor je weggelopen, vier dagen lang, door heel Parijs.

De laatste avond van de reis, als het traditie is dat de klassenleraar de toffe jongen uithangt en zich met zijn leerlingen bedrinkt, stond er een tocht door de studentenkroegen in Quartier Latin op het programma. Ik deed of ik hoofdpijn had en zat alleen in de kleine bistro vlak naast ons hotel.

Alleen.

'U hebt de situatie uitgebuit,' zeiden ze.

Ze begrepen er niets van.

Ik had je niet binnen zien komen. 'Mag ik bij u komen zitten?' zei je. Ik sprong op, mijn stoel viel om en jij lachte. 'Ik heb mijn maag bedorven,' zei je, 'ik moet nu absoluut iets eten.' En je lachte alweer. 'Het was een smoes,' zei je. 'Ik had geen zin om met de anderen mee te gaan. Uw hoofdpijn is toch zeker ook niet echt?'

En toen zat je tegenover me.

Het tafellaken was wit, met een schaakbordpatroon van nog wittere velden, waarvan de stof glansde. Het servet paste er niet bij, het was van geel papier, met een rand van opgedrukte blauwe bloemen. In een langwerpig mandje stond brood klaar, de sneetjes keurig achter elkaar gelegd. Aan een vork was één tand een beetje verbogen. Naast het wijnglas had ik een rode vlek op het tafellaken gemaakt.

Het duurde lang voor ik je aan durfde te kijken.

Tremblant de peur comme un enfant dans le noir.

En ik kan je gezicht niet meer beschrijven. Ik heb te veel kaarsen voor je foto gezet en de rook heeft de kleuren donker gemaakt.

'Wat kun je hier eten?' vroeg je.

De optie van een officiële tuchtzaak moesten ze natuurlijk openhouden, zeiden ze. 'Maar een discrete oplossing heeft onze voorkeur. Ook in het belang van het slachtoffer.'

Was er een slachtoffer?

Ze hadden precies bedacht wat er allemaal voorgevallen moest zijn en wat er nu moest gebeuren, ze waren gewend voor een klas te staan en een lijst af te vinken, punt voor punt, zonder tegenwerpingen te verwachten of twijfels te dulden. De Hunnen hebben Europa overvallen, Cortés heeft Mexico veroverd, een leraar heeft een leerlinge verleid. De werkelijkheid is niet geschikt om af te vinken.

De ober bracht een tweede glas, vanzelfsprekend en zonder schuine blikken, ik schonk je in – ik hoor nog de rinkelende dans van de flessenhals op de rand van het glas –, je nam een grote slok en glimlachte tegen me. Met die glimlach van je.

Si beau
Si heureux
Si joyeux.

'Het gebeurt niet elke dag,' zei je, 'dat je samen met een leraar spijbelt.'

Het was allemaal zo vanzelfsprekend. Alsof we hadden afgesproken, nee, alsof we helemaal geen afspraak nodig hadden gehad, omdat het gewoon niet anders kon dan dat wij daar bij elkaar zaten, dat de ober twee borden voor ons neerzette, dat we op hetzelfde moment naar het brood grepen en ik je hand aanraakte, voor de eerste keer.

Het was allemaal zo vanzelfsprekend.

Hoe had ik hun dat moeten uitleggen, terwijl ze overal wat achter zochten? Had ik hun moeten vertellen hoe gelukkig het me maakte jou te zien eten, omdat je er helemaal met je aandacht bij was, (zoals bij alles wat je doet, maar dat wist ik toen nog niet), had ik moeten beschrijven hoe je je bord leegschepte, zodat ik ook het mijne naar je toe schoof, dat ik nog niet eens had aangeraakt, had ik dat moeten beschrijven? Had ik over je eetlust moeten praten, je onverzadigbare, levensgrote eetlust, zouden ze begrepen hebben dat je iemand alleen al kunt aanbidden om de manier waarop hij het bestek naar zijn mond brengt, waarop hij kauwt, waarop hij slikt? Zouden ze naar me geluisterd hebben?

Je schoof je bord weg, dronk je glas leeg en zei zonder overgang: 'Ik wil weten waarom u me de hele tijd zo aankijkt.'

Ik wist geen antwoord, behalve de waarheid, en die kreeg ik niet over mijn lippen. Niet meteen. *'Têtu comme une bourrique'* noemt Prévert de liefde, 'koppig als een ezelin'.

'Ik wil het weten,' zei je.

Op een gegeven moment ben ik gaan praten.

'Aha!' zeiden ze toen ik hun daarover vertelde, toen ik nog dacht dat ze me wilden begrijpen en niet alleen veroordelen. De directeur maakte een aantekening, uit zijn beweging maakte ik op dat hij een uitroepteken zette, meer was niet nodig, de antwoorden die ik moest geven stonden allang op papier, het examen was nog aan de gang, maar over het cijfer waren ze het al eens.

Schuldig.

Ze hadden alles voorbereid, ook het medisch attest, van een psychiater die me nog nooit had gezien. 'Burn-out,' luidde de diagnose, 'medisch ongeschikt voor verder functioneren in het onderwijs.' Voor het eerst van mijn leven was ik helemaal gezond en daarom werd ik nu ziek verklaard.

Ik had het allemaal kunnen voorzien en heb nergens aan gedacht. De wereld waarin we tegenover elkaar zaten, die nacht in Parijs, was een wereld waarin geen schoolhoofden bestonden, geen inspecties, geen vertegenwoordigers van het ministerie. Jij was er, ik was er, er was een fles wijn en een wit tafellaken, er was jouw luisteren en mijn praten, de woorden kwamen steeds makkelijker en vlugger, ik wist de weg, zonder te kijken.

Si sûr de lui

Comme un homme tranquille au milieu de la nuit.

Je bent me niet in de rede gevallen, je hebt naar me geluisterd zonder je ogen van me af te wenden, en toen het gezegd was heb je geknikt, alsof ik alleen had bevestigd wat je allang wist.

En je bent opgestaan en weggegaan.

Dat geloofden ze niet, dat het minst van al. Dat er niets is gebeurd die nacht, dat ik je niet heb tegengehouden, dat ik je heb laten gaan, dat ik later in m'n eentje door de straten heb gelopen en alles voor het eerst heb gezien en gehoord en geroken, de huizen, de auto's, de met krullen versierde ingangen van de metro. Dat ik mijn eigen leven bezocht als een toerist en dat niets meer was zoals het in de reisgids stond.

Hoe hadden ze dat ook moeten geloven?

We hebben tijdens die reis niet meer met elkaar gepraat en daar was ik dankbaar voor. In jouw buurt zijn en je niet aanraken, dat was nog te doen, ik speelde het zelfs klaar om je aan te kijken zonder je blik te ontwijken, maar ik had niets tegen je kunnen zeggen, geen woord, zonder dat mijn bolwerk als een zandkasteel voor de eerste golf van de zee ingestort zou zijn. Mijn stem trilde al toen je langs me heen in de bus stapte en ik je moest tellen, 'negen, tien, *elf*', alsof je een nummer was als alle anderen, gestanst op dezelfde machine, terwijl je niets gemeen had met die onuitgeslapen, vlekkerige gezichten na een lange nacht, jij schitterde, jij straalde, en als ik met je had gepraat, had ik het weer tegen je moeten zeggen, wie er ook bij geweest zou zijn, wie er ook geluisterd zou hebben, ik had over mijn liefde moeten praten (het was destijds alleen mijn liefde, nog niet de onze), ik had het niet kunnen verzwijgen.

Cet amour qui faisait peur aux autres
Qui les faisait parler
Qui les faisait blémir.

We hebben niet meer met elkaar gepraat, niet op het station, waar we te laat aankwamen en naar het perron moesten rennen, niet in de trein, waar een jongen zich ongegeneerd had uitgestrekt en urenlang tegen mijn schouder sliep, niet bij aankomst toen jullie allemaal haast hadden en alle kanten op renden en ik op het laatst helemaal alleen stond, een laatste blik van jou verwachtend en vrezend. We zouden elkaar nooit meer ontmoeten, dacht ik, heel bedroefd en heel erg opgelucht.

Opgelucht, ja. Ook dat zouden ze niet begrepen hebben.

Ze waren zo trots op zichzelf omdat ze me een uitweg boden. Ze zaten daar met vijandige gezichten – *'se regarder en chien de faïence'* heet dat hier, 'elkaar aanstaren als porseleinen honden' – en kwamen toen eindelijk bij het punt waar ze al de hele tijd op hadden aangestuurd. 'We doen u een voorstel,' zeiden ze, 'in het belang van de goede naam van onze school.'

Hun edelmoedigheid was een verwijt, maar ik heb alleen mezelf iets te verwijten: dat ik de volgende stap niet zelf heb gezet, dat ik laf weer in mijn dagelijkse leventje ben weggekropen, een niet-zwemmer die blij is dat de Lorelei niet meer zingt. Ik heb mezelf te verwijten dat ik niet de moed had mijn gevoelens te volgen. Ik heb mezelf te verwijten dat ik niets heb gedaan om jou te verdienen. Misschien ben ik je daarom wel kwijtgeraakt.

Misschien.

Je stond voor mijn deur, je kwam binnen, je keek rond zoals je rondkijkt in een hotelkamer die je voor langere tijd wilt huren, je keek me aan, vergeleek me met de man die ooit woorden had gevonden, een avond lang, in een bistro in Parijs, en je moet nog overeenkomsten hebben gevonden, want je stak je hand uit, je stak hem uit tot ik hem pakte en zei dezelfde woorden als destijds in die magische nacht.

'Ik wil het weten,' zei je.

Et il nous parle sans rien dire
Et moi je l'écoute en tremblant.

En zo begon de tijd die ik me niet wil herinneren omdat ik de herinnering niet meer kan verdragen. Alleen zolang je een engel blijft, brand je je ogen niet blind als je in de zon kijkt. Zo begon de tijd waarin de regels waren opgeheven, waarin het leven geen grammatica meer kende en voor het eerst begrijpelijk werd. Zo begon de tijd die we uit de kalender smokkelden, zodat er voor de anderen alleen papier overbleef en getallen die niets meer betekenden. Zo begon de tijd waarin we geen net nodig hadden om op het touw te dansen en van trapeze naar trapeze te vliegen. Ze begon de tijd.

En nu is hij ten einde.

'We doen u een voorstel,' zeiden ze. 'U hebt toch een huis in Frankrijk,' zeiden ze. 'Als u belooft niet naar Duitsland terug te keren,' zeiden ze, 'dan zullen we van verdere vervolging van de zaak afzien.' Ik heb alleen ja gezegd omdat ik er zeker van was dat je voor mij zou kiezen. Ik ben alleen hierheen gegaan om op je te wachten. Alleen daarom heb ik me in Courtillon laten opsluiten.

Maar zodra ik niet meer in je buurt was, hebben ze je zo lang begeleid en behandeld en in therapie gedaan tot je jezelf niet meer was, tot ze je willoos hadden gemaakt, de schuldige hadden ze al, nu hadden ze alleen nog een slachtoffer nodig, ze hebben op je in gehamerd tot je net zo vervormd was als alle anderen, tot je in het kader paste, ze hebben je gezond gemaakt en van die gezondheid zul je je leven lang niet herstellen.

Ik zal de uren en de dagen en de weken en de maanden tellen, ik zal eindeloos door het dorp lopen, jij zult er niet zijn en ik zal je op elke hoek tegenkomen, en alleen Jojo zal me begrijpen omdat hij ook een idioot is.

Notre amour reste là
Têtu comme une bourrique
Vivant comme le désir
Cruel comme la mémoire
Bête comme les regrets
Tendre comme le souvenir
Froid comme le marbre
Beau comme le jour
Fragile comme un enfant.

Februari.

Maart.

April.

*A*ls ik het wil begrijpen, moet ik het opschrijven. Afgelopen donderdag, even voor halftien, stopte de bakkerswagen voor het huis van mademoiselle Millotte. De chauffeur stapte uit om de oude dame haar *demi-baguette* te brengen, die ze altijd pas twee dagen later opeet, gedroogd en in melk weer geweekt. Mademoiselle leek te slapen, wat hem niet erg verontrustte, vaak vallen midden in een gesprek haar ogen dicht en is ze even plotseling weer klaarwakker. De chauffeur – hij deed dat niet voor het eerst – legde de *baguette* op haar schoot en wilde al naar zijn wagen teruglopen toen opeens de gedachte bij hem opkwam (hij heeft het verhaal aan iedereen in het dorp verteld en telkens zei hij 'toen opeens de gedachte bij me opkwam') dat het toch ongezond moest zijn om ver voorovergebogen en met het hoofd op de borst te zitten slapen. Hij wilde haar in een makkelijker houding zetten ('Ik heb drie kinderen,' zei hij, 'en precies zo ziet het eruit als er eentje in de auto in slaap valt.'), maar toen hij haar aanraakte, voelde hij hoe koud haar huid was, zelfs te koud voor een oude vrouw in een rolstoel van wie het bloed niet veel meer hoeft te bewegen.

Ook al woont de chauffeur niet hier, hij kende Courtillon goed genoeg om meteen de hulp van madame Deschamps in te roepen, zij heeft het nodig-zijn nodig als een roker zijn sigaretten. Madame Deschamps haalde op haar beurt madame Simonin erbij – de dood behoort tot de bevoegdheden van de godsdienst en zij beheert de sleutel van de kerk. De beide vrouwen hadden het kleine oude lichaam al uit de rolstoel getild ('zo licht als een bos stro', vertelde madame Deschamps) en wilden haar naar binnen dragen toen ze het bloed ontdekten. Madame Simonin gaf een gil en was waarschijnlijk het liefst weggerend, maar madame Deschamps, die haar hele leven naast een gendarme heeft doorgebracht en met zulke dingen vertrouwd is, zorgde ervoor dat het lijk zorgvuldig werd teruggezet, 'er mag niets veranderd worden', zei ze en zo bleef mademoiselle Millotte op haar vaste plaats zitten tot monsieur Deschamps en de dokter uit Montigny waren gehaald.

Het onderzoek was gauw afgesloten, want de situatie was duidelijk. Mademoiselle Millotte was getroffen door een kogel, het moet tussen middernacht en drie uur in de ochtend gebeurd zijn, vermoedde de dokter. Niemand kon zich een schot herinneren, maar dat was niet zo verwonderlijk, ze worden hier zelfs van een nachtelijke schietpartij niet echt wakker, de generaal wint zijn oorlog weer eens, denken ze dan en slapen verder. Weliswaar schiet monsieur Belpoix doorgaans de andere kant op, alsof de vijanden die hem 's nachts bedreigen vanaf het kerkhof aan komen stormen (en misschien doen ze dat ook wel, angsten hebben hun eigen werkelijkheid), maar het was beslist denkbaar dat hij in de verwarring van zijn nachtmerries het vreemde leger voor één keer in Courtillon had gezien, verschanst tussen de vertrouwde muren, en dat hij daarom zijn geweer op het dorp had gericht en toen had geschoten. Ook dat mademoiselle Millotte nog zo laat of al zo vroeg buiten zat was niets bijzonders, de nachten zijn niet koud meer, je kunt allang weer naar buiten zonder je adem als een witte vlag voor je uit te dragen. Monsieur Belpoix had geschoten, dat stond buiten kijf, en mademoiselle Millotte, die zo van sensaties hield, had er eindelijk zelf een aan de dorpsalmanak toegevoegd: voor haar eigen huis door een verdwaalde kogel gedood. Waar de generaal ook op had gemikt, hij had goed getroffen, 'recht in het hart', zei de dokter, 'ze kan niet hebben geleden'.

De reactie in het dorp was opvallend eenzijdig en zonder droefheid. Het is alsof mademoiselle Millotte al jaren geleden is gestorven en men nu pas de tijd heeft gevonden haar te begraven. Waarover de mensen praten, steeds weer opnieuw en elkaar bij elke herhaling overtreffend, is de huivering die iedereen gevoeld zegt te hebben toen hij langs haar huis liep en haar in haar rolstoel zag zitten, ogenschijnlijk als altijd en toch al dood. In het halve uur voordat de dokter arriveerde, is heel Courtillon toevallig langsgekomen; zoiets laat je je niet ontgaan. Ik heb haar daar ook zien zitten en waarschijnlijk zal ik me over een paar jaar een griezelig gevoel herinneren dat ik helemaal niet heb gehad; er is geen groot verschil tussen leven en dood.

De generaal wordt niets verweten, 'hij is nu eenmaal oud', zeggen de mensen, waarna ze overgaan tot de veel interessantere vraag waarom Ravallet en monsieur Deschamps niet al veel eerder hadden ingegrepen, als burgemeester en gendarme, tenslotte was Belpoix al lang een gevaar voor lichaam en leven, en ze hadden het altijd al gezegd. Die twee hadden telkens volstaan met een vermaning, daar moest toch iets achter zitten, het lintje van het Legioen van Eer alleen kon het niet geweest zijn. Ze hadden de nachtelijke schietpartijen gebagatelliseerd als folklore, als iets wat nu eenmaal bij het dorpsleven hoorde, zoals de kransen die op 8 mei bij het monument voor de gevallenen zijn gelegd, het is pas een paar dagen geleden en de generaal hield de erewacht en was een held. Achteraf beweren sommigen dat ze toen al iets gevaarlijks bij hem bespeurden, maar die mensen worden alleen maar uitgelachen.

Toen Ravallet en monsieur Deschamps bij hem aanklopten, verwachtte monsieur Belpoix hen al. Hij had het uniform aangetrokken dat hij pas na de oorlog heeft gekregen, speciaal voor de overwinningsparades. Het jasje, aangemeten bij een jongeman, slobberde om zijn oudemannenarmen (dat weet ik van madame Deschamps, die mij graag alles vertelt sinds ze me heeft opgenomen in haar verbond van goede mensen). Hij stond in de houding, met zijn ogen wijd open, alsof hij ze had kunnen sluiten als hij maar had gewild, hij salueerde en zei: 'Ik ben blij dat u bent gekomen, *messieurs*.' Op de tafel in de woonkamer lagen zijn wapens in het gelid, keurig op een rij, geweren en pistolen, hij bewaart ze al vijftig jaar en er zit nog geen roestplekje op. 'Het waren zoveel wapens,' zegt madame Deschamps, 'dat ze drie keer moesten lopen voordat ze ze allemaal in de auto hadden.' Monsieur Deschamps heeft de generaal in voorlopige hechtenis genomen (onmiddellijk schiet me het Franse woord te binnen, 'garde à vue', ik raak die vervloekte lerarenreflex waarschijnlijk nooit meer kwijt), maar hij zal niet worden berecht, daar is ook monsieur Brossard van overtuigd, hij zit voorlopig ter observatie in een verpleeghuis voor bejaarden en daar zal hij vergeten worden. Hij is een oude man en het zal wel niet lang duren voor het probleem zich vanzelf oplost.

Monsieur Belpoix is niet de eerste van wie het dorp zich ontdoet door hem over te dragen aan de therapeuten. Ook Valentine, die maar niet kon ophouden met aanbellen bij vreemden om hen te waarschuwen voor een kinderverkrachter genaamd Jean Perrin, ook de engelachtige, sigaretten rokende, over de grond rollende Valentine was op een dag gewoon verdwenen. 'Het is in haar eigen belang,' zegt de burgemeester als je hem ernaar vraagt, 'ze is nu ergens waar ze haar kunnen helpen.'

Maurice, die haar wilde helpen, die van haar hield en waarschijnlijk nog steeds van haar houdt, is intussen de trots van Saint-Loup, 'een modelleerling,' zegt madame Deschamps, 'daar kunnen wij beiden een beetje trots op zijn.'

Maar dat zijn andere verhalen. Misschien zal ik die ook nog moeten opschrijven, later, als ze aan de orde zijn, nu horen ze er niet bij, ze houden niet direct verband met de verdenking die al dagen door mijn hoofd maalt, die ik niet kan stoppen en die me daarom onrustig en afwezig maakt. 'U was zeker erg op mademoiselle Millotte gesteld?' vroeg Elodie aan me. Ze begrijpt maar de helft, maar toch meer dan de volwassenen.

Ik heb er nog met niemand over gepraat, ook niet met *le*

juge, die ik nog het makkelijkst in vertrouwen zou kunnen nemen. Als het waar is wat me het ene moment overtuigend en het andere moment volkomen absurd lijkt, dan liggen in Courtillon de geheimen loodzwaar op elkaar, en wie ze aanraakt kan er dodelijk door getroffen worden. Misschien was het echt toeval, een drama bij vergissing, maar aan de andere kant ...

Ik moet het opschrijven om duidelijkheid te krijgen.

Ik geloof – en ik heb net om me heen gekeken of er echt niemand is die kijkt en meeleest –, ik geloof dat de dood van mademoiselle Millotte geen ongeluk was.

Ik geloof dat de generaal haar met opzet heeft doodgeschoten.

Nu staat het er en er is niets veranderd. De balk boven de haard, die uitzet als het vuur hem verwarmt, tikt nog steeds en meet zijn houten tijd; in de fles mineraalwater voor me op tafel stijgen de belletjes nog steeds naar de oppervlakte, beginnend in het niets en eindigend in de leegte; in de kamer boven (ja, Elodie is bij me ingetrokken, natuurlijk heeft ze haar zin gekregen) gaan haar voetstappen nog steeds op en neer, op en neer. 'Dat helpt bij het woordjes leren,' zegt ze.

Ik geloof dat het moord was.

Nu staat het er en het heeft geen gevolgen.

Misschien heeft monsieur Belpoix de oude vrouw echt vermoord, met voorbedachten rade en doelbewust, maar waarom zou ik me mengen in dat spel waar om schuld en onschuld wordt gedobbeld? Ik wil me er niet meer mee bemoeien, nooit meer, ik wil er niet meer bij zijn als de rollen worden verdeeld: slachtoffers en daders. Ik wil nooit meer iemand moeten bewonderen of verachten, er bestaat geen slechtere investering dan gevoelens. Nee, ik zal niets doen, behalve observeren en conclusies trekken. Ik zal opschrijven wat ik weet, wat ik meen te weten, niet om het aan iemand te laten lezen, maar alleen om orde te scheppen, om de stukjes goed naast elkaar te leggen, om voor mezelf te kunnen verklaren hoe ze in elkaar passen.

Nu ze dood is, begin ik mademoiselle Millotte te begrijpen. Mensen observeren vult de tijd. Maar je mag je niet door hen laten raken.

In het midden van de puzzel hoort het stukje dat met de meeste andere samenhangt.

Saint Jean. De heilige Jan.

Toen ik destijds in het dorp kwam, was hij de eerste die ik begrepen meende te hebben. Een mens zonder eerzucht, dacht ik, met een praktische aanleg, waar hij meer mee zou kunnen doen als hij niet telkens genoegen nam met een schouderklopje en een paar euro in het handje. Iemand die geliefd wil zijn, dacht ik, die niet vaak genoeg kan horen hoe dankbaar je hem bent voor zijn behulpzaamheid en hoe je bewondert wat hij nu weer heeft klaargespeeld. Iemand die denkt dat hij slimmer is dan hij is, dacht ik, die blij mag zijn dat zijn vrouw hem in de waan laat dat hij de baas in huis is. Iemand die nooit iets bereikt, dacht ik, maar die ook geen grote drama's beleeft. Iemand wie het lachen nooit vergaat, dacht ik.

Het is nog niet eens zo lang geleden.

Jean, die gezelschap nodig heeft als een tuin de regen, is de laatste maanden een eenling geworden, zijn trots eist dat hij de mensen uit de weg gaat voordat zij hem uit de weg gaan. (Aan de rand van elk schoolplein zit met de armen over elkaar een kleine jongen die weigert met de anderen te spelen, terwijl ze hem dat ook nooit zullen vragen.) Toch wordt Jean in het dorp intussen onschuldig geacht; dat Valentine niet naar de kliniek in Montigny is gebracht, maar naar het grootsteedse Lyon met zijn specialisten, wijst erop dat ze echt ziek en verward was. Maar ook al wordt hij niet meer direct verdacht, je kunt de heilige Jan niet tegenkomen zonder bijgedachten te hebben, misschien was er wel iets, denken de mensen, waarom zou ik hem in mijn huis of mijn tuin laten, terwijl ik ook een vakman kan laten komen, wel een beetje duurder, maar zonder die geur van schandaal. 'Het zal niet eeuwig duren,' zegt mademoiselle Millotte, heeft mademoiselle Millotte gezegd, 'hun goede geweten kost hun geld en hier op het platteland wint vroeg of laat altijd de zuinigheid.'

Eén contact heeft Jean verrassend genoeg geïntensiveerd; sinds Valentine weg is, heeft hij weer toenadering gezocht tot de *greluche*, dat hebben verscheidene mensen me verteld, hij heeft al haar groentebedden omgespit en haar aardappels en haar uien geplant. Misschien praten ze alleen met elkaar, helpen ze elkaar alleen met woorden; ze zijn allebei getrouwd met een partner die niet met hen praat. Monsieur Charbonnier komt alleen thuis om te eten en te slapen, verder zit hij als een zoutzak aan de rivier en weegt zijn karpers, en Geneviève houdt haar staking vol, al maanden leeft ze langs haar man heen en neemt ze geen enkele notitie van hem. Misschien is er ook meer tussen Jean en de *greluche*, misschien is de *café du pauvre* toch nog niet koud geworden, misschien warmen ze zich aan elkaar, klampen ze zich aan elkaar vast, ik weet het niet en zou het ook alleen willen weten om het te kunnen plaatsen.

Geneviève is er in elk geval van overtuigd dat Jean weer ergens aan begonnen is wat nooit echt afgelopen was. Ze kan madame Charbonniers liefdesbrieven niet vergeten, ze kan haar de formuleringen niet vergeven die haarzelf nooit gelukt zouden zijn, ze is nog altijd jaloers op gevoelens waarvan ze zelf allang genezen zegt te zijn. Misschien had ze anders haar zwijgzaamheid weer opgegeven, had ze haar rode ogen achter haar zonnebril verstopt en haar wantrouwen opgeborgen, zoals je doet met lastige dingen die je later een keer wilt ordenen en sorteren, maar die je vervolgens nooit meer aanraakt. Nu heeft ze zich erin vastgebeten, ze heeft haar zwijgen maar één keer verbroken om een daverende ruzie met Jean te maken. Ik weet er het fijne niet van, Elodie wil er niet over praten, maar het was de dag dat ze voor het eerst tussen mijn boekendozen heeft geslapen, 's morgens kwam ze gewoon de kamer uit, zonder een vraag te stellen of een antwoord te geven. Voor de maaltijden gaat ze nog altijd naar huis en houdt ze een half of een heel uur lang de illusie in stand dat daar een gezin is als andere gezinnen en dat ze een heel gewoon kind is.

Dat Elodie bij me woont, heeft trouwens tot een interessant misverstand geleid. Zelfs *le juge*, die zo trots is op zijn rechtersblik vol mensenkennis, kan zich niet voorstellen dat ze op haar leeftijd dat besluit zelf heeft genomen en uitgevoerd. 'Een handige zet,' zei hij tegen mij, 'die Jean heeft uitgebroed,' en hij legde iets uit als een juridische manoeuvre wat er helemaal geen was. 'Als het meisje bij u woont, bij een gekwalificeerd pedagoog, kan Ravallet niet meer beweren dat Elodie in haar omgeving blootstaat aan slechte invloeden. Hij kan de heilige Jan dus niet meer dreigen hem het kind af te pakken en moet een andere manier vinden om het protest tegen de grindafgraving te blokkeren. Maar ik maak me geen zorgen om onze burgemeester, er zal hem wel weer een gemene streek te binnen schieten.'

'Jij bent altijd zo negatief,' wees madame Brossard hem terecht.

'Natuurlijk,' zei haar man en hij trok zijn trui recht, die alweer strak om zijn pensioentrekkersbuikje zat. 'Ik heb me aangewend om over andere mensen altijd alleen het slechtste te denken. Dan is de kans dat je gelijk krijgt het grootst.'

Op één punt is *le juge* goed geïnformeerd: Jean peinst er niet over om te stoppen met zijn gevecht tegen de bierkaai. Integendeel, hoe afwijzender hij in het dorp wordt behandeld, hoe belangrijker het voor hem is geworden om de grindafgraving (er is in de gemeenteraad intussen toe besloten, drie tegen twee, met de beslissende stem van de burgemeester) toch nog te verhinderen, één tegen allen. Het gaat hem allang niet meer om de rivier of om de natuur; hij wil zichzelf en de anderen iets bewijzen, hij wil eindelijk weer een rol spelen in Courtillon, in de dubbele betekenis van het woord. Jean wil de wereld van de burgemeester op zijn grondvesten doen wankelen en heeft daarvoor nog maar één argument nodig.

Als het klopt wat ik vermoed, dan heeft hij zijn doorslaggevende argument inderdaad gevonden en daarmee, zonder het te willen en zonder het te weten, de dood van mademoiselle Millotte veroorzaakt. Dan heeft hij een drama op zijn geweten en het – wat dat betreft is hij nog altijd de naïeve heilige Jan – zelf niet eens gemerkt.

Ik moet het opschrijven.

Jean en ik zakken 's avonds niet meer samen door, niet bij mij en niet bij hem, maar als ik hem op een van mijn doelloze wandelingen tegenkom, is hij nog altijd heel spraakzaam. Het gesprek dat me niet meer loslaat hebben we gevoerd aan de rand van het bos, op de dag voordat mademoiselle Millotte werd doodgeschoten. Het was de eerste echt warme middag, Jean zat met ontbloot bovenlijf op een gevelde boom en had er al lang niet meer zo gelukkig en ontspannen uitgezien. Toen hij me aan zag komen, schoof hij uitnodigend op, we rookten samen een sigaret, Jean begon te praten, ik begon te luisteren, en hij vertelde me over zijn zoektocht naar het laatste bewijs dat de dode koerier definitief met de familie Ravallet moest verbinden.

Over gebeurtenissen uit het verre verleden kunnen we probleemloos met elkaar praten, Jean en ik, maar in het heden zijn te veel onderwerpen die moeten worden gemeden, er liggen te veel dode katten die niet mogen worden vermeld: Valentine, de *greluche*, Geneviève en natuurlijk Elodie. Jean, die evenzeer naar harmonie verlangt als dat hij zich strijdbaar toont, heeft me er nog niet één keer over aangesproken dat zijn dochter in mijn huis asiel heeft gezocht.

In plaats daarvan hadden we het over iets uit lang vervlogen tijden, over wat zich vlak voor het einde van de oorlog in het *bois de la Vierge* moet hebben afgespeeld. 'Ik weet intussen precies hoe dat is afgelopen,' zei Jean, 'en Ravallet heeft het niet eens ontkend toen ik bij hem was: zijn vader heeft de koerier doodgeschoten en het geld zelf gehouden, daarvoor waren ze net als alle anderen kleine boeren en daarna waren ze rijk. Maar ik heb hem nog niet helemaal in de hand, ik kan hem nog nergens toe dwingen omdat ik geen echt bewijs en geen getuigen heb.'

De daad zelf kon niemand gezien hebben, dat is duidelijk, behalve de koerier en zijn moordenaar was er niemand bij, maar wat daarna volgde, zo heeft Jean bedacht, was niet geruisloos uit te voeren. 'Een vers graf is geen mierenhoop waar je zomaar langsloopt, en niemand kan geld uitgeven zonder dat iemand anders het in ontvangst neemt.' Er moesten ingewijden geweest zijn, meelopers en profiteurs, de geruchten die altijd al de ronde hadden gedaan in het dorp en in het hele *canton*, waren het bewijs. 'Een Ravallet heeft altijd een Bertrand, die het vuile werk voor hem opknapt en in ruil daarvoor mag mee-eten,' zei de heilige Jan. Zoals hij daar halfnaakt in de zon zat te doceren, had hij iets van een banale plattelandsfilosoof. *Saint Jean* van Courtillon.

Jean had alle oude mensen in het dorp opgezocht, 'zelfs de kippenvrouw', maar zonder succes. 'Ze herinneren zich niets,' zei Jean, 'of ze willen zich niets herinneren.' Soms waren de reacties heel vreemd, de generaal, die voor het eerst over dat onderwerp werd aangesproken, was zelfs gaan huilen, hij had niet geprobeerd zijn tranen te verbergen, hij had staan schokken van het snikken. 'Hij is seniel,' zei Jean.

Een dag na het ongeluk (als het al een ongeluk was), zeiden alle mensen in het dorp het. 'De generaal is gewoon seniel', alsof ze alleen het juiste woord hoefden te vinden om een in haar rolstoel doodgeschoten oude vrouw verklaarbaar en daarmee minder luguber te maken.

Ik geloof niet dat het het juiste woord is.

In Courtillon noch in de naburige dorpen was Jean iets te weten gekomen, alleen mademoiselle Millotte zelf had als enige van haar generatie de mogelijkheid opengelaten dat er beslist iets te herinneren viel, maar ook zij had pertinent geweigerd erover te praten. Dat paste niet bij haar; zolang ik haar kende, was ze nergens zo trots op als op haar ruime assortiment herinneringen, en hoe ouder het verhaal was waarnaar je vroeg, hoe liever ze het ophaalde. Misschien wist ze in dit geval echt niets en wilde ze dat uit pure ijdelheid niet toegeven, misschien was ze, geheel in strijd met haar karakter, voor één keer discreet – het valt niet meer vast te stellen. In elk geval, en dat is het cruciale punt, had ze Jean op een idee gebracht waaraan hij vervolgens wekenlang zat te vijlen, als een inbreker aan een valse sleutel.

'Eigenlijk heb ik helemaal geen bewijs nodig,' zei hij terwijl hij van puur enthousiasme over zijn eigen gewiekstheid rechtovereind ging zitten, 'het volstaat als Ravallet dénkt dat ik een bewijs heb. Mademoiselle Millotte wil me niets vertellen? Prima! Ik weet dat en jij weet dat nu. Toch zal ik Ravallet ervan overtuigen dat ze heeft gepraat als een waterval, en dat mademoiselle Millotte altijd op de hoogte is, vooral van dingen die niemand mag weten, daar zal in Courtillon geen mens aan twijfelen.'

Hij had ook al de eerste stap gezet om het gerucht in omloop te brengen. Juist die morgen had hij nog een keer met de generaal gepraat, die deze keer niet huilde (dat had hij alleen de eerste keer gedaan, Jean had verscheidene pogingen gedaan om hem aan het praten te krijgen), maar alleen steeds smekend herhaalde: 'Men moet de doden dood laten zijn, waarom wilt u dat niet begrijpen?' Jean had de oude man met valse zorgzaamheid gekalmeerd en hem beloofd dat hij hem niet meer over de kwestie lastig zou vallen, mademoiselle Millotte had namelijk beloofd hem alles te vertellen.

Jean heeft me een keer laten zien hoe een mollenval werkt: eerst maak je vanboven een opening in de molshoop, en omdat mollen niet van frisse lucht houden, komen ze er gauw aan om het gat weer dicht te stoppen. Ze proberen door een buis te kruipen die je in hun gang hebt geplaatst, er wordt een veer geactiveerd en er trekt zich een strop samen. 'Het is heel eenvoudig,' zei Jean toen, 'ze vangen zichzelf en je hoeft ze alleen nog maar dood te slaan.'

Geruchten verspreiden zich in Courtillon even snel als frisse lucht in de gangen van een mollenhol. Natuurlijk zou Ravallet horen dat de heilige Jan op het punt stond iets bij mademoiselle Millotte te ontdekken, hij hoort altijd alles. Een paar dagen later wilde Jean dan bij een opzettelijk toevallige ontmoeting op straat triomfantelijk tegen hem glimlachen, alleen maar tegen hem glimlachen en hem er op die manier definitief van overtuigen dat hij zijn getuige en zijn bewijs had gevonden. 'En dan hoef je ze alleen nog maar dood te slaan.'

Hij zou het kantoor van de burgemeester binnengaan, zonder te kloppen, dat had hij allemaal al bedacht, *monsieur le maire* zou achter zijn bureau zitten, bleek en ongeschoren, en dan zou er duidelijke taal worden gesproken, de goede naam van de familie Ravallet versus de grindafgraving, en dan zou Jean hebben gewonnen en weer iemand zijn in Courtillon, hij zou de burgemeester wel moeten beloven te zwijgen, maar toch zou iedereen weten hoe het was gegaan.

En dan – Jean zei dat niet zo, maar ik weet zeker dat hij het zo heeft gedacht –, dan zou niemand zich de affaire met Valentine nog durven herinneren, ook Geneviève zou inzien dat ze hem onrecht had aangedaan, ze zou weer met hem praten en voor hem koken en zijn dochter zou zich thuis weer op haar gemak voelen, het mozaïek op het naamplaatje zou weer compleet zijn, M. ET MME. PERRIN ET LEUR FILLE ELODIE.

Hij had een toekomst bij elkaar gefantaseerd en die beviel hem zo goed dat hij zich in de zon uitrekte als een succesvol zakenman bij het zwembad van zijn villa. En ze leefden nog lang, gelukkig en tevreden.

Alleen bleef het natuurlijk een sprookje.

De volgende nacht voerde de generaal weer eens oorlog, de vijanden die hij alleen zelf kon zien, waren overal, misschien hadden Jeans vragen ze opgegraven, ze vielen hem aan en hij moest zich verdedigen, en de volgende ochtend zat mademoiselle Millotte dood in haar rolstoel.

Als het niet heel anders is gegaan.

Jean is ervan overtuigd dat het gewoon pech was, stom toeval dat zijn plan heeft gedwarsboomd. 'Ik moet iets anders bedenken,' zegt hij, en hij smeedt alweer nieuwe plannen. Mademoiselle Millotte is hij al vergeten, zoals je een stuk gereedschap achteloos opzijlegt als het niet meer te gebruiken is.

Het komt niet eens bij hem op dat haar dood zijn schuld zou kunnen zijn.

Of er een verband is of niet, bij de uitvaart van mademoiselle Millotte zag Ravallet er in elk geval erg opgelucht uit. Hij zat in de bank vlak voor me, zo dichtbij dat ik zijn aftershave kon ruiken, en zijn gezicht vertoonde geen spoor van verlies of verdriet. Natuurlijk is dat geen bewijs – voor hetzelfde geld zou ik Jojo ervan kunnen verdenken dat hij mademoiselle Millotte naar het leven heeft gestaan, alleen omdat hij bij het luiden van haar doodsklok straalde van gewichtigheid en trots –, maar Ravallets ontspannen gezicht past bij mijn legpuzzel. Misschien had hij echt een reden om opgelucht te zijn.

Soms vraag ik me af of ik niet ook al spoken zie. Elodie heeft een potje met lelietjes-van-dalen op tafel gezet, heel gewone bloemen met een heel gewone geur.

De balpen waarmee ik aantekeningen maak, is een relatie-geschenk van een elektricien uit Montigny.

Ik heb mijn trui uitgetrokken omdat de haard in de keuken te veel warmte geeft, op deze dag in mei.

Geen omgeving voor spoken.

Als er achter de geruchten over de dood van de koerier echt nog een ander geheim schuilgaat, een geheim dat meer dan een halve eeuw na de oorlog nog altijd niet zijn explosieve kracht heeft verloren, een bom in de bodem van Courtillon, verroest en overwoekerd, maar met een intacte ontsteking, als dat geheim iets te maken heeft met de generaal, als dat het is wat hem al die jaren in zijn nachtmerries heeft bedreigd, wat nog altijd levendig genoeg is om hem aan het huilen te maken zodra het maar wordt genoemd, dan heeft Jean iets aange-roerd wat niemand mocht aanroeren. Dan heeft zijn bewering dat mademoiselle Millotte hem alles wilde vertellen, een heel andere uitwerking gehad dan hij had berekend.

Misschien zag de generaal mademoiselle Millotte als een verraadster die uitgeschakeld moest worden, hij heeft bij de *maquis* gezeten, dan kunnen zulke overwegingen hem niet vreemd geweest zijn. Misschien heeft hij heel goed de voors en tegens afgewogen van wat er met hem zou kunnen gebeuren, in het gunstigste en het ongunstigste geval, misschien heeft hij er gewoon op vertrouwd – terecht als het zo was – dat zijn leeftijd hem voor elke echte straf zou behoeden, misschien heeft hij zijn uniform al uit de kast gehaald om klaar te staan als ze hem de volgende dag zouden komen arresteren, om hem vervolgens toch maar naar een *maison de retraite* te brengen, bij allemaal andere oude mannen die ook niet meer weten wat ze doen.

Misschien heeft hij het wapen 's middags al uitgekozen, zijn beste geweer, heeft hij het voor de laatste keer schoongemaakt en ingevet, zorgvuldig en zonder haast, en heeft hij toen gewacht tot de lantaarns uitgingen, heeft hij nog langer gewacht tot de maan opkwam, heeft hij een raam naar het dorp opengezet, misschien zat er een gleuf in het kozijn waarin hij de loop kon leggen zoals op de schietbaan, misschien heeft hij lang moeten mikken omdat hij niet meer gewend was om te schieten op vijanden die echt bestaan, omdat zijn altijd openstaande ogen al oud zijn, en op een gegeven moment heeft hij mademoiselle Millotte in het vizier gekregen en zijn vinger gekromd, misschien nog iets tegen haar gezegd en toen de trekker overgehaald.

Of het was toch een ongeluk.

Ik kan het allemaal opschrijven, enerzijds en anderzijds, en er geen andere emotie bij voelen dan een zekere jagersdrift. Ik wil kunnen zeggen hoe het was en het verhaal dan opzijleggen als een opgeloste puzzel. Ik wil niemand beschuldigen en niemand veroordelen. Ik kan niet eens om mademoiselle Millotte treuren. Het is of mijn gevoelens deze winter verrot zijn, als aardappels in een vochtige kelder.

Ik wil alleen orde hebben in mijn hoofd.

De legpuzzel waarvan ik de stukjes heen en weer schuif, vertoont nog gaten. Om ze te vullen zou ik meer over de generaal moeten weten. Ik heb hem alleen meegemaakt als oude man, met ogen die nooit knipperen, een gezicht met te veel huid en de muffe geur van oude verhalen. Ik zou iemand

moeten vinden die hem uit zijn jeugd kent, die me zou kunnen vertellen hoe hij vroeger was, een boerenzoon met de
naam Belpoix, die nog in slaap kon vallen zonder zijn eigen
ogen dicht te moeten drukken.

Je zou mademoiselle Millotte moeten zijn om te weten hoe
ze aan haar einde is gekomen.

*A*ls ik bijgelovig was, als ik zou toegeven dat ik bijgelovig ben, dat ik rationaliteit alleen prijs als een teleurgestelde liefde, dan zou ik nu zeggen dat het engelenkopje een teken was: jarenlang in de aarde verborgen en ten slotte gevonden op de plek waar niemand het zocht. En wel op dezelfde dag dat ik de oplossing van het raadsel ontdekte, althans het uiteinde van de draad die naar de oplossing leidde.

Geneviève heeft besloten dat ze iets voor me moet doen; ze kan niets aannemen zonder er iets voor te geven. Attenties kwellen haar als onbetaalde rekeningen. 'U hebt Elodie zo goed geholpen,' zei ze tegen me – ze bleef zoals altijd voor de deur staan, hoewel ik haar elke keer uitnodig om binnen te komen –, 'u hebt geen idee hoe belangrijk het voor het meisje is om een plek te hebben waar geen problemen zijn.' Op het gebied van bittere ironie ben ik expert geworden, ik kan de fijnheden ervan proeven als een wijnkenner zijn jaargangen. Madame Deschamps denkt dat ik Maurice heb geholpen, Geneviève bedankt me namens Elodie, terwijl ik in beide gevallen niet meer heb gedaan dan geen nee zeggen. Ik ben een mensenvriend uit zwakte.

Maar Geneviève houdt vol dat ze me iets verschuldigd is. Ze had een hele toespraak voorbereid en omdat ze niet met grote woorden weet om te gaan, was ze heel verlegen. Ze streek met de punt van haar tong steeds weer over de afgebroken snijtand, alsof ze hem nu pas in haar mond had ontdekt, en haar ontstoken ogen waren nog roder dan anders. 'Ik wil …' zei ze, 'ik heb zitten denken … omdat u nu voorgoed in Courtillon blijft … u gaat toch niet meer weg, hè?'

Nee, ik ga niet meer weg.

'Omdat u hier nu thuishoort, bij ons hoort, zou het toch jammer zijn als u niet ook … Het is geen moeite, echt niet, en ik doe het graag.'

Ze wilde mijn tuin op orde brengen, 'Verdun' noemen ze hem in het dorp, omdat hij overwoekerd en dichtgegroeid is als een slagveld. Ze wilde een paar groentebedden voor me aanleggen, 'alleen het hoogstnodige, bonen of worteltjes en wat nog meer niet veel verzorging vereist'. Het zal me nog honkvaster maken, me nog meer binden aan deze plaats waar ik helemaal niet wil zijn, maar ik breng de energie niet op om nee te zeggen. Waarom zou ik mijn leven niet laten bepalen door andere mensen? Slechter dan ikzelf kunnen zij het niet doen.

Ze begon nog dezelfde dag en bracht een hoop gereedschap mee, sommige dingen kende ik niet eens van naam en moest ik me door Geneviève laten uitleggen. Een soort hark wordt *bigot* genoemd, huichelaar, je kunt er de indruk mee wekken druk bezig te zijn zonder echt iets te doen. Ik heb het woord onthouden omdat het zo goed bij me past. Ik ben al heel bedreven in het doen alsof ik inderdaad leef.

Spade en hak passen bij Geneviève, ze heeft nijvere handen en stevige benen. Bij het werk, als het zweet over haar gezicht loopt, ziet ze er op een bijna bedreigende manier gezond uit; in haar schoolbus durft vast niemand te schreeuwen of tekeer te gaan. Ik had, meer uit beleefdheid dan uit overtuiging, aangeboden om te helpen, maar ik stond er alleen maar onhandig en nutteloos bij. 'Je serais là pour cracher dans vos mains,' zeggen ze hier, 'ik ben graag bereid in uw handen te spugen.'

Het engelenkopje van porselein was overwoekerd door onkruidwortels, Geneviève dacht eerst dat het een steen was en wilde het al aan de kant gooien, maar verrast door het geringe gewicht bekeek ze het beter. 'De groente zal hier goed groeien,' zei ze lachend tegen me, 'u hebt een talisman in uw tuin.'

Ook zonder het begin van de afgebroken vleugel zou ik meteen aan een engel hebben gedacht. Het witte gezicht is zo perfect van vorm dat je er een stuk van een antiek beeld in meent te herkennen, niet gewoon het oor van een gebroken soepterrine. Ik stak het porseleinen kopje in mijn broekzak en betrapte me er later steeds weer op dat ik ernaar tastte als naar iets waardevols wat ik in geen geval mocht verliezen.

Geneviève had me beleefd te verstaan gegeven dat ik haar met mijn handreikingen alleen maar in de weg stond en dus maakte ik een wandeling door het dorp. (Dat klinkt heel ontspannen en gezellig en toch is het in mijn geval niets anders dan het luchten van een gevangene.) Toen Bertrand me langs zag lopen, kwam hij zijn huis uit gerend, raffelde de frasen af die sinds een paar dagen in het dorp de begroeting vervangen – 'wat vreselijk, die geschiedenis, nietwaar, ronduit tragisch' –, en wilde toen per se dat ik een glas wijn kwam drinken, 'een koele rosé nu de zon onze botten weer warmt'. Dat ik ervoor bedankte leek hem niet erg te storen, zijn aanbod was een pure formaliteit geweest, de hier gebruikelijke inleiding tot een dienst waarom hij me wilde vragen.

'Ik heb een prospectus ontworpen voor een camping die ik ooit wil openen. Denkt u dat het erg moeilijk is om de tekst in het Duits te laten vertalen?' Je vraagt nooit rechtstreeks om iets hier in Courtillon, en je verwacht ook nooit meteen antwoord. Je zaait je wens als het ware toevallig en kunt dan later, als hij niet meteen wortel wil schieten, altijd nog een handje helpen door hem te mesten met een tegenprestatie. 'De Duitsers zijn interessante klanten,' zei Bertrand en hij trok hetzelfde deskundige gezicht waarmee hij je een zure wijn als een bijzondere lekkernij aanbeveelt. 'Ze kijken niet op een paar centen, wordt er gezegd, en ze houden van ons landschap. Dat zie je wel aan u, hahaha.' Hij lacht alsof hij het op een cursus heeft geleerd.

'Dan wordt er dus binnenkort begonnen met de grindwinning? Is het dorp er niet meer tegen?'

Deze keer was Bertrands lach echt, de triomfantelijke lach van een winnaar. 'De stemming in de gemeenteraad is geweest. De contracten worden een dezer dagen getekend. Zelfs onze beste Jean schijnt eindelijk te beseffen dat je je bij feiten moet neerleggen.'

Ik denk niet dat hij de heilige Jan juist beoordeelt. Toevallig op een bepaalde dag geboren zijn is niet voldoende om zo'n bijnaam te krijgen en te houden. Je moet ook de hardnekkigheid hebben waarmee je een heilige en een martelaar wordt. 'En als hij toch moeilijk blijft doen,' zei Bertrand, 'dan zal hij de consequenties moeten aanvaarden.'

Ik verliet hem met de belofte over de mogelijkheid van een Duitse vertaling na te denken – je zegt in Courtillon ook niet direct nee – en liep verder de straat uit, mijn gewone route.

Hoe lang zal het nog duren voor ik mijn pas niet meer automatisch inhoud als ik langs het huis van mademoiselle Millotte kom? Het is of de proporties veranderd zijn sinds ze dood is, het portiek lijkt veel te groot zonder haar rolstoel. Wat er met het huis gaat gebeuren weet nog niemand, de erfgenaam, een achterneef uit Bordeaux, is niet eens op de begrafenis verschenen.

Onder het lopen had ik last van het engelenkopje in mijn zak, ik haalde het tevoorschijn en draaide het rond tussen mijn vingers. En opeens lag er een aanwijzing voor mijn voeten, ik hoefde haar maar op te rapen en in te voegen in de grote legpuzzel.

Ik kwam langs het huis van de kippenvrouw, die ooit een Du Rivault was, uit een zeer goede familie, en daarna een Ravallet, en die nu geen naam meer nodig heeft omdat ze niemand meer wil zijn, niemand die bij dit dorp en bij deze wereld hoort, die alleen nog haar kippen kent, zwarte, opgewonden vogels, als kakelende weduwen. Ze was bezig het erf te vegen, haar bezem joeg stof op en maïskorrels en kippenstront, de hennen lieten zich er niet door verdrijven en verdrongen zich om haar voeten, af en toe werd er eentje door de bezem geraakt en opzij geslingerd, die fladderde dan wanhopig rond en viel met een plof op de grond, waarna ze zich weer onder de andere hennen mengde, midden in het gedrang, alsof ze zich moest verstoppen voor de schande niet meer te kunnen vliegen.

De oude vrouw dreef haar stofwolk naar me toe, maar toen ik bleef staan, nam ze geen notitie van me, natuurlijk niet, ze bleef tegen haar kippen praten zoals ze de hele dag doet, elke dag. Ze strooit woorden voor ze uit als voer, heb ik altijd gedacht, ze grijpt blindelings in de grote zak en vermengt wat ze toevallig te pakken krijgt. Deze keer was ik opmerkzamer en opeens hoorde ik boven de wirwar van lettergrepen uit zinnen, zinnen die iets betekenden of in elk geval iets betekend zouden hebben als ze tot een mens waren gericht en niet tot een hoop kippen met veren op hun kop als slecht zittende zwarte hoeden.

'Séverine' hoorde ik erbovenuit, steeds weer 'Séverine'. De voornaam die na haar dood opeens aan mademoiselle Millotte kleefde als een oud etiket aan een weckfles, die intussen al tien keer een andere inhoud heeft gehad. 'Onze geliefde zuster Séverine Millotte', had de dikke *curé* met zijn slijmerige stem gekweeld, en telkens als hij het herhaalde was ik het liefst opgesprongen om hem te corrigeren. Mademoiselle Millotte was geen Séverine, met zo'n naam drijf je koeien door het dorp of zit je achter de kassa van de *grande surface*; ze was een dame geweest, haar leven lang, en niemand had het recht haar het 'mademoiselle' af te pakken, dat net zo bij haar hoorde als haar rolstoel en haar kokette glimlach.

'Nu heeft hij ook Séverine vermoord,' zei de kippenvrouw.

En 'tok, tok, tok' en 'zo, zo, zo'.

Ze liet het stof vliegen alsof ze een woestijn moest schoonvegen. Op dezelfde manier, herinnerde ik me, had Jean ooit de vloer van zijn schuur aangeveegd.

'Hij vermoordt iedereen,' zei de kippenvrouw. 'Hij heeft heel rode handen.' De oude vrouwen met hun veren hoeden knikten en pikten en gaven haar gelijk.

Ik stond er roerloos bij en haalde heel voorzichtig adem, hoewel dat onnodig was, ze reageert niet op mensen, allang niet meer.

Of misschien toch wel. In elk geval heeft ze gemerkt wat er in het dorp is gebeurd, ze praat met niemand en toch is ze het te weten gekomen, alsof de dood zo zwaar in de lucht hangt als de stank van kuilvoer uit de koeienstal van de jonge Simonin. De wereld waarin ze zich heeft teruggetrokken draait anders, maar het is nog altijd de wereld van Courtillon.

'De Engelsman heeft een vliegtuig meegebracht,' zei de kippenvrouw, 'maar hij kon niet voor hem wegvliegen.'

De koerier. Ze moest het over de koerier hebben.

'Hij heeft tegen hem gezegd dat het iemand anders is, hij heeft met zijn stem gepraat, en toen hij dood was heeft hij gelachen.'

Archeologen zetten hele culturen in elkaar op basis van scherven en as en versplinterde botten. Waarom zou je in de verwarde herinneringen van een oude vrouw niet een gebeurtenis kunnen terugvinden die daar haar sporen heeft achtergelaten?

'Hij blijft niet dood,' zei de kippenvrouw, 'hij moet hem steeds weer doodmaken, elke dag.'

Ze is gek, natuurlijk, maar niet omdat ze alles is vergeten, maar omdat ze zich te veel herinnert. Ze is destijds naar Courtillon gekomen, een dure schoondochter, gekocht en geleverd, en ze bleek met een man in bed te liggen die indruk op haar wilde maken met iets waar hij trots op was. Ze is getrouwd met een vermogen en kwam er pas na de bruiloft achter hoe het is ontstaan. Sindsdien smijt ze die kennis voor de snavels van haar kippen, een handvol woorden en nog een handvol, maar hoeveel ze ook oppikken en eten, de zak raakt niet leeg.

'Ze hebben hem berecht,' zei ze, 'maar hij heeft gezorgd dat ze alles vergeten. Hij heeft hen blind gemaakt.'

En 'zo, zo, zo' en 'tok, tok, tok'.

'Auguste,' zei ze. 'Mijn lieve man Auguste Ravallet. Nu heeft hij ook Séverine vermoord.'

Waar de vleugels van de porseleinen engel afgebroken zijn, hebben ze scherpe randen achtergelaten. 'U bloedt!' zei madame Brossard toen ze de deur voor me opendeed. Ik had niet eens gemerkt dat mijn handen zich zo hadden verkrampt.

Ik werd eerst verbonden en beklaagd en toen met veel complimenten meegenomen naar de tuin, waar *le juge* het zich met een fles wijn en de *Est Républicain* gemakkelijk had gemaakt; de *Figaro* met de grote politiek leest hij 's morgens, nu was het plaatselijke nieuws aan de beurt. 'Hebt u zich bij het omspitten bezeerd?' vroeg hij knipogend. Informatie verspreidt zich snel in Courtillon, waarschijnlijk wist het hele dorp al dat Geneviève groentebedden bij mij aanlegde.

Madame Brossard bracht ook voor mij een glas, ik prees de wijn, zoals de dorpse beleefdheid vereist, en toen vertelde ik wat voor vreemds ik net had meegemaakt. Madame kon zich heel goed voorstellen dat er in de verwarde woorden van de kippenvrouw een kern van waarheid zat. 'Ik heb met haar te doen,' zei ze, 'omdat ze eigenlijk helemaal niets te maken heeft met wat er destijds is gebeurd, wat het ook precies geweest is. Ze lijdt onder een geschiedenis waar ze geen schuld aan heeft.'

'Dat is meestal zo,' zei haar man. Hij houdt ervan zijn vrouw te provoceren en zij doet hem het genoegen steeds weer verontwaardigd te reageren. 'Ik ben mijn leven lang rechter geweest en met het jaar is me duidelijker geworden dat we de daders weliswaar kunnen veroordelen, maar dat de onschuldigen altijd worden bestraft.'

'Auguste Ravallet is nooit voor de moord op de koerier veroordeeld,' sprak ik hem tegen.

'Er zal niemand een aanklacht tegen hem hebben ingediend.'

'Omdat niemand er iets van wist?'

'Omdat niemand er iets van wilde weten. Geld maakt vergeetachtig.'

'Maar de kippenvrouw had het over een proces. "Ze hebben hem berecht," zei ze. Denkt u niet dat daar iets van waar is?'

'Ze zei ook dat haar jaren geleden gestorven man mademoiselle Millotte heeft vermoord. Moet hij daarom uit het familiegraf worden gehaald en berecht? Nee, dat oude mens heeft gewoon een spin aan het plafond.' Ik had die uitdrukking nog nooit gehoord, maar ze was makkelijk te begrijpen.

'En misschien heeft die spin iets gevangen.' Als madame Brossard nadenkt, drukt ze haar vingertoppen tegen haar wangen alsof ze daar de *fond de teint* moet vastduwen. 'Kun je niet eens informeren, jij met je connecties, of er niet toch ooit een proces tegen Auguste Ravallet is geweest?'

'Dat wilde ik u ook vragen,' zei ik.

Le juge keek ons mild en welwillend aan, zoals je hoofdschuddend kinderen aankijkt die per se het bos in willen om het huis van de Kerstman te zoeken. 'Goed,' zei hij ten slotte, 'ik zal een paar telefoontjes plegen. Maar het resultaat ken ik nu al: niets, *rien de rien.*'

'Waarom bent u er zo zeker van dat de oude Ravallet nooit terecht heeft gestaan?'

'Omdat ik er nooit iets over heb gehoord.' Monsieur Brossard nam een grote slok en schonk zijn glas meteen weer vol; als hij het nooit leegmaakt, zo schijnt hij te denken, dan kan zijn vrouw hem ook niet verwijten dat hij te veel drinkt. 'Ik geloof dan wel niet meer in de macht van de gerechtigheid, maar aan de macht van geruchten twijfel ik geen moment.'

Het zou blijken dat hij gelijk en ook ongelijk had.

Maar dat hoorde ik pas een paar dagen later, toen de porseleinen engel allang een plekje in mijn slaapkamer had gevonden (waar vroeger een foto stond en er nu geen meer staat), toen mijn tuin er al uit begon te zien zoals een tuin in Courtillon eruit hoort te zien, met keurige groentebedden en kaarsrechte zaairijen. Geneviève heeft zelfs een paar tomatenstekjes meegebracht, ze beweert dat ze ze zelf heeft gekweekt, maar ik denk dat ze ze in Montigny voor me heeft gekocht en het niet wil toegeven. Nadat ze waren geplant, liet ze zich voor het eerst binnenvragen, 'alleen om mijn handen te wassen', zei ze, maar ze nam toen toch een kop koffie. Elodie gebruikt graag mijn oude Italiaanse apparaat, ze heeft me een keer uitgelegd dat ze zich dan voelt als een uitvinder bij een experiment.

We zaten met z'n drieën aan de keukentafel en een paar minuten moeten we eruitgezien hebben als een gezin.

Toen had Geneviève opeens heel veel haast en liet zich niet langer ophouden. 'Het eten moet op tijd klaar zijn,' zei ze, alsof ze haar man niet teleur mocht stellen, alsof ze hem niet tot persona non grata heeft verklaard, alsof ze niet al maanden voor twee personen dekt, terwijl er drie aanschuiven. Om te blijven functioneren moet ze zich aan een exacte dienstregeling houden, ze rijdt stug haar route en weigert te merken dat er niemand meer instapt.

'Dat gaat niet lang goed meer,' zei Elodie toen ze de kopjes naar het aanrecht bracht.

'Hoe bedoel je?'

'We hebben op school de ademhaling behandeld en onze leraar heeft gezegd dat als je een dier vangt en het opsluit in een kamer waar geen frisse lucht binnenkomt, het dier eigenlijk al dood is. Het weet het alleen nog niet, het eet zoals altijd en speelt misschien zelfs, maar op een gegeven moment is de lucht op, al is de kamer nog zo groot.'

'Behalve als iemand de deur opendoet.'

'Ik geloof niet dat dat kan,' zei Elodie. We wisten allebei dat ze het niet over school had en niet over een hypothetisch experiment.

Heb ik medelijden met haar? Met Jean of met Geneviève? Als ik daar in mezelf naar zoek, vind ik hoogstens nieuwsgierigheid. Ik wil alleen nog maar weten wat er gaat gebeuren en op welke manier, meer niet. Ze zullen het niet eeuwig zo uithouden met z'n drieën, dat weet ik zeker, ze zullen buiten adem raken en dan wil ik niets voelen, geen medelijden en geen schuld. Ik zal de afloop en het tijdstip noteren, 'dan en dan is gebeurd wat te verwachten was'. Daarna zoek ik een nieuw experiment en een nieuwe observatie.

Als het anders loopt, als ik er toch iets bij denk te voelen, zal ik mezelf eraan herinneren dat dat alleen inbeelding kan zijn, pijn in een geamputeerd lichaamsdeel. Ik ben in een auto zonder remmen gestapt en ermee tegen een muur gereden. Dat doe ik niet nog een keer. Voortaan ga ik op de tribune zitten en laat ik anderen hun leven riskeren. Ik zal alleen toekijken en weddenschappen met mezelf afsluiten, en als ik win zal het bijna zijn alsof ik erbij hoorde. Ik wed dat mademoiselle Millotte is vermoord en dat er nooit iemand voor wordt gestraft. Ik wed dat Bertrand zijn camping krijgt en dat hij er geld mee verdient. Ik wed dat ik mezelf wijs kan maken dat ik zo wil leven.

Eén weddenschap heb ik al gewonnen. Er is meer dan vijftig jaar geleden inderdaad een rechtszitting geweest.

Le juge belde me en toen ik bij hem kwam, stond er een fles gigondas op tafel, zijn wijn voor speciale gelegenheden. 'Ik wilde het niet geloven,' zei hij, 'maar er viel inderdaad iets te ontdekken. Voor één keer was mijn vrouw wijzer dan ik, tot mijn grote verrassing.'

Madame Brossard dreigde glimlachend met haar vinger, een van die ouderwetse plagerige gebaren die ze bewaart als de snuisterijen in haar vitrine.

'Er was dus toch een aanklacht tegen Auguste Ravallet?'

'Natuurlijk niet,' antwoordde monsieur Brossard, 'ik heb toch gezegd: waar geen rook is, is ook geen vuur.'

'Maar ...'

Madame Brossard legde haar hand op mijn arm. 'Vraagt u vooral niet verder, anders duurt het nog langer voor we iets te weten komen.'

Le juge nam de tijd. Eerst moest de wijnfles worden opengetrokken en de kurk grondig besnuffeld, daarna moest het proefslokje worden genomen en kritisch gekeurd en toen er eindelijk was ingeschonken en getoost en gedronken, beweerde hij dat de wijn nog niet zijn volle bouquet had, misschien konden we beter wachten tot hij zich in de lucht een beetje had ontvouwd.

'Soms ben je onuitstaanbaar,' zei zijn vrouw.

'Ik weet het. Daarom hou je ook zoveel van me. Maar goed, als jullie je ongeduld niet kunnen bedwingen ... De afgelopen dagen heb ik een paar telefoontjes gepleegd met oud-collega's, allemaal net zulke fossielen als ik, overblijfselen uit de negentiende eeuw, ik werd van de een naar de ander verwezen en ten slotte ben ik op interessante informatie gestuit. In 1945 is er inderdaad zoiets als een rechtszitting geweest. Ik ken zelfs het vonnis. Alleen was de verdachte niet Auguste Ravallet.'

'Maar?'

'Een zekere Etienne Belpoix. De generaal heeft de koerier doodgeschoten.'

*W*at de logica ook zegt, je kunt je dingen herinneren die je niet hebt meegemaakt. 'Het was als bij een seance,' zei madame Brossard achteraf. Alleen kwamen de geesten die we bezwoeren niet uit het hiernamaals, maar uit het verleden. We legden naast elkaar wat we hadden gehoord en wat we vermoedden, oude en nieuwe dingen, wat we van de betrokkenen wisten en wat we al denkend over hen te weten kwamen, we schoven de bekende figuren net zo lang voor een achtergrond van geschiedenis en geschiedenissen heen en weer tot het beeld ons duidelijk en beangstigend logisch leek.

Het was, vond monsieur Brossard, alsof we met z'n drieën voor het olieverfschilderij in de kerk waren gaan zitten, niet om een kaars aan te steken, maar om ons af te vragen of de rollen echt zo duidelijk verdeeld konden zijn als daar geschilderd is: hier de dader en daar het slachtoffer, hier de achtervolger en daar de achtervolgde. De wellustige graaf knielt in de schaduw en doet boete, het kuise boerenmeisje koestert zich in de glans van haar maagdelijkheid en de Moeder Gods in haar blauwe mantel gaat weer naar de hemel. Zo wil de legende van Courtillon het.

Maar misschien was het allemaal wel heel anders.

Misschien is het boerenmeisje helemaal niet voor de graaf gevlucht, maar heeft ze hem naar het bos laten komen om daar de Maagd te bezoeken, misschien heeft ze van een fluwelen jurk met gekloste kant gedroomd, misschien ook alleen maar van een stuk brood om haar buik eens goed te kunnen vullen, misschien heeft hij van haar gekregen wat hij wilde, wel of niet tegen betaling, en achteraf moest zij een vroom verhaal bedenken om uit te leggen waarom de varkens niet waren gehoed en de bessen niet geplukt.

Misschien was het meisje lelijk en werd ze in het dorp uitgelachen omdat ze al lang geen zestien meer was en nog altijd maagd, door geen man aangeraakt, haar leven lang. Misschien heeft ze zich de Mariaverschijning wijsgemaakt om trots te kunnen zijn op iets waarvoor ze zich schaamde.

Misschien kwam het wonder gewoon goed uit, voor iemand en voor een of ander doel.

Misschien verdroeg Valentine het schilderij daarom niet meer.

Ook de generaal was een legende geweest in Courtillon, hij was het nog steeds; een tragisch einde maakt een verhaal alleen maar beter. Ergens in die door spoken opgejaagde oude man, in dat moeizaam rechtop gehouden lichaam met de slappe huid, zat nog altijd een held, dat wist iedereen in het dorp, iemand die verzet had gepleegd toen het gevaarlijk was, die overeind was gebleven toen alle anderen zich kromden. Ook ik had aan dat deel van zijn leven nooit getwijfeld.

Tot monsieur Brossard met een paar oud-collega's telefoneerde.

Misschien is ook het schilderij in onze kerk een vervalsing.

Le juge heeft niet alle details kunnen achterhalen, natuurlijk niet, vijftig jaar is lang. Maar veel dingen zullen geweest zijn zoals wij ze interpreteerden, bij een fles gigondas en bij een tweede.

Het was geen gewoon proces dat daar plaatsvond. Er was geen aanklager en ook geen verdediger, alleen drie naamloze mannen achter een tafel, aan de muur een tricolore en naast de bijbel een *croix de Lorraine* om op te zweren. Je werd zonder opgaaf van redenen voor dat gerecht gedagvaard; wie schuldig was, had ze niet nodig en wie onschuldig was, zo werd er beweerd, had niets te vrezen. Het was geen oorlog meer, maar ook nog geen vrede, niet in die kamer, waar een geladen pistool op tafel lag en waar het niet ging om schuld of onschuld, maar om de vraag of je aan de goede kant had gestaan en in de goede richting had geschoten. De *résistance* sloot haar boeken; de gebeurtenissen werden voor de laatste keer opgeteld voordat er definitief een streep onder werd gezet.

Het was niet eenvoudig om de generaal als jongeman te zien. We waren het er snel over eens dat hij dun geweest moest zijn, in die hongertijd, we stelden hem ons mager voor, maar toch sterk. Hij was vast zenuwachtig en probeerde er vast niets van te laten merken. Misschien had hij zijn nieuwe uniform aangetrokken omdat het hem moed gaf.

'Zelfbeheersing was beslist heel belangrijk voor hem,' zei monsieur Brossard. 'Ze willen altijd een man zijn, die gewapende kinderen.'

Madame had haar armen om haar lichaam geslagen alsof ze het koud had gekregen in de onverwarmde kamer die we ons voorstelden. 'Hij had een verband om zijn hoofd,' zei ze opeens. 'Die schotwond uit de laatste dagen van de oorlog.'

'Geen verband,' zei haar man.

'Dat kun jij niet weten.'

'Jawel,' zei *le juge*. 'Ook dat hoort bij het verhaal.'

Van de mensen met wie monsieur Brossard had gesproken, was niemand zelf bij het proces aanwezig geweest, en natuurlijk bestonden er geen aantekeningen of processen-verbaal. Het was niet het soort zitting dat voor de geschiedenisboeken wordt gehouden, de geschiedenis stond al vast en er moesten alleen nog een paar storende details worden uitgewist. 'De werkelijkheid is altijd een storend detail,' zei *le juge*. Hij kon ons niet vertellen welke vragen er in die gesloten kamer waren gesteld en welke antwoorden er waren gegeven, alleen het vonnis was hem meegedeeld en wat er bij de voltrekking gebeurde.

'En we weten dat er een getuige was,' zei monsieur Brossard, 'en dat die heeft gelogen.' Maar toen die leugen later aan het licht kwam, veel later, toen was de wereld al verder gedraaid, toen waren de geschiedenisboeken al gedrukt en had de herinnering haar vaste regels gekregen. Toen waren er geen tribunalen meer waarvoor je iemand had kunnen dagvaarden, en als er toch iemand was gedagvaard, zou hij niet verschenen zijn.

Belpoix had aan zijn dagvaarding gevolg gegeven. Als de gebeurtenissen zijn verlopen zoals wij ze vijftig jaar later in elkaar zetten, dan wist hij heel goed wat ze van hem wilden. Dan had hij op die dag gewacht om zich te kunnen rechtvaardigen, tegenover die rechtbank en tegenover zichzelf. Dan kropen de spoken die hem zijn leven lang zouden achtervolgen, toen al door zijn dromen.

'Je weet waarom je hier bent,' hebben ze waarschijnlijk tegen hem gezegd en toen heeft hij geprobeerd te vertellen hoe hij die nacht in de oorlog had beleefd.

Hij moet het vliegtuig hebben gehoord, een zwart geronk boven het donkere bos. Hij had zich niet door waarschuwingen laten verjagen zoals de andere *maquisards*, tenslotte was hij geen twijfelachtige vreemdeling, hij was in Courtillon opgegroeid, hij had als kind al verstoppertje gespeeld in het *bois de la Vierge*, hij kende de kleine holen bij het Romeinse fort en genoeg andere schuilplaatsen waar geen enkele Duitse patrouille hem ooit zou zoeken. Toen het geluid dichterbij kwam, zal hij nog dieper in zijn kuil of in zijn struik weggekropen zijn, maar op een gegeven moment – het kon niet anders op zijn leeftijd – moet de nieuwsgierigheid sterker geweest zijn dan de voorzichtigheid.

'Hij kon niet weten wat voor vliegtuig het was.' Monsieur Brossard tekende met zijn vingernagel kleine ruitjes op het tafelkleed en verbond ze met pijlen; als zijn handen niet bezig zijn, kan zijn hoofd niet denken. 'Wie van de *maquisards* er ook met Orchampt samenwerkte, hij heeft Belpoix vast niet in vertrouwen genomen, die was daar gewoon te jong voor.'

'Oud genoeg om te vechten,' wierp zijn vrouw tegen.

'Dat is geen argument. Het hoort bij de oorlog dat men de jonge mensen laat sterven zonder hun uit te leggen waarom.'

'Maar het zou toch kunnen …'

'Nee,' zei *le juge*. 'Als hij op de hoogte was geweest, zou het anders gelopen zijn.'

Als het gelopen is zoals wij het voor ons zagen.

Belpoix – ik moest mezelf er steeds weer aan herinneren dat het een heel andere Belpoix was dan degene die ik kende, we zijn met ons jongere ik minder verwant dan met toevallige leeftijdgenoten –, Belpoix hoorde het vliegtuig cirkelen en toen klimmen en naar het westen verdwijnen. We stelden ons voor dat hij lang luisterde, tot het geluid van de motor niet meer te onderscheiden was van het ruisen van de bomen, tot er alleen nog de herinnering aan een geluid was en de verlokking die ieder raadsel in zich draagt.

Hij moet het *bois de la Vierge* hebben gekend zoals je een huis kent waar je al lang woont; er kon bij hem geen twijfel bestaan over de open plek waarboven het vliegtuig had gecirkeld. Misschien had zich ook een door het plotselinge lawaai opgeschrikt paard losgerukt, dat nu luid hinnikend door het kreupelhout galoppeerde en zijn flanken openhaalde aan de bramenstruiken. Hij greep zijn geweer steviger vast – 'nee', verbeterde monsieur Brossard zichzelf, 'dat is verkeerd, hij had zijn geweer beslist niet altijd bij zich, daar zou hij alleen maar last van hebben gehad' –, hij haalde het wapen uit zijn schuilplaats, van onder een hoop bladeren misschien, wikkelde het uit de oliedoek of uit de oude regenjas, deed wat je met geweren doet als je er zeker van wilt zijn dat ze werken (ik heb daar geen verstand van en had moeite het me voor te stellen) en toen naderde hij voorzichtig het kamp van de paardenoppassers. Het was een heldere nacht, dat wisten we, anders was het vliegtuig niet eens opgestegen, de piloot moest tenslotte een vuur vinden, midden in het bos, en dat het het verkeerde vuur was, kon hij niet weten.

Het zal niet zo ver geweest zijn, want toen Belpoix aankwam, was de koerier nog steeds bewusteloos. Misschien was zijn parachute in een boom blijven hangen of was hij bij de val ergens tegenaan gebotst, we wisten het niet. In het nooit openbaar gemaakte vonnis zoals monsieur Brossard zich dat heeft laten vertellen, staat alleen: 'Hij was niet bij bewustzijn en daarom niet in staat zich te verzetten toen de verdachte hem laf en van zeer nabij doodschoot.'

'Het was als bij een seance.' Ik begreep goed wat madame Brossard daarmee bedoelde. We zaten daar met z'n drieën in die keurige woonkamer; als we achteroverleunden, wachtte er een kussen en als we onze hand uitstrekten, stond er een glas wijn klaar, en tegelijkertijd waren er drie andere mensen, jongemannen van wie er twee allang dood waren en de derde binnenkort dood zou zijn, en wij konden in hen kruipen, we konden hen bewegen zoals we wilden en hen nog een keer laten meemaken wat allang begraven was. Aan de muren hingen dezelfde schilderijen als altijd, in de vitrine glimlachte hetzelfde porseleinen herderinnetje naar dezelfde porseleinen prins, maar wij zagen een bos en een open plek en een vuur, we hoorden de hoeven van de paarden op de droge bladeren, en onder de schoenen van een jonge *maquisard* kraakte een tak.

Wat kan Belpoix op dat moment gedacht hebben? Daar was Auguste Ravallet, die hij kende, die hij altijd al gekend had, een kind in zijn ogen, meer niet (drie of vier jaar verschil, dat is een kloof op die leeftijd), een jongen aan wie hij misschien een keer had laten zien van welk hout je een katapult maakt of hoe je een vis vasthoudt als je hem de nek omdraait. En daar was een vreemde man, die op de grond lag of misschien nog in de touwen van zijn parachute hing, een man in burger, want natuurlijk moest zo'n koerier zo gewoon mogelijk gekleed zijn, hij moest na zijn landing langs een Duitse patrouille kunnen lopen zonder dat ook maar één soldaat zijn hoofd naar hem omdraaide, zonder dat iemand op het idee kwam hem te arresteren en te fouilleren en daarbij misschien een gordelgesp met een leeuw vond, dezelfde leeuw die ook het Engelse wapen bewaakt.

Misschien lag daar ook de kist die het vliegtuig had gedropt, maar waarschijnlijk had Auguste die al in de bosjes getrokken en afgedekt, ook al wist hij niet wat erin zat, en als hij het wel wist, dan zeker.

Hoe kan Belpoix de situatie geïnterpreteerd hebben?

We discussieerden daar lang over en werden het niet eens. Madame was van mening dat hij de koerier vanaf het begin voor een Duitser aangezien moet hebben. 'Hij was op de vlucht,' was haar argument, 'dan zie je altijd datgene waar je bang voor bent.' Zelf ging ik uit van de oude generaal en van de spoken die hem zijn leven lang hadden achtervolgd. De herinnering aan een verkeerde beslissing is alleen zo meedogenloos als je op het punt hebt gestaan het juiste te doen. 'Hij lijdt er nog altijd onder dat hij toen niet naar zichzelf heeft geluisterd,' vermoedde ik. 'Hij kon dan wel niet zien dat de man een koerier van de *résistance* was, maar op de een of andere manier moet hij toch hebben gevoeld dat hij geen vijand voor zich had, en toen heeft hij zich dat gevoel weer uit het hoofd laten praten.' *Le juge* lachte ons allebei uit. Hij was ervan overtuigd dat de zaak veel eenvoudiger was. 'Ze waren allebei nog kinderen en speelden oorlogje, zoals ze in hetzelfde bos indiaantje of reiziger en rover hadden gespeeld. Belpoix sleepte een geweer met zich mee dat hij nog nooit echt had gebruikt. Het kon hem niet schelen of hij een Duitser voor zich had of een Fransman of een Kanaak. Hij wilde eindelijk op een mens mogen schieten en een held zijn.'

Het begin van de weg kenden we niet. Maar waarheen hij heeft geleid, daarover bestond geen enkele twijfel.

'De verdachte schoot hem dood, laf en van zeer nabij.'

Waarschijnlijk heeft monsieur Brossard gelijk: ze speelden allemaal indiaantje in die tijd, met echte geweren en echte doden. Belpoix zal het tafereel eerst alleen hebben geobserveerd, hij stond misschien een paar stappen van het vuur en was in de beschutting van de bomen toch niet te zien. Op een gegeven moment heeft hij toen de laatste stap gezet, naar de open plek toe, waarbij hij de schacht van zijn geweer omklemde zoals je je moed vasthoudt als je bang bent die te verliezen.

En Ravallet? De oude Ravallet, die destijds nog jong en groen was en toch al heel goed wist hoe je anderen je wil oplegt? Die als kleine jongen al een geheim genootschap had opgericht met klopsignalen en rituelen, die de hele mis uit zijn hoofd had geleerd en zijn medeleerlingen vertelde dat hij daarmee kon toveren? Was hij geschrokken toen Belpoix plotseling voor hem stond? Of had hij hem al horen aankomen, had hij het misschien opgemaakt uit de reactie van de paarden, die Belpoix geroken moeten hebben? Hoe dan ook, hij liet, zo stelden wij ons voor, het een noch het ander merken. 'Goddank dat je er bent,' hoorden we hem met een benepen, geschrokken stemmetje zeggen. Wie andere mensen wil manipuleren, moet hun in de eerste plaats wijsmaken dat ze nodig zijn.

Het zal op dat moment nog niet om het geld gegaan zijn. Waarschijnlijk heeft Ravallet de kist pas later opengemaakt, dagen later toen alles allang voorbij was, toen Belpoix was gevlucht en de koerier begraven. Die nacht wilde hij waarschijnlijk alleen de opdracht van het dorp uitvoeren, zoals hij die met zijn vijftien jaar had begrepen: 'Er mag niets gebeuren wat de Duitse bezetters irriteert, we hebben de oorlog in Courtillon in slaap gesust en willen niet dat iemand hem wekt.' De koerier verstoorde die rust en moest daarom verdwijnen, dus kwam Belpoix met zijn geweer als geroepen. Hoe had mademoiselle Millotte de jonge Ravallet ook weer omschreven? 'Als hij wilde dat op school iemand een pak slaag kreeg, dan spande hij iemand anders voor zijn karretje en bleef zelf buiten schot.'

De daad die gepleegd moest worden stond vast, en op het juiste moment was er ook een dader gevonden.

'Hij heeft tegen hem gezegd dat het iemand anders is,' had de kippenvrouw aan haar zwarte weduwen verteld, en nu we meer wisten over die nacht in het *bois de la Vierge*, kregen die woorden opeens zin. 'Die man is een Duitser,' moet Auguste Ravallet hebben beweerd. Toen hij zag dat Belpoix hem niet geloofde, verzon hij gauw een afdoend bewijs. Tenslotte had hij een paar zinnen Duits geleerd, bij de onderwijzer van de bezettingsmacht die toen in mijn huis woonde, alle kinderen in het dorp hadden zo hun suikerklontjes verdiend en alleen

Belpoix kon daar niets van weten, die had zich immers in het bos verstopt om niet in het Rijk tewerkgesteld te worden. 'Hij heeft met zijn stem gepraat', had de kippenvrouw gezegd en nu begreep ik wat ze had bedoeld. Auguste Ravallet had de koerier valse woorden in de mond gelegd. 'Hij was niet meteen bewusteloos', zal hij hebben gelogen, 'hij heeft eerst nog gepraat. "*Guten Tag, mein Herr,*" heeft hij nog gezegd en: "*Wie geht es Ihnen?*" Ik weet niet wat dat betekent', zal hij hebben gehuicheld, 'ik heb alleen de klanken onthouden.'

'*Guten Tag, mein Herr.*' Met die woorden sprak de generaal me toen aan. Misschien heeft hij ze die nacht geleerd, want Ravallet zal de Duitse zinnen hebben herhaald, telkens weer, tot ze een litanie waren geworden, een ceremonie. '*Guten Tag, mein Herr, wie geht es Ihnen? Guten Tag, mein Herr, wie geht es Ihnen?*' En op een gegeven moment kon Belpoix zich niet meer aan de kracht van dat ritueel onttrekken, hij heeft zich niet meer afgevraagd of Auguste die woorden niet ook ergens anders gehoord kon hebben, hij heeft geloofd wat hij eigenlijk niet wilde geloven, heeft zijn geweer gepakt zoals hij het bij zijn raam heeft gepakt, heeft gemikt zoals hij op mademoiselle Millotte heeft gemikt, en toen geschoten.

'En toen hij dood was heeft hij gelachen.' Ook daarin heeft de kippenvrouw vast gelijk gehad. Ze heeft Auguste Ravallet horen lachen, waarschijnlijk in het huwelijksbed toen hij haar vol trots het verhaal vertelde, jaren later toen alles allang voorbij was en begraven, het geld gevonden en verstopt en Belpoix tot zwijgen gebracht en veroordeeld.

'Volgens de verklaring van de getuige werd de verdachte er meer dan eens op gewezen dat de bewusteloze man een koerier van de *résistance* was. Toch schoot de verdachte hem dood, laf en van zeer nabij.' In het vonnis dat monsieur Brossard zich heeft laten voorlezen, wordt de naam van de getuige niet genoemd. Maar wie kan het anders geweest zijn dan Auguste Ravallet? Hij was er als enige bij geweest en nu loog hij om zichzelf te beschermen en nam daarbij op de koop toe dat

Belpoix werd veroordeeld voor een daad die hij weliswaar had begaan, maar waar hij geen schuld aan had.

We konden de angst van Belpoix bijna ruiken, hoewel we maar achter onze wijnglazen zaten en samen aan een herinnering bouwden, we konden de schrik voelen die hij gevoeld moet hebben toen de naamloze rechters hem aankeken en hij zijn vonnis in hun ogen las, nog voor ze het hadden uitgesproken.

'De verdachte wordt tot de kogel veroordeeld.'

Het was de tijd tussen oorlog en vrede, men wilde de rekeningen vereffenen en kende daarvoor geen betere methode dan storende getallen gewoon doorstrepen. Men wilde nog één keer vechter en rechter zijn, voordat men weer boer en timmerman moest worden, een van de velen, men kon nog één keer grote gebaren maken en grote woorden gebruiken. 'Om hem tegelijk met het leven niet ook van zijn eer te beroven, wordt de verdachte in staat gesteld het vonnis zelf te voltrekken.'

Op tafel lag het geladen pistool, Belpoix zal het hebben aangestaard als een giftig insect, misschien trilden zijn handen en schaamde hij zich daarvoor en drukte hij ze tegen de naad van zijn nieuwe uniformbroek, misschien stroomde het angstzweet over zijn gezicht en veegde hij het niet af, misschien leken het tranen, misschien – het had bij de ceremonie gepast – ging Auguste Ravallet voor hem staan en zei hij: 'Het spijt me,' misschien stormde Belpoix op hem af en hielden ze hem vast, maar waarschijnlijk is alles veel zakelijker verlopen, het was een tijd waarin sterven aan de orde van de dag was, waarschijnlijk had Belpoix zich er al bij neergelegd, had hij de eerste aanraking van zijn spoken al gevoeld en was hij blij eraan te kunnen ontsnappen, waarschijnlijk knikte hij alleen en liet hij zich het wapen in de hand leggen, en toen gingen de rechters naar buiten, ze namen het Kruis van Lotharingen en de tricolore en de bijbel mee en deden de deur achter zich dicht. Daar stond hij, hij voelde elke gleuf en elke deuk van het pistool, hij hief zijn arm op en zette de loop tegen zijn slaap, hij fluisterde misschien nog iets wat niemand meer hoorde, en haalde toen de trekker over. Maar zijn hand trilde en hij schoot mis en was niet dood.

Ze lieten hem liggen, misschien gingen ze niet eens meer terug naar die kamer, of ze wierpen alleen nog een vluchtige blik op hem en zagen genoeg bloed om voor definitief te houden wat niet definitief was, en later vonden ze hem, ontdekten dat hij nog ademhaalde en brachten hem naar het ziekenhuis, en op een gegeven moment werd hij wakker en merkte hij dat hij nog leefde en was misschien veel liever dood geweest. Hij kon zijn ogen niet meer sluiten, maar wat er die nacht in het *bois de la Vierge* was gebeurd, wilde hij nooit meer zien en dus verzon hij als blinddoek een verhaal waarin hij alles goed had gedaan en een held was geweest, hij verzon een gevecht met Duitse troepen waarbij hij een hoofdwond had opgelopen, en zo werd Belpoix gaandeweg de generaal, en omdat legenden sterker zijn dan de werkelijkheid, kreeg hij zelfs het lintje van het Legioen van Eer en was hij zijn leven lang een belangrijk man in Courtillon. Alleen 's nachts kon hij zijn leugen soms niet overeind houden en dan moest hij zijn geweer pakken en uit het raam schieten, niet op een oprukkend Duits leger, zoals iedereen altijd had gedacht, maar op een Engelse koerier die hij had doodgeschoten en die niet dood wilde blijven. 'Hij moet hem steeds weer doodmaken, elke dag,' had de kippenvrouw gezegd en daarmee had ze niet haar man bedoeld, die door de doodgeschoten koerier rijk was geworden en zo hartelijk kon lachen als hij daarover vertelde.

Ik weet niet of het allemaal zo gegaan is. In die uren in de woonkamer van de Brossards voelde het echter niet aan als een constructie, maar als een echte herinnering, net zo reëel als de wrange nasmaak van de gigondas en de zoetige geur van madame Brossards *fond de teint*.

'Het was als bij een seance,' zei madame.

'Dan moet een geest mijn wijn opgedronken hebben.' *Le juge* ging de kamer uit om de volgende fles uit de kelder te halen.

Zijn vrouw streek een paar keer met haar hand over het tafelkleed, alsof ze met de vierkantjes en de pijlen ook alle gebeurtenissen wilde wegvegen waarover we hadden gepraat. 'Het heeft me echt aangegrepen,' zei ze. 'Hoe zit het met u?' Ik haalde mijn schouders op. Als ik iets had gezegd, zou de klomp die ik in mijn buik voelde, uit elkaar zijn gespat. De generaal heeft ooit iets verkeerds gedaan, voor hem was het juist en toch was het verkeerd, en hij is er zijn leven lang niet overheen gekomen. Ik wilde er niet over nadenken wat dat voor mij betekende. Ik heb mezelf emoties verboden. Ik wilde niet huilen.

Gelukkig kwam monsieur Brossard terug, die zijn verhaal zo vlug mogelijk af wilde maken. De gebeurtenissen rond de koerier hadden we ons gedetailleerd voorgesteld, we hadden ze meegemaakt. Wat een halve eeuw later tot de dood van mademoiselle Millotte had geleid, hoefden we alleen nog logisch in elkaar te zetten.

Ten eerste: de generaal had van de heilige Jan gehoord dat mademoiselle van de dood van de koerier op de hoogte was en erover wilde vertellen. Dat dat in werkelijkheid helemaal niet klopte, dat Jean het alleen had beweerd om met dat gerucht de burgemeester te chanteren, kon Belpoix niet weten.

Ten tweede: hij moet aangenomen hebben dat mademoiselle Millotte inderdaad iets wist (dat was niet zo moeilijk, want ze wist altijd alles), en hij moet gevreesd hebben dat in het licht van de oude waarheden zijn hele levensleugen zou bevriezen als een exotische plant bij de eerste vorst.

Ten derde: als hij een held wilde blijven – en iedereen die ooit heldhaftigheid heeft geveinsd, wil die glans nooit meer kwijt –, dan mocht hij mademoiselle Millotte niet laten praten. En daarom nam hij ten vierde zijn geweer en loste het probleem op zoals hij het in de oorlog had geleerd.

'Hij zal er niet voor worden berecht,' zei *le juge*. 'Destijds hebben ze hem onschuldig veroordeeld en nu laten ze hem schuldig lopen.'

'Dat is toch niet rechtvaardig!'

Monsieur Brossard glimlachte naar zijn vrouw en hief zijn wijnglas alsof hij een toost wilde uitbrengen. 'Hij heeft zijn straf al uitgezeten,' zei hij. 'Tenslotte heeft hij al die jaren met zichzelf moeten leven.'

*H*et is mijn schuld. Misschien is het mijn schuld. Afstand bewaren, had ik me voorgenomen. Me nergens mee bemoeien en me nergens in laten betrekken. Geen gevoelens, nooit meer. Alleen toekijken en rangschikken. Toeschouwer wilde ik zijn, en ik ben lijkschouwer geworden.

Lijkenpikker.

Courtillon moest mijn laboratorium worden, mijn experimenteerkamer. Telkens als twee karakters met elkaar reageerden, wilde ik het noteren en vastleggen, 'op de zoveelste om zoveel uur stuitten hoop en nijd op elkaar, wanhoop trof woede, hebzucht ontmoette vrees, en er was die en die reactie'. Opschrijven, indelen, opbergen. Onverschillig. De mensen moesten mij de tijd verdrijven met hun verhalen, als witte muizen met potsierlijke gewoontes, en wanneer ze verliefd werden of elkaar haatten, wanneer ze elkaar aantrokken of afstootten, wilde ik dat observeren, alleen maar observeren.

Meer niet.

En nu heb ik mijn mond niet kunnen houden en ben ik schuldig.

Een hufter ben ik.

Hij zou nog kunnen leven.

Nee, één keer wil ik mezelf niets voorliegen. Hij zou nog leven als ik niet …

Het is mogelijk dat hij nog zou leven. Als ik hem dat niet had verteld, gewoon om ergens over te praten, alleen om weer vijf minuten of een halfuur achter de rug te hebben, de lastige tijd door te komen, een leeg vakje in te vullen met een of andere kleur, welke dan ook, het doet er niet toe, als het maar niet leeg blijft.

Ik heb ingegrepen in een experiment zonder de wetten ervan te kennen. Het is mijn schuld, ook al ben ik de enige die dat weet.

Misschien is het mijn schuld.

Als een huis verbrandt, ruikt het zoetig. Rook, as en daarachter iets zoetigs, niet eens onaangenaam. Of is dat alleen het geval als er een huis verbrandt waar nog iemand in is?

Ik moet alles op z'n beurt vertellen, orde scheppen. Maar waarvoor?

Voor wie?

Jojo had zich wekenlang op het feest verheugd, het is de belangrijkste dag van het jaar voor hem. Minstens tien keer heeft hij me gevraagd: 'Hebt u niet ook iets te verbranden, iets te verbranden?' Heel Courtillon heeft door hem de zolder laten uitmesten, dagenlang heeft hij met lege groentekistjes en kapotte stoelen door de straat gesjouwd. Het mooiste vuur van heel Frankrijk moest het worden.

Ik benijdde Jojo. Sinds de dood van de paardenboer woonde hij helemaal alleen, in een grote lege boerderij van grijze stenen, maar dat leek hem niet te deren, zolang de wereld waarin hij leefde maar vaste regels had. 'Is het al zover?' vroeg hij aan iemand, en iedereen in het dorp kon hem het antwoord geven. 'Nee, Jojo, je moet nog drie dagen geduld hebben, nog twee nachtjes slapen, morgen, Jojo, morgen beslist.'

Hij was zo gelukkig. Eerst het vuur en toen ook nog in de politieauto mee mogen rijden.

Het is mijn schuld.

Toen Jean me over de nieuwe dreigbrief vertelde, had ik dat voor kennisgeving moeten aannemen, opschrijven en archiveren, verder niets. 'Vandaag ben ik Jean Perrin tegengekomen, bijgenaamd *Saint Jean*, en hij liet me een brief zien waarin hij met de dood wordt bedreigd. De afzender is vermoedelijk een uit Saint-Loup weggelopen, moeilijk opvoedbare jongere die Philippe heet. Toen Jean Perrin me de brief voorlas, zag hij erg bleek en vertoonde hij tekenen van grote opwinding.'

Bekijken en observeren, zoals ik me had voorgenomen.

Meer niet.

Maar ik moest me er zo nodig mee bemoeien. Ik moest gewichtig doen. Ik moest hem tot andere gedachten brengen.

Ravallet ziet er verdacht tevreden uit.

Madame Deschamps is walgelijk behulpzaam. 'Die arme, arme Elodie,' zegt ze, maar in werkelijkheid bedoelt ze alleen: 'Wat fijn, ik ben nodig.'

Madame Simonin klaagt omdat ze haar gordijnen moet wassen. De as zet zich overal vast.

En de greluche ...

Zo gaat het niet. Ik moet van voren af aan beginnen.

Als ik wist wat het begin was.

Jean heeft me die brief laten zien. 'Ze hebben V opgesloten en daar moet jij voor boeten.' Het handschrift was minder volwassen dan Philippe zichzelf graag ziet. Smalle letters, alsof hij naakt op het papier stond, zonder zijn leren jack, zonder de schoenen met de dikke zolen. Het poststempel – en dat was waar Jean zo van schrok – was niet meer uit Parijs, maar uit Montigny. 'Hij is in de buurt,' zei Jean. 'Hij meent het serieus.'

Ik heb geprobeerd hem te kalmeren.

Nee, afgelopen met die huichelarij!

Ik heb vol genot zijn paniek geroken, geproefd, betast. Ik tap andere mensen hun emoties af om er mijn eigen leegte mee te vullen. Ik ben een mee-eter.

Ik heb Jean aangeraden met de brief naar monsieur Deschamps te gaan, ook al wist ik dat hij dat niet zou doen. Philippe was maar een bluffer, probeerde ik hem wijs te maken en natuurlijk geloofde hij me niet. Ik heb hem al die goedkope adviezen aangesmeerd, al die valse gespreksmunten waarmee je het recht koopt om nog een beetje langer bij een vreemd lot te griezelen. En toen – om hem van zijn probleem af te leiden, loog ik mezelf voor – heb ik hem verteld over de ontdekking die *le juge* had gedaan. Ik heb hem verteld over het proces tegen de generaal en de rol die de vader van onze burgemeester daarbij heeft gespeeld.

Het is mijn schuld.

Als ik mijn mond had gehouden, was Jean niet naar Ravallet gegaan en had hij niet geprobeerd hem nog één keer te chanteren.

Als het zo is gegaan.

Ik weet niet eens of hij bij Ravallet is geweest. Misschien is het er niet meer van gekomen. Maar het past bij elkaar en ik zou liever hebben dat het niet zo goed bij elkaar paste. Ik heb nooit een hoge dunk van onze burgemeester gehad, maar toch kan ik me niet voorstellen dat hij een moordenaar is.

Ik wíl het me niet voorstellen.

Van voren af aan beginnen.

La Saint Jean, de Sint-Jansdag. En zijn nacht waarin het grote vuur wordt aangestoken om de boze geesten te verdrijven. Een van de weinige oude gebruiken die hier in de buurt nog leven; elk dorp wil de grootste brandstapel en de hoogst oplaaiende vlammen hebben.

Courtillon heeft die wedstrijd gewonnen, definitief. Over vijftig jaar zal er nog gepraat worden over de enorme brand die er op *Saint Jean* in ons dorp was. Niet 's nachts, maar overdag. En over wie daarbij de dood vond.

'Dat heeft iets te betekenen,' zullen de mensen zeggen en sommigen zullen een kruis slaan.

Vroeger zorgde Jean altijd voor het hout, tenslotte was 24 juni zijn naamdag, maar deze keer liet hij zich de hele week niet zien, en het ging ook zonder hem. 'Beter zelfs,' zeiden de mensen die nu vaklieden inhuren en hem daarom zwart moeten maken. De jonge Simonin sleepte met zijn dragline hele boomstammen aan, drijfhout van de overstroming in het voorjaar, monsieur Deschamps reed zelfs met zijn dienstwagen de wei achter het kerkhof op en bracht een kofferbak vol schuifladen (alleen schuifladen, ik weet niet wat er met de bijbehorende bureaus is gebeurd) en dan was Jojo er natuurlijk elke dag met zijn stoelpoten en wijnkisten.

De brandstapel groeide en groeide, er moesten al ladders tegenaan gezet worden om hem nog hoger te krijgen, er werd al gediscussieerd over het weer, 'ja, het wordt mooi in het weekend, we zullen een heldere nacht en droog hout hebben', zoals elk jaar werd er al gekibbeld over wanneer het donker genoeg zou zijn om de brandstapel aan te steken, en nu staat hij daar zonder verbrand te worden, en mettertijd zal hij verrotten en in elkaar zakken.

Ze zullen in Courtillon wel nooit meer Sint-Jan vieren.

Onzin.

Natuurlijk zullen ze het vieren, volgend jaar alweer. De *cantonnier* zal de lange tafel neerzetten, Bertrand zal voor de wijn zorgen, Ravallet zal zijn toespraak houden, 'juist met het oog op de tragische gebeurtenissen waaraan wij vandaag allemaal terugdenken', zal hij zeggen. 'Het leven moet doorgaan', zal hij zeggen en 'we mogen de oude tradities niet vergeten.' De jonge Simonin zal benzine over het hout gooien en als de vonken dan in het rond vliegen, zullen ze allemaal 'Ah!' en 'O!' roepen en ik zal ergens aan de kant zitten, ze zullen denken dat het de hitte is die mijn gezicht zo rood maakt en niemand zal weten dat het eigenlijk mijn schuld is.

Of is dat alweer gewichtigdoenerij? Een verdraaide vorm van ijdelheid? Praat ik mezelf verbanden aan omdat ik nog altijd liever schuldig wil zijn dan overbodig?

Niemand weet wie de brand heeft gesticht. Het staat niet eens vast, zegt monsieur Deschamps, dat het brandstichting was. Misschien was er kortsluiting, misschien was hij weer eens een elektrisch apparaat aan het repareren dat hij niet goed had uitgeschakeld, misschien heeft hij gewoon een sigaret gerookt die is blijven smeulen, en dat met al dat hout en die benzineblikken. De indruk bestond – verscheidene mensen hebben het zo beschreven – dat de brand op meerdere plekken tegelijk uitbrak, maar misschien was het echt alleen een ongeluk.

Nee.

Hij zat in de weg. Hij was een storend element geworden in de machinerie van Courtillon. Het kan geen toeval zijn wat er is gebeurd.

Het mag geen toeval zijn.

We hebben godsdiensten bedacht en er kerken voor gebouwd en brandstapels voor opgericht, alleen omdat we de gedachte niet kunnen verdragen dat er geen web is van verbanden en consequenties, dat er alleen om ons wordt gedobbeld en er niemand is die de dobbelbeker schudt, omdat we niet willen toegeven dat ons leven uit de tijd rijst als deeg uit een machine, een kleverige vormloze massa, en pas achteraf, als alles voorbij is, geleefd en gestorven, kneden we de gebeurtenissen, geven we er vorm aan, vlechten we er broden en kransen van, beweren we dat het zo was omdat we bedacht hebben dat het zo geweest zou kunnen zijn.

Als we iets hebben beleefd, als we door iets zijn geleefd, moeten we het net zo lang vertellen en vertellen tot we het erover eens zijn, met onszelf en met de anderen, wat voor soort verhaal het was, een legende of een klucht, een tragedie of een parabel, tot we overeen zijn gekomen wat er is gebeurd, en dat is dan ook gebeurd. Soms worden we het niet eens en dan vinden we de ander dom of kwaadaardig, soms worden twee volken het niet eens en dan voeren ze oorlog tegen elkaar, eeuwenlang, en het gaat dan niet eens om recht of onrecht, maar alleen om verhalen en wie mag bepalen hoe ze verteld moeten worden.

'Er is brand geweest in Courtillon,' heet het nieuwste verhaal. Je voelt al hoe het verteld zal worden, maar zo is het niet gegaan.

Misschien was het ook niet mijn schuld, niet alleen, maar nog minder was het ...

Ik heb nog niet opgeschreven hoe ik het heb beleefd.

Op een van mijn wegloopwandelingen was ik het bos in gegaan en toen ik op de terugweg de rookkolom zag, veel te hoog en veel te zwart voor een tuinvuur, was mijn eerste gedachte (ieders eerste gedachte, heb ik intussen gehoord) dat iemand stiekem de brandstapel aangestoken moest hebben. Vroeger, toen *la Saint Jean* nog een echte wedstrijd tussen de dorpen was, moet dat geregeld voorgekomen zijn, maar nu zijn het alleen nog de jongens van Saint-Loup van wie je zo'n streek kunt verwachten.

Ik zag de rook, maar liep daarom niet vlugger. Ik maakte zelfs nog een wijde boog door het bos en nam een langere terugweg. Ik ben belust op andermans gevoelens, maar alles wat er in de lucht leek te hangen was een beetje ergernis en teleurstelling. Toen ik ten slotte bij de keerplaats kwam waar de mensen uit de omgeving hun grofvuil deponeren, trof ik daar Jojo aan, die aan een veel te zware, oude ladekast stond te sjorren en vergeefs probeerde hem op te tillen. Zijn dikke babygezicht was helemaal vlekkerig van inspanning, waarschijnlijk was hij al uren in de weer. Als hij eenmaal ergens aan begonnen is – dat maakt hem tot de dorpsgek en tot een mens –, dan weet hij niet hoe hij er weer mee moet stoppen.

Ik weet zeker dat hij daar de hele middag is geweest. Ik heb ook geprobeerd dat de anderen duidelijk te maken, maar ze willen het niet horen omdat ze anders hun verhaal opnieuw zouden moeten vertellen.

Een rond verhaal is te waardevol om het door feiten te laten ondergraven.

Jojo was blij me te zien en bood me zijn kant van de ladekast aan, zoals je een langverwachte gast de beste plaats aan de familiedis aanbiedt. 'Samen kunnen we hem dragen,' hijgde hij amechtig. 'Hij is voor het vuur, weet u, voor het vuur.'

'Je bent te laat,' zei ik. 'Ze hebben het al aangestoken.'

Op Jojo's gezicht was te lezen hoe die voorstelling zich moeizaam een weg baande door de warboel van zijn gedachten. Eerst schrok hij en sperde zijn ogen wijd open, toen schoof zijn onderlip naar voren, als bij een baby die dadelijk begint te huilen, en ten slotte steeg er een triomfantelijke grijns in hem op en begon hij te giechelen, zo heftig dat zijn ronde hoofd heen en weer zwaaide. Jojo is gewend dat hij voor de gek wordt gehouden en neemt het telkens goedig op, maar nu meende hij iets begrepen te hebben en daar was hij trots op. 'Ze kunnen het vuur helemaal niet aansteken,' zei hij lachend toen hij weer kon praten, 'ze kunnen het helemaal niet. Want het is nog geen nacht, nog lang geen nacht.'

Ik pakte zijn hand, nam hem een eindje mee het bos uit en liet hem de zwarte rookkolom zien die boven Courtillon stond. 'Dat mogen ze niet!' jammerde Jojo en hij begon te rennen om nog zo veel mogelijk van het vuur te zien waarop hij zich zo had verheugd.

De Franse taal heeft een prachtig woord voor een dorpsgek. L'innocent du village, de onschuldige van het dorp.

En toch hebben zij besloten dat Jojo schuldig is.

Zij.

De anderen. Altijd de anderen. Alsof ik niet ook heb geknikt toen madame Deschamps zei: 'Misschien is het beter zo. Alleen in dat grote huis, dat was op den duur geen oplossing geweest.' Alsof ik beter ben dan zij.

Iemand die bij het kaarten toekijkt wil wel meespelen, maar niet meeverliezen. Ik vraag me af of ik altijd zo'n lafaard ben geweest.

Ja.

Even later kwam ik terug in het dorp, stak de hoofdstraat over, waar de kippenvrouw weer eens een dood dier opraapte – 'tok, tok, tok' en 'zo, zo, zo' –, liep rustig verder, nog altijd nietsvermoedend, en pas waar de straat een bocht maakt, bij het huis van mademoiselle Millotte, begreep ik dat de zwarte rook niet van de wei achter het kerkhof opsteeg, maar veel dichterbij, ik zag de vlammen, dacht eerst dat ze uit mijn huis sloegen, begon te rennen, langs de kerk, en besefte toen eindelijk (opgelucht, ik geef het toe) dat het Jeans huis was dat in brand stond.

De brandweer uit Montigny was er al, de waterstralen uit de beide slangen waren veel te dun voor de brede vuurwand. Jojo was er, helemaal doorweekt, hij stond van enthousiasme te trappelen, het was nog net geen dansen. Het hele dorp was er, natuurlijk, de mensen vormden achter de brandweerlieden een keurige rij dwars over de straat; de zakdoeken die ze tegen de rook voor hun mond hielden, zagen er allemaal hetzelfde uit, alsof iemand een grote partij had gekocht en had uitgedeeld.

Toen ik dichterbij kwam, knikte Bertrand naar me, een misprijzende groet, alsof ik te laat was voor de voorstelling, maar hij deed toen toch een stapje opzij. Ik ging naast hem staan en hoorde wat er gebeurd was. 'Het huis is niet meer te redden,' zei hij zonder zijn ogen ook maar een moment van de vlammen af te houden, 'maar er is niemand gewond. Jean is op pad en Geneviève is naar Montigny.'

Dat van Geneviève wist ik. Ze had me wel twee keer over de nieuwe schoenen verteld die ze zo dringend nodig had, en daarmee (ze is anders niet iemand die ergens te veel woorden aan vuilmaakt) was duidelijk geweest dat de echte reden een andere was. Ze wilde op de verjaardag van haar man gewoon niet in Courtillon zijn.

Dat Jean ook weg was, stelde me gerust.

Stelde me gerust.

Stelde gerust.

Ik kan het gevoel uit een laatje in mijn geheugen halen, en het komt me voor als een stuk gereedschap dat nog altijd klaarligt voor gebruik, hoewel er niemand meer is die ermee om weet te gaan, zoals een van de ouderwetse gebaren van madame Brossard, zoals een gefotografeerde glimlach waaronder staat: 'Opgenomen tien minuten voordat de bom insloeg.'

'Er is niemand gewond,' zei Bertrand. Het klonk een beetje teleurgesteld. Als er iets gebeurt, dan moet er ook echt iets gebeuren.

Ik ontdekte Elodie, ze stond achter de toeschouwers, op een plek waar ze alleen ruggen kon zien, ik ging naar haar toe en zei geruststellend (hoe vaker ik dat woord herhaal, hoe minder het betekent), en zei geruststellend: 'Er was niemand thuis.'

'Ik weet het,' zei ze.

'Je hoeft niet bang te zijn.'

'Ik ben niet bang.'

'Een huis kun je weer opbouwen, precies zo, of zelfs nog mooier dan het was.'

'Of je kunt een ander huis kopen,' zei ze. Het leek alsof ze daarbij glimlachte. Ieder mens vermijdt tranen op zijn eigen manier.

Ook met de volgende zin wilde ze zich waarschijnlijk alleen aan iets vertrouwds vastklampen. Ze is getraind in het simuleren van een normaal leven, waar dat niet meer bestaat. 'Weet u wat ik mijn vader voor zijn verjaardag geef?' vroeg ze. 'De salto. Het heeft lang geduurd, maar nu kan ik hem. Ik struikel nog wel, maar ik kom op mijn voeten terecht.'

Als er toch iemand is die de dobbelbeker schudt, dan zal hij wel om ons moeten lachen.

Waarom zou ik het vuur beschrijven? Waarom zou ik precies de goede woorden zoeken? Waarom zou ik mezelf voorliegen dat het verschil maakt, voor iets of iemand, of vlammen laaien of dansen, of vonken rondstuiven of rondvliegen, of brandend hout knettert of knappert? Zelfs het moment waarop het dak instortte en we allemaal het gevoel hadden te moeten applaudisseren, is niet belangrijk. Als ik zou proberen alles op te schrijven, minuut na minuut, observatie na observatie, dan zou ik daarmee alleen maar tijd willen winnen om niet het moment te hoeven beschrijven waar alles naartoe ging. Ik zou alleen maar laf zijn, voor de zoveelste keer.

Toen ze de ladder uitschoven, deden ze dat niet om iemand te redden. Het vuur was al uitgewoed en zelfs als het nog een keer oplaaide, bestond er geen gevaar meer; in dit deel van Courtillon staan de huizen niet dicht op elkaar. De hele actie leek overbodig, een toegift, alsof ze dat mooie apparaat nu eenmaal hadden en het daarom ook wilden gebruiken. De brandweerman die met de slang naar boven klom, deed dat als een artiest, steeds met één oog naar de toeschouwers.

Hij stond vlak bij het zwart omrande gat dat ooit een raam was geweest, hij had zijn arm al opgetild om zijn collega's een teken te geven, 'Water, nu!' (en alleen een gedeformeerde professional als ik kan zoiets opschrijven en zich op hetzelfde moment afvragen hoe dat in het Frans heet), alles verliep als bij een oefening, maar plotseling schrok hij. Zijn houding verkrampte, hij boog ver naar voren – de slang zat hem daarbij in de weg en hij moest zich eruit draaien – en klom toen de ladder weer af, veel langzamer dan hij naar boven was geklommen, ze stonden in een groepje bij elkaar, twee brandweerlieden en Ravallet en Deschamps, ze keken ernstig en daarna liep Deschamps naar zijn vrouw en besprak zachtjes iets met haar, ze knikte met haar hoofd, haar hoog oprijzende kapsel knikte mee als een te groot uitgevallen hoed, ze kwam op ons af, op Elodie en mij, ze liep door een haag van nieuwsgierige blikken, ze sloeg een arm om het meisje, een gebaar dat eerder bezitterig was dan beschermend, en zei toen: 'Het is beter dat je hier niet blijft staan. Ze hebben toch nog iemand in het huis gevonden. Het ziet ernaar uit dat het een man is. Ik vrees dat het alleen je vader kan zijn.'

*I*k bracht Elodie naar huis. Naar mijn huis, waar anders heen? Haar gezicht was leeg, alsof ze een deel van zichzelf had verloren en het niet de moeite waard was ernaar te zoeken. Ze liep naast me, elke stap was een moeilijk kunststuk. Ze zette de ene voet voor de andere als een artiest op het slappe koord die de hele tijd alleen rechtuit kijkt omdat hij dan niet hoeft toe te geven dat er een afgrond onder hem is. Als ik er maar aan dacht haar te troosten, weerde ze de aanraking al af; ik had alleen mijn arm hoeven uitstrekken om haar over haar haren te strijken, maar de afstand was te groot, de muur die ze om zich heen had opgetrokken, te hoog.

Ze liep de trap op alsof ze een berg beklom, ze draaide de sleutel achter zich om alsof het voor altijd was, en daarna kon ik me alleen nog maar voorstellen hoe ze zich begroef tussen mijn boeken, tussen de bergen dode letters die alles weten en niets kunnen verklaren. Ik wachtte lang op het trapportaal, door het leven voor de deur gezet, en mijn gedachten draaiden steeds in hetzelfde kringetje tussen iets-willen-doen en niets-kunnen-doen. Twee keer liep ik naar de deur om te luisteren, maar ik hoorde geen gesnik, niet eens haar ademhaling. Ik was hulpeloos in de volle betekenis van het woord: ik kon niet helpen en ik werd niet geholpen.

Toen ik, zonder nog een keer met Elodie gepraat te hebben, veel later weer buitenkwam, waren de kleuren veranderd. Het liep al tegen negenen, maar omdat de rook niet meer zo dik was, leek het lichter geworden, alsof de uren een salto hadden gemaakt, een salto voor Jeans verjaardag, alsof ze onderling van plaats hadden geruild, eerst de Sint-Jansnacht met zijn vuur en dan pas de dag.

In de haag van toeschouwers waren de eerste gaten gevallen, ook Jojo stond niet meer opgewonden tussen de toeschouwers te dansen. De gezichten draaiden zich naar me om, eerst vol verwachting en toen algauw teleurgesteld omdat ik niets wist te vertellen over tranen en wanhoop. Hij wil het ons gewoon niet vertellen, zullen ze gedacht hebben, hij is toch een vreemdeling die nog altijd niet heeft begrepen dat belevenissen hier in Courtillon gemeenschappelijk bezit zijn.

'U hebt veel gemist,' zei Bertrand en het klonk als 'Sliepuit!' De brandweerlieden hadden Jeans lichaam uit het huis gehaald zonder dat er veel van te zien was, wat Bertrand betreurde, ze hadden het verbrande lijk onder een wollen deken verstopt. De ambulance en de lijkwagen waren tegelijk gearriveerd; de ambulance was leeg weer weggereden en de lijkwagen gevuld.

Geneviève was nog niet terug uit Montigny, ze wist waarschijnlijk nog niets van de ramp, en dat zal wel de reden geweest zijn waarom er nog altijd zoveel dorpsbewoners voor de plaats van de brand stonden te wachten, hoewel er niet veel meer te zien was en de brandweer de slangen al oprolde. Ze verwachtten van Geneviève nog een vervolg, een uitbarsting van wanhoop misschien, echtgenote komt aanfietsen, ziet wat er gebeurd is, begint te gillen, wil zich in de rokende puinhopen storten, wordt op het laatste moment tegengehouden – ook wie zijn buik al vol heeft gegeten aan het belevenisbuffet, vindt altijd nog wel een plekje voor een pikant toetje.

Terwijl ze wachtten en ik met hen wachtte, vergeefs zoals zou blijken, vertelde Bertrand me verdere bijzonderheden over de omstandigheden rond Jeans dood. Anders dan in het dorp gebruikelijk is, viel niemand hem daarbij in de rede om zijn eigen visie op de gebeurtenissen te geven; sinds zijn huis op zo'n gunstig tijdstip in vlammen is opgegaan, geldt Bertrand in Courtillon als een autoriteit op het gebied van branden. 'Jean moet op de zolder geweest zijn,' doceerde hij, 'en daar zijn de ramen zo klein dat hij ze niet kon gebruiken om te vluchten. Het vuur begon op de benedenverdieping en breidde zich razendsnel uit; toen Jean het ontdekte, was het al te laat. Hij had de trap naar de zolder achter zich ingetrokken, het mechanisme zit nog steeds dicht. Het ging allemaal heel vlug, oud hout brandt als een fakkel. Toen de vloer onder hem was weggebrand, viel Jean naar de onderste verdieping en bleef op een uitstekend muurtje liggen, daar waar de schuur aan het huis is vastgebouwd. Maar op dat moment zal hij al dood geweest zijn. Je sterft aan rookvergiftiging voordat je verbrandt.' Bertrand zei dat alles op de zakelijke toon waarop ik – het lijkt een eeuw geleden – me had voorgenomen zelf alleen nog te vertellen, en daarom haatte ik hem.

Ik haatte hem omdat ik hem op dat punt had willen evenaren, en ik nam hem nog meer kwalijk dat het me niet was gelukt. Als het om gevoelens gaat, is Bertrand onkwetsbaar. Hij hoeft zich niet eens voor te nemen om niets te voelen, net zomin als een blinde zich hoeft voor te nemen om niets meer te zien. Als ik daarentegen gevoelens afzweer, is dat even zinvol als het voornemen om je adem in te houden tot je stikt. Op een gegeven moment zuig je de lucht toch hijgend weer naar binnen.

Ik kan nog niet huilen, maar ik voel de tranen al achter mijn ogen.

O, Jean.

Hij is gestorven omdat hij zijn gezicht wilde redden.

Hij heeft de mensen verteld, de mensen die hem geen werk meer gaven, dat hij iets heel belangrijks te doen had, dingen die geen uitstel konden lijden, en dat hij daarom, ondanks zijn verjaardag en ondanks het Sint-Jansvuur, die dag niet in Courtillon kon zijn. Hij wilde niet moeten toegeven, niet tegenover zichzelf en niet tegenover anderen, dat niemand hem nodig had en dat niemand feest met hem wilde vieren.

Ook ik niet, hoewel ik bijna zijn vriend was.

Bijna. Ik ben nog altijd te laf om de dingen bij hun naam te noemen. Hij was mijn vriend en ik heb hem in de steek gelaten.

Hij had niet echt iets dringends te doen, natuurlijk niet. Hij verstopte zich alleen maar, op zijn eigen zolder, met ingetrokken trap. Hij heeft zichzelf waarschijnlijk wijsgemaakt dat hij daarboven heel dringend iets moest verbeteren, repareren of isoleren, terwijl hij alleen maar niet aanwezig wilde zijn op die dag, omdat hem dat nog altijd draaglijker leek dan wel aanwezig, maar niet welkom te zijn.

Naast de poort, die niet eens zwart is geworden van de rook, zit nog steeds het bedrieglijke bordje op de muur, het kleine mozaïek waar hij ooit zo trots op was: M. ET MME. PERRIN ET LEUR FILLE ELODIE.

Ook Geneviève wilde er op Sint-Jan niet zijn. Ze vluchtte naar Montigny en zal daar, eerlijk als ze is, alle drie de schoenwinkels hebben afgelopen, alleen om achteraf te kunnen zeggen: 'Ik ben er geweest, maar ik heb niet kunnen vinden wat ik zocht.' Wat ze zocht is niet te koop.

Leur fille Elodie is in mijn huis weggekropen en heeft stiekem de salto geoefend om een cadeautje voor haar vader te hebben, voor zijn verjaardag en voor zijn naamdag, om weer eens iets goed te doen nu alles zo lang verkeerd was gelopen, om hem een opgeloste opgave te kunnen aanbieden, een perfect cijfer, *vingt sur vingt*.

En toen brak de brand uit.

O, Jean.

Vijf ton stenen heeft hij uit dat huis gesleept, emmer voor emmer.

Waarom heb ik nooit tegen hem gezegd hoe graag ik hem mocht om die opschepperij?

Nu kan ik alleen nog met het hele dorp bij zijn uitvaart in de kerk zitten, de buldog van een pastoor zal een leuterverhaal houden over het lot en over de bijzondere tragiek om op je eigen verjaardag de dood te vinden, madame Simonin zal vol overgave vals zingen (één keer, na verscheidene glazen mirabellenbrandewijn, heeft Jean haar nagedaan, waarbij hij haast stikte van het lachen) en dan zullen we allemaal voor de ingang op de rouwdragers staan wachten, de geüniformeerde man van de *pompes funèbres*, die altijd zo ongeduldig kijkt, zal haastig de bloemenkransen uit de kerk dragen en ze in zijn zwarte auto leggen, en dan zullen ze de kist brengen en zal de klok luiden.

Maar het zal niet Jojo zijn die aan het klokkentouw trekt.

Als ze zeggen dat de brand maar één slachtoffer heeft geëist, dan is dat niet waar. Het waren er twee. Jean en Jojo.

Hoe donkerder het werd, hoe meer nieuwsgierigen de plaats van de brand verlieten. Alsof het stilzwijgend was afgesproken, gingen de meesten niet terug naar hun huis in het dorp, maar de andere kant op, langs het kerkhof naar de wei waar de reusachtige brandstapel wachtte. Daar hingen ze besluiteloos rond, het leek of ze ergens op wachtten, ook al wist iedereen dat vandaag niemand meer iets in brand zou steken.

Alleen Jojo begreep dat niet. Hij was er als eerste heen gegaan, hij had zich van die prachtige, rokende puinhopen losgerukt om het echte vuur niet te missen, het grote waarop hij zich zo lang had verheugd, dat in zijn voorstelling minstens tot in de hemel zou laaien. Minstens. Zijn gezicht en zijn kleren zaten vol as en roet en hij kon van opwinding en ongeduld geen moment stilstaan. Hij liep van de een naar de ander, zelfs voor Ravallet, voor wiens opdringerige aanrakingen hij bang is, zag ik hem staan, steeds weer dreinend: 'Het is toch al donker, het is toch al bijna helemaal donker.'

Toen de politieauto de wei op reed, rende hij erheen. 'Hebt u nog meer schuifladen meegebracht,' vroeg hij aan monsieur Deschamps, 'nog meer schuifladen?'

'Nee, Jojo.'

'Steekt u dan nu het vuur aan? Steekt u het nu aan?'

'Straks, Jojo,' zei monsieur Deschamps, die voor één keer heel gewoon praatte. 'Ik moet eerst nog iets belangrijks doen. Wil je me daarbij helpen?'

'Nee, ik wil het vuur zien, het vuur.' Twee tranen tekenden strepen op Jojo's zwart besmeurde gezicht.

'Dat gebeurt ook, ik beloof het. Maar omdat jij zo ijverig hout hebt verzameld, heb je een speciale prijs verdiend. Je mag in mijn auto meerijden.'

Jojo was zo gelukkig.

'Zet u ook de sirene aan, de sirene?' vroeg hij en toen monsieur Deschamps knikte, klapte hij in zijn handen. Hij liet het portier voor zich openen en stapte in, een minuut lang was hij een ster, de belangrijkste mens op aarde, en de auto van de gendarmerie was zijn limousine. De sirene begon te loeien en hij drukte zijn handen tegen zijn oren, triomfantelijk en trots, het was zijn lawaai en dat maakten ze alleen voor hem. Hij drukte zijn neus tegen de ruit om naar ons te kijken zoals wij naar hem keken, en toen reed de auto weg en sindsdien is Jojo niet meer in het dorp gezien.

Courtillon is opgelucht. Het verhaal is nu rond en je hoeft er niet meer over na te denken. Jojo heeft het huis in brand gestoken, zeggen ze, omdat hij niet meer kon wachten tot Sint-Jansnacht. 'Misschien,' zegt madame Deschamps, die zich interesseert voor psychologie, 'heeft hij juist dat huis en die dag uitgekozen omdat Jean Perrin de heilige Jan werd genoemd.'

Dat klopt allemaal niet en toch zit er iets logisch in. Iedereen weet hoeveel Jojo van vlammen hield, hoe gelukkig je hem met een handjevol lucifers kon maken. Nu hebben ze een pyromaan van hem gemaakt, ze hebben een verhaal in elkaar gedraaid en als ze het maar vaak genoeg herhalen, zal het op een gegeven moment de waarheid geworden zijn.

Toen ik madame Deschamps wilde uitleggen dat het zo niet gegaan kon zijn, dat ik Jojo op de keerplaats had gezien, dat hij daar al geweest moest zijn toen de brand werd gesticht, knikte ze, zonder instemming, alleen om te bevestigen dat ze me had gehoord, en ze zei: 'Gelooft u me, monsieur, het is beter zo.'

Beter voor wie? Voor Jojo, van wie ze het dorp hebben afgepakt waar hij iemand was en die nu de rest van zijn leven in een of ander tehuis wordt verzorgd? Voor Courtillon, dat weer iemand minder heeft op wie gelet moet worden en die op een gegeven moment weleens kosten zou kunnen veroorzaken? Of alleen voor de jonge Simonin, die, nu Jojo er niet meer woont, de boerderij van de paardenboer zal pachten om zijn bedrijf nog groter te maken?

Ik heb het gevoel dat er om me heen iets gebeurt waarvan iedereen op de hoogte is behalve ik, iets onaangenaams, maar noodzakelijks, het is niet leuk, maar het moet gedaan worden, iets wat ze zo vanzelfsprekend vinden dat ze er niet eens over hoeven te praten. Ik heb het gevoel dat ze met z'n allen een spel spelen en alleen mij de regels niet verklappen. Ze spelen het ook niet voor het eerst, anders hadden ze niet zwijgend een schuldige kunnen aanwijzen, snel en zonder na te denken, zoals een schaker een al gespeelde partij herhaalt, alleen om die in zijn geheugen te prenten, zet voor zet voor zet.

Ze treuren ook niet om Jean. Natuurlijk trekken ze een ernstig gezicht als ze over hem praten, 'tragisch', zeggen ze, 'echt tragisch', maar daarachter bespeur ik een zekere opluchting. Er was een probleem en nu is het er niet meer.

Maak ik het mezelf alleen maar wijs?

Maar ik heb de *greluche* bij de brand zien staan, hand in hand met haar man.

Maar ik heb Bertrand horen zeggen: 'Als hij goed verzekerd was, kan iedereen tevreden zijn.'

En Ravallet heeft monsieur Deschamps op zijn schouder geklopt voordat hij met Jojo wegreed.

Als het brandstichting was en Jojo het niet heeft gedaan, dan zou Ravallet er zelf achter kunnen zitten. Jean was hem tot last en werd steeds lastiger. Hij probeerde plannen in de war te sturen die allang waren besproken en besloten en bezegeld. Hij wroette in het verleden en bracht zaken aan het licht waarvan Ravallet dacht dat ze voorgoed waren begraven. Hij probeerde hem te chanteren.

Als Jean de burgemeester nog een keer heeft bedreigd (en als hij dat heeft gedaan, dan is het mijn schuld), als hij hem nog een keer voor het alternatief heeft gesteld de grindwinning op te geven of de donkere vlek in zijn familiegeschiedenis voor het hele departement blootgelegd te zien, als hij tegen hem heeft gezegd: 'Ik weet nu hoe het zat, ik weet hoe de Ravallets aan hun geld zijn gekomen en dat kan ik bewijzen', als hij misschien zelfs heeft beweerd dat er een proces-verbaal bestaat van het proces tegen de generaal en dat hij het in zijn bezit heeft, dan zou het begrijpelijk zijn dat Ravallet de rustverstoorder een lesje wilde leren, een laatste waarschuwing: 'Verlaat het dorp, anders is de volgende keer niet alleen je huis aan de beurt.' Als dat zo was, dan heeft hij Jean beslist niet om het leven willen brengen – waarom zou hij zijn handen vuiler maken dan nodig? –, maar heeft hij de brand weloverwogen gesticht op een tijdstip waarop er niemand thuis was, althans waarop hij dacht dat er niemand thuis was. Tenslotte heeft Jean aan Jan en alleman verteld dat hij op zijn naamdag niet in Courtillon zou zijn.

Ik weet niet of het zo gegaan is. Maar waarom denkt niemand behalve ik daarover na?

Misschien heeft Ravallet Bertrand wel gestuurd. Ook dat zou logisch zijn. Iedereen in het dorp is bereid te zweren dat Bertrand destijds zijn eigen huis in brand heeft gestoken om het geld van de verzekering op te strijken. Als dat klopt (en waarom zou het niet kloppen?), dan weet Bertrand hoe je brandsticht zonder dat het op brandstichting lijkt. Hij wist ook hoeveel hout er in Jeans schuur lag. En Ravallet zou hem niet eens hebben hoeven aansporen, Bertrand heeft een eigen motief. Als Jean de burgemeester inderdaad had gechanteerd, als die chantage was gelukt, als Ravallet tandenknarsend had toegegeven, als hij had beloofd het contract voor de grindwinning ongedaan te maken, als, als, als – dan waren ook Bertrands plannen in gevaar, zonder grindwinning geen bredere rivierbedding, zonder bredere rivierbedding geen camping, zonder camping geen makkelijk verdiend geld.

Is dat reden genoeg om een huis in brand te steken? Een huis en een mens?

Of denk ik nu helemaal verkeerd? Heeft het allemaal niets met dorpspolitiek te maken? Was de brand het laatste hoofdstuk van een verhaal dat heel ergens anders is begonnen: op de bank bij de *greluche*? Moet ik Valentine erin betrekken, haar haat tegen Jean en de hypnotische macht die ze op de twee jongens uitoefende? Waren de dreigbrieven van Philippe toch niet alleen bluf, heeft hij zich inderdaad verplicht gevoeld Valentine te wreken? Had het teken van macht dat hij door haar in zijn arm heeft laten kerven nog steeds zo'n sterk effect? Een paar dagen geleden heeft Philippe in Montigny een brief gepost, hij was dus in de buurt en kon op een gestolen fiets binnen een halfuur in Courtillon zijn. Is hij Jeans schuur binnengeslopen, misschien met behulp van Maurice, die immers weet waar de sleutel ligt? Die twee zijn daar al eens eerder ongemerkt binnengedrongen. Toen hebben ze alleen een onfatsoenlijke tekening op een houtstapel achtergelaten, kan het deze keer een brand geweest zijn?

Waarom ben ik de enige die die vragen stelt?

Courtillon wil rust hebben. Valentine, de generaal en Jojo zijn geloosd, mademoiselle Millotte en Jean zijn dood. Eindelijk, zo denkt het dorp, ligt alles er weer netjes en ordelijk bij, slingeren er geen losse eindjes meer rond waarover je kunt struikelen, zoals ik ooit in het klokkentouw bij de ingang van de kerk verward ben geraakt. Er is genoeg gebeurd, denkt het dorp.

Alleen in mijn hoofd draait een caleidoscoop en elk beeld dat zich daarin vormt, ziet eruit als de werkelijkheid.

Ook Geneviève zou het gedaan kunnen hebben. Ze kwam pas tegen elf uur 's avonds terug uit Montigny, bonkte op mijn voordeur en gilde in panische angst om haar dochter. Ze had de hele weg moeten lopen, legde ze de volgende dag uit, en inderdaad zat er op haar fiets nog maar één trapper, de andere was vastgebonden op de bagagedrager.

Maar ze kan – ze weet gereedschap en haar handen te gebruiken – de schade ook met opzet hebben veroorzaakt om een verklaring te hebben waarom ze juist op die dag zo lang wegbleef. Het is mogelijk dat ze er niet bij wilde zijn als het gebeurde en dat zou weer betekenen dat ze wist wat er ging gebeuren. Ze kan gemerkt hebben dat Jean op de zolder was weggekropen, ze kan – misschien heeft ze er al vaak aan gedacht, misschien ook nog nooit – opeens een mogelijkheid hebben gezien om een einde te maken aan een ondraaglijke situatie, voor eens en voor altijd. Ze kan het vuur in de buurt van het hout en de benzineblikken hebben aangestoken, vervolgens de schuur hebben vergrendeld en op haar fiets zijn gestapt om in Montigny schoenen te gaan passen.

Natuurlijk huilt ze nu om haar man, maar zou ze niet ook om hem huilen als ze zijn dood had veroorzaakt? Haar ogen zijn nog roder dan anders en ze verbergt ze niet. Is haar zonnebril ook verbrand of wil ze dat je haar tranen ziet, zodat niemand zelfs maar durft te denken wat ik denk?

De caleidoscoop draait verder en nu schaam ik me alweer voor mijn verdenking. Geneviève doet niet alsof, natuurlijk niet. Ik zou haar niet moeten verdenken, maar beklagen. Maandenlang heeft ze tegen Jean gezwegen en nu heeft de schok over zijn dood haar sprakeloos gemaakt. Ze zit in mijn keuken, probeert haar trillende handen aan een kopje te warmen en Elodie praat op haar in, een onafgebroken stroom van zinnen die geen ander doel hebben dan dat ze worden gezegd, zodat het grote zwijgen niet heeft gewonnen. Elk woord op zich betekent niet meer dan de afzonderlijke tikken van een meetinstrument bij een ziekbed, het gaat om het geluid zelf en om de regelmaat ervan; zolang het te horen is bestaat er hoop, en als het verstomt is alles voorbij. Zelfs als ik bewijzen had dat Geneviève de dader is, zou dit tafereel ze weerleggen. De dochter beschermt en de moeder laat zich beschermen, Elodie is sterk en Geneviève blijkt zwak te zijn. Te zwak voor een moord.

Wie heeft de brand dan gesticht?

Mijn buik wil dat Bertrand het heeft gedaan, ik zou hem gunnen dat zijn eigengereide grijns op een gegeven moment van zijn gezicht valt. Mijn hoofd zegt me dat Ravallet het duidelijkste motief heeft. En dan denk ik weer aan Philippe, die dreigbrieven schrijft en altijd al iets had van een brandstichter. Het raadsel kent geen oplossing en als het er wel een kende, zou niemand die willen weten.

'Het verhaal is afgelopen omdat we willen dat het afgelopen is,' zegt het dorp.

'Gerechtigheid is alleen een ander woord voor orde en de orde is immers weer hersteld,' zegt *le juge*.

'Mijn man is een cynicus, maar hij heeft gelijk,' zegt zijn vrouw.

'Ik zie geen reden om een onderzoek voort te zetten als over de afloop geen enkele twijfel bestaat,' zegt monsieur Deschamps.

'Als burgemeester die zich bewust is van zijn verantwoordelijkheid, moet ik vooruitkijken,' zegt Ravallet.

'Misschien komt Valentine nu wel gauw terug naar Courtillon,' zegt de *greluche*.

'De zaak is afgedaan, mijn gordijnen zijn weer schoon,' zegt madame Simonin.

'Zolang de verzekering betaalt, zie ik geen problemen,' zegt Bertrand.

'Het is beter zo,' zegt madame Deschamps.

'Tok, tok, tok,' zegt de kippenvrouw.

Het dorp heeft gesproken en ik zal er niets aan veranderen.

O, Jojo.

Waarom kan ik wel om een idioot treuren en niet om alle anderen?

*I*k ben toch niet overbodig. Iemand heeft mij zonder twijfel of voorbehoud vertrouwd, heeft zich laten vallen om door mij opgevangen te worden.

Ik zal dat vertrouwen niet beschamen.

Ik weet wie Jeans huis in brand heeft gestoken en ik zal het nooit aan iemand vertellen. Ik zal het geheim in mijn binnenste bewaren zoals een rijke verzamelaar een Stradivarius in zijn kluis stopt en hem er alleen af en toe uit haalt, helemaal voor zichzelf, niet om erop te spelen, maar om zich te herinneren dat hij hem zou kunnen laten klinken als hij maar wilde. Ik zal er nooit met iemand over praten, maar weten wat ik weet zal me de kracht geven om te doen wat me te doen staat.

Het was op het verscholen plekje aan de oever, het plekje dat ik 'het onze' heb genoemd toen er nog iemand was om dat woord mee te delen. Ik ben er de laatste tijd weer vaak geweest, niet uit romantische gevoelens, dat is voorbij, maar om een les in te studeren die ik al heb geleerd en die ik me nu alleen nog eigen moet maken: het levert niets op om je aan dode dromen vast te klampen.

Ik zit dan op mijn boomstam, met de tak als rugleuning, en kijk naar iets wat me niet bevalt, maar waaraan ik zal moeten wennen. Ik zie hoe hoekjes worden rechtgetrokken, hoe gegroeide dingen plaatsmaken voor gebouwde, hoe structuur krijgt wat alleen in de chaos schoonheid bezat.

Er is geen betere plek om de voortgang van de werkzaamheden te observeren.

De mannen op het drijvende platform dragen felgele veiligheidshelmen, hoewel hier geen gevaren zijn waartegen ze zich zouden moeten beschermen. Ze hebben niets te vrezen, de rivier kan zich niet verweren. Hij biedt geen verzet als de baggerbakken aan een eindeloze ketting in zijn ingewanden graven en er steeds nieuwe stukken uit rukken, levende en dode. Als de emmers aan de oppervlakte verschijnen, loopt het water over de scherpe randen, het druipt eruit als het bloed van een overreden hen uit de mand van de kippenvrouw. *Draguer une rivière* of *draguer une fille*, een rivier uitbaggeren of een meisje opvrijen, in het Frans is dat hetzelfde grove werkwoord, het klinkt naar binnendringen en naar verkrachting.

De motor die de ketting met de bakken aandrijft, loopt niet perfect. Hij kreunt en zwoegt, soms laat hij het hele platform trillen, en als de mannen met de gele helmen dan bezorgd voor zijn omhulsel staan, lijkt het of ze hem bemoedigend toespreken. Maar tot nu toe is de emmerketting nog nooit blijven steken, niet onder werktijd. Alleen 's avonds, precies om halfzes, haalt iemand een hendel over, en de plotselinge stilte is elke keer weer angstaanjagend als een kreet. Voor ze weggaan, spuiten ze hun martelwerktuig met een slang schoon, zoals de kippenvrouw haar bebloede mand uitspoelt, ze doen het grondig, tot de roestige ketting niet meer met modder bedekt is en de bakken leeg en hongerig op de volgende dag wachten. Ook daarvoor moet de rivier zelf het materiaal leveren, hij heeft elke waardigheid verloren.

Zijn water, dat ooit zo helder was als het licht van een zomerochtend, is omgewoeld en vuil. Waar vroeger elk van een boom gewaaid blad een glinsterend raster op het oppervlak tekende, glanst nu een trage olievlek in de zon, als een goedkoop sieraad bij een lelijk geworden vrouw. De snoek van wel een meter lang, als die al heeft bestaan en niet alleen een droom was op deze plek die uitnodigde om te dromen, is vast allang gevlucht, je kunt je niet voorstellen dat hier nog iets leeft. *Eaux mortes* is deze zijarm genoemd; nu beginnen de dode wateren te vergaan.

En toch, ook als de oude rivier nog slechts een herinnering zal zijn, de oever overwoekerd met caravans en de stilte volgeschreeuwd door vreemde stemmen, ook als mijn paradijs, dat niet breder is dan een handdoek, allang zal zijn weggebaggerd en veranderd in grind, ook dan zal het nog altijd ons plekje zijn, en ik zal het me vaak herinneren.

Wij zullen het ons herinneren, ieder voor zich, en we zullen er niet met elkaar over praten.

Ik moet eerst opschrijven wat er is gebeurd.

Na de brand heb ik ook Geneviève in huis genomen en dat was verstandig, want zij heeft haar dochter nodig en haar dochter heeft haar nodig. Het was geen nobele daad, ik ben geen nobel mens, het gebeurde gewoon en ik liet het toe, alweer weldoenerij uit zwakte. In mijn huis, zo motiveerde ik het voor mezelf toen het al een feit was, is echt te veel plaats, en tot nu toe diende die nergens toe, zoals de rivier tot nu toe nergens toe diende, hij was alleen aanwezig en voor niemand echt nuttig.

Geneviève en Elodie doen alle moeite om me niet in de weg te zitten en ik probeer niet te laten merken hoe erg ze me storen. 'Het is maar tijdelijk,' zegt Geneviève elke dag wel een keer, maar ik weet dat dat niet klopt. De verzekering heeft haar een brief geschreven en weigert te betalen. 'Het onbeschermd bewaren van benzineblikken in de buurt van het woongedeelte vormt een aansprakelijkheidsbeperkende medeplichtigheid van de gedupeerde.' Uiteindelijk zal ze haar geld wel krijgen, denkt monsieur Brossard, althans een deel ervan, maar zo'n discussie kan lang duren en waar moet ze tot die tijd blijven?

Soms zie ik Geneviève in tranen. Ik probeer dan medelijden voor haar te voelen, maar ik breng niet meer op dan het abstracte begrip. Wat ze heeft doorgemaakt raakt me beslist, maar als mens laat ze me onverschillig. Dat heeft niets te maken met soevereine distantie, die smoes om het leven niet te hoeven meeleven werkt niet meer, nee, ik voel geen medelijden voor Geneviève, omdat ik ook verder niets voor haar voel. Ze is een grove, onelegante vrouw die me niet echt interesseert. Medelijden – ik zal het niet ontkennen – wekken bij mij alleen mensen van wie ik ook zou kunnen houden. Als Geneviève aantrekkelijker voor me was, zou ik misschien samen met haar huilen.

Maar toch zal ik doen wat me te doen staat.

Om de *baignoire sabot* zou ik kunnen huilen, die vredige kuil in het stilstaande water waar de kleine kinderen zich bij het poedelen zo dapper voelden en waar ik ooit een jongetje van vier tegen zijn veel oudere zus heb horen zeggen: 'Je hoeft niet bang te zijn, ik ben bij je.' Ook dat deel hebben de baggerbakken al weggevreten.

Wat moet er nog meer vastgelegd worden?

Madame Deschamps komt haast elke dag langs, ze brengt kleren en andere nuttige dingen voor de beide vrouwen. 'Ze hebben verder niets meer,' zegt ze en ze is heel tevreden over zichzelf. Als ze weer in haar auto stapt (ze verdwijnt achter het stuur en moet als het ware op haar tenen zitten om op de weg te kunnen kijken) zwaait ze altijd naar Elodie, die beleefd wacht tot de beroepsweldoenster is weggereden en dan pas haar gezicht tot een grijns vertrekt. Gisteren vroeg ze me heel serieus: 'Denkt u dat madame Deschamps andere mensen ook zo graag zou helpen als ze zelf kinderen had?'

Elodie is vanaf het begin het zakelijkst omgegaan met wat er is gebeurd. Tijdens de uitvaart zat ze zo schijnbaar onbewogen op de eerste rij dat men zich achteraf in het dorp afvroeg of het kind gevoelloos was of alleen maar niet in staat de omvang van haar verlies te bevatten. Elodie is geen van beide, maar ze heeft zo lang een normaal leven moeten simuleren waar dat niet meer bestond, dat het een gewoonte is geworden. Ze gedroeg zich al die tijd alsof het haar taak was de wereld in orde te brengen, alsof ze pas weer kind mocht zijn als dat was gelukt. Nu, in de grote vakantie, die hier in Frankrijk twee hele maanden duurt, helpt ze me klussen in huis, ook in de tuin maakt ze zich nuttig, en als ik vraag of ze niet liever wil spelen, omdat ze dat verdiend heeft, glimlacht ze beleefd en zegt: 'Later misschien.'

Ja, ik heb weer een begin gemaakt met de zo lang uitgestelde verbouwing, ik moet het huis opnieuw inrichten zodat we samen kunnen leven zonder te dicht op elkaar te zitten. Ik ben niet erg handig in dit ongewone werk, maar ik maak vorderingen. Geneviève is telkens weer verrast dat ik haar adviezen niet alleen wil horen, maar ze ook opvolg; Jean liet haar nooit meepraten.

Ik zou veel liever alleen blijven, maar je kunt niet je leven lang weglopen.

Het platform met de baggerbakken beweegt zich elke dag een stukje verder, onstuitbaar. Op een keer, toen ze net weer een nieuwe sleuf in het riet hadden gekapt voor de transportband die de uitgegraven aarde naar de vrachtwagens transporteert, dreef er een leeg vogelnest op het water, weggerukt uit zijn schuilplaats tussen de biezen en zo weerloos aan de vreemde blikken prijsgegeven als een familiefoto uit een geplunderd huis.

Het was al avond, de motor was opgehouden met lawaai maken en de gele helmen waren weggereden. Je kon alweer vogelstemmen horen en als de gapende wonden in het riet er niet waren geweest, en het baggerplatform dat de rivier bezet hield als een vijandelijk oorlogsschip, dan had je kunnen denken dat alles was als altijd. Zelfs de slierten olie met hun regenboogspiegeling hadden een eigen schoonheid.

'Komt u hier vaak?' vroeg Elodie.

Ze droeg een jurk die ik nog nooit had gezien, een zondagse jurk die je naar de kerk of naar een familiefeest aantrekt. Madame Deschamps zou zoiets niet voor haar moeten meebrengen, hoor ik mezelf nog denken, zo'n jurk past niet bij haar.

'Ik dacht altijd dat ik de enige was die dit plekje kent,' zei Elodie. 'Je kunt hier alleen komen als je over het kerkhof loopt en dat doen de meeste mensen niet graag.'

'Wil je naast me komen zitten?'

Ik schoof op – haar vader had ook eens op een boomstam plaats voor me gemaakt, schoot me te binnen –, maar Elodie bleef staan, misschien uit bezorgdheid om de glanzende stof, misschien omdat je sommige dingen makkelijker zegt als je niet te dicht naast elkaar zit.

Ze liep naar de waterkant en keek uit over de rivier, haar handen in een zeer volwassen gebaar op haar rug gevouwen. Haar schoenen met het Nike-logo op de hiel pasten niet bij de feestelijke jurk.

'Bevalt het u hier?' vroeg ze me.

'Vroeger beviel het me beter. Toen ze nog niet alles kapot hadden gemaakt.'

'Ik bedoel: in Courtillon.'

'Ik begin te wennen.' Had ik haar moeten uitleggen dat ik geen keus heb, dat ik in dit dorp moet blijven omdat ik niet naar mijn vroegere leven terug kan? Dat mijn auto alleen daarom opgebokt staat als een monument? (Op een gegeven moment zal de baggermolen een wiel uit het water vissen en dan nog een en nog een, de mannen met de gele helmen zullen er een verhaal bij bedenken, het verkeerde verhaal.)

'Mijn moeder denkt dat u hier voorgoed blijft.'

'Daarom heeft ze een tuin voor me aangelegd.'

'Wij hebben altijd een tuin gehad,' zei Elodie. 'Het is veel te duur om alles in de winkel te kopen.'

'Vroegwijs' is geen mooi woord. '*Elle joue les adultes*' zeggen ze hier en dat past beter bij Elodie. Ze speelt de volwassenen, ze neemt hun rollen en hun verantwoordelijkheid over.

'Als u namelijk blijft,' zei ze terwijl ze me nog steeds niet aankeek, 'dan zou het toch mooi zijn als ...'

'Als wat?'

'Nee,' zei Elodie, 'eerst moet ik u iets vertellen.'

Ze heeft het me toevertrouwd en eigenlijk zou ik het niet eens mogen opschrijven. Maar ik correspondeer alleen nog met mezelf, en zelfs als iemand deze papieren in handen kreeg, zou niemand hier ze kunnen lezen.

'Ik heb een kaars aangestoken,' zei Elodie. Eerst dacht ik dat ze het over de kerk had en over de herinnering aan haar vader. 'Ik heb het van tevoren uitgeprobeerd, het duurt meer dan twee uur voor hij is opgebrand. Ik heb hem in een hoop hout-

krullen gezet; op school zeggen ze dat monsieur Bertrand het
ook zo heeft gedaan.'

Eerst wilde ze ook de benzineblikken leegkiepen, maar toen
heeft ze alleen de doppen losgeschroefd. Als er toch nog iemand thuiskwam, was haar overweging, dan moest alles heel
gauw ongedaan gemaakt kunnen worden, de blikken dichtge-
schroefd, de kaars uitgeblazen en de houtkrullen netjes opge-
veegd. 'Ik wilde niet dat iemand iets overkwam,' zei ze.

O, Elodie.

Ze heeft Sint-Jan niet uitgekozen vanwege de symboliek,
maar omdat Jean had aangekondigd dat hij dan beslist niet in
Courtillon zou zijn. Ze heeft hem weliswaar niet weg zien
gaan, hoewel je vanuit mijn huis het erf van de Perrins goed
kunt overzien, maar dat verbaasde haar niet. Jean deed de
laatste tijd geheimzinnig, het was heel goed mogelijk dat hij
door de tuin was weggegaan, door het poortje waarover hij
zich altijd zo kon opwinden als iemand een keer vergat het op
slot te doen. Ze is toen, om heel zeker van haar zaak te zijn en
om afscheid te nemen, nog een keer door het hele huis gelopen, ze moet ook langs de toegang naar de zolder zijn gekomen, met het dichte valluik en de ingetrokken trap. Ze heeft
nog een keer in haar kamer gestaan en zich afgevraagd of ze
niet toch iets zou meenemen, daarna heeft ze de deur achter
zich dichtgedaan en is met lege handen naar beneden gelopen, nog een keer door de keuken en nog een keer door de
woonkamer en toen door de gang naar de schuur, waar ze alleen de kist hoefde te openen waarin de kaarsen en de lucifers
al klaarlagen.

'Waarom vertel je me dit?' vroeg ik zachtjes. Elodie draaide
zich naar me om, keek me aan en antwoordde: 'Omdat ik u
vertrouw.'

Ze heeft de pit aangestoken, met vaste hand, ze heeft het
luciferdoosje in de kist teruggelegd, alsof orde nog belangrijk
was, ze heeft voorzichtig de deur achter zich dichtgetrokken,
want de kaars mocht niet worden uitgeblazen door de tocht,
ze is voor de laatste keer door het huis gelopen, door de

woonkamer en door de keuken, ze heeft de sleutel in de voordeur omgedraaid, twee keer, zoals ze heeft geleerd, ze is het erf overgestoken, waar Valentine ooit zo heeft staan gillen, en daarna is ze in haar kamer tussen de boeken gaan zitten wachten. Toen het huis eindelijk in brand stond, was ze gelukkig.

'Ik was gelukkig,' zei Elodie. 'Kunt u dat begrijpen?'

Ik kon het niet begrijpen. Op dat moment begreep ik niets meer van dat vreemde meisje in haar vreemde jurk.

'Ik wilde dat we weggingen. Ik hield het niet meer uit. Ik dacht dat in een nieuwe plaats alles misschien anders zou worden. Dat ook mijn ouders elkaar weer beter zouden begrijpen. Dat ze weer met elkaar zouden praten.'

'En daarom heb je ...?'

'Met monsieur Bertrand gaat het ook beter sinds zijn huis is afgebrand. Je moet alleen goed verzekerd zijn. Wij waren goed verzekerd, ik heb het speciaal aan mijn vader gevraagd.'

Ze was opgelucht toen het huis in brand stond. Ze had gedaan wat een kind maar kan doen dat te vroeg volwassen moet worden omdat zijn wereld instort. Ze had alles op een hoop gegooid wat ze in twaalf jaar had verzameld, flarden van half opgevangen zinnen en scherpe brokstukken van woordenwisselingen, het gesmoes van haar medeleerlingen en een tekening op een muur van houtblokken, Valentine, die over de grond rolde, en de betraande ogen van Geneviève, en ze had geprobeerd daar een verhaal van te maken, orde in de chaos van haar ervaringen te brengen, de eigenlijke scheppingsdaad, waarmee wij steeds weer onze wereld creëren. En ze was nog verder gegaan. Ze had gedaan wat alleen heel moedige of heel naïeve mensen doen, ze had het verhaal verder durven denken, verder dan het heden, ze had een toekomst geconstrueerd en ze had de moed gehad die toekomst zelf te willen maken.

Ze had alles gedaan wat je maar kunt doen.

Toen het huis in brand stond, bleef ze achter de nieuwsgierigen staan, zoals een regisseur in de coulissen blijft terwijl zich op het toneel afspeelt wat hij heeft geënsceneerd. Ze hoefde de vlammen en de bluspogingen van de brandweer helemaal niet te zien, ze had zich alles voorgesteld en wist van tevoren wat er ging gebeuren.

Tot ze hoorde dat haar vader toch thuis was.

Nu stond ze daar, met gebogen hoofd, en ze schoof met de punt van haar voet een droge tak heen en weer, een verlegen gebaar, als van een leerlinge die haar huiswerk niet heeft gemaakt of betrapt is bij het afkijken.

Achter haar zocht een eendenfamilie haar vertrouwde toevluchtsoord in het riet, maar kon het niet vinden.

'Ik wist het niet,' zei Elodie. 'Ik denk er steeds weer over na, maar ik kon het echt niet weten. Ik wilde alleen dat alles beter werd. Ik wilde alleen dat er iets veranderde. "Je moet het heft in eigen handen nemen," zei mijn vader altijd.'

Op dat moment, zonder na te denken of misschien juist omdat ik niet nadacht, deed ik het enige waar ik in die hele geschiedenis trots op ben. Ik stond op en liep naar haar toe, sloeg mijn armen om haar heen en zei: 'Jean zou trots op je geweest zijn.'

Soms weten de juiste woorden je te vinden.

Elodies lichaam ontspande. Ze had te lang iets moeten vasthouden en mocht het nu eindelijk loslaten. Ze huilde en ik huilde met haar mee. Eindelijk mocht ik alles loslaten.

Later, veel later, in een andere tijd, vroeg ze me: 'U zult het toch aan niemand vertellen?'

Ik heb het haar beloofd en zal mijn woord houden.

We zaten daarna samen op de boomstam, de eendenfamilie had een nieuwe schuilplaats in het riet gevonden en eindelijk zei Elodie wat ze al die tijd had willen zeggen.

'Als u voorgoed in Courtillon blijft en u bent helemaal alleen, en mijn moeder is nu ook alleen … ze heeft mij, maar ik zit niet in de weg, dat weet u, ik doe wat ik kan …'

'Je hoeft je geen zorgen te maken,' viel ik haar in de rede. 'Natuurlijk kunnen jullie bij me blijven wonen zolang dat nodig is.'

'Dat bedoel ik niet,' zei Elodie.

Er is een man, vindt ze, die bij niemand hoort, die alleen maar door het dorp loopt of aan zijn tafel zit op te schrijven wat er is gebeurd. En er is een vrouw, die iemand mist, die maar half is, en als je wilt dat ze weer lacht, moet je haar heel maken. De wereld heeft een structuur, vindt Elodie, en als die verloren is gegaan, moet je haar weer in orde brengen. Bij mannen horen vrouwen, vindt ze, en bij elke moeder hoort een vader.

'Het zou toch mooi zijn,' zei Elodie.

Ze droeg een zondagse jurk die voor een ander meisje was gekocht, voor een andere bruiloft, haar knieën zaten onder de korsten van het steeds weer vallen en opstaan, en ze geloofde dat er een toekomst bestaat en dat je die kunt maken.

Ik mocht haar niet teleurstellen.

'Ik zal erover nadenken,' zei ik en ze begreep wat dat betekende.

Ze had alles precies bedacht. 'Voor uw boeken bouwen we kasten, dan is de kamer veel groter, mijn vader heeft me verteld over een huis in Pierrefeu waar mooie balken zijn, je hoeft ze alleen maar te halen. En uw bed is ook breed genoeg; als je in het midden het ontbrekende stuk inbouwt en een matras koopt, kunnen er makkelijk twee mensen in liggen.'

Ik wil me niet voorstellen dat ik naast Geneviève lig, nog niet. Ze heeft me één keer gekust en rook naar pepermunt en naar dieselolie. Haar handen zijn ruw en haar ogen zien eruit alsof ze altijd huilt.

Maar het verhaal is rond en laat zich goed vertellen.

Het dorp zal tevreden zijn.

En Elodie vertrouwt me.

We liepen daarna achter elkaar, Elodie leidde me en ik liet me leiden; het pad is smal en de boom waar je via het gat in de muur op het kerkhof komt, heeft doornen. Op het graf van Jean bloeien de bloemen nog, op dat van mademoiselle Millotte zijn ze al verdord. Iemand heeft het hek van het kerkhof gesmeerd; als je het opendoet, piept het niet meer in de hengsels.

Toen we van het kerkhof kwamen wilde ik naar links gaan, het dorp in, naar huis, maar Elodie hield mijn hand vast en trok me mee de andere kant op. 'Kom,' zei ze, 'ik wil u iets laten zien.'

Op een gegeven moment zal ze me tutoyeren en zullen we vergeten zijn dat het ooit anders was. Er zijn verhalen die je vertelt en verhalen die je verzwijgt.

Op de wei naast het kerkhof stond de niet verbrande brandstapel als een monument in de zon. 'Wacht hier,' zei Elodie en ze liep langzaam en vastberaden naar de stapel. Nu steekt ze hem aan, dacht ik, maar ze was iets anders van plan.

Ze bleef staan en draaide zich om. Met beide handen trok ze de zoom van haar glanzende jurk omlaag. Toen begon ze te rennen, steeds sneller, ze rende dwars over de wei naar me toe, en toen zette ze zich af, sprong in de lucht, draaide en belandde weer op de grond, deed nog een paar passen en bleef staan, stevig op beide benen.

Elodie heeft de salto onder de knie.

*A*ls je kwam (maar je komt niet), zou je de hoofdweg verlaten op de plek waar eigenlijk geen afslag meer is, omdat ze de weg hebben rechtgetrokken; je kunt nu nog vlugger langs Courtillon heen rijden, en dat is maar goed ook.

In het eerste huis, aan de rand van het dorp, waar ze thuishoort, woont de kippenvrouw. Niemand vertelt haar wat er in Courtillon gebeurt en toch vangt ze alles op en gooit het naar haar kippen om het op te pikken, 'tok, tok, tok' en 'zo, zo, zo', een eindeloze litanie, en altijd heeft ze het over haar man en altijd is alles zijn schuld. 'Nu heeft hij ook nog een huis in brand gestoken,' zegt ze, en de hennen knikken met hun zwarte kop en lopen de straat op en laten zich overrijden.

De Brossards verbergen hun huis achter *vigne vierge*, onvruchtbaar maar met glanzend groene bladeren. *Le juge* zit in de tuin en moet heel veel kranten lezen omdat hij niet buiten verhalen kan die slecht aflopen. Als hij er weer een heeft gevonden, drinkt hij een glas wijn en zegt tegen zijn vrouw: 'Wie niets goeds verwacht, krijgt altijd gelijk.' Ze geeft hem dan het beetje weerwoord dat hij nodig heeft, haar protest is net zo automatisch als zijn cynisme. Als je op bezoek komt, gaat ze naar de keuken om twee kopjes koffie te zetten, altijd twee, het apparaat kan niet anders; ze laat een zweem *fond de teint* achter alsof ze inderhaast haar schaduw is vergeten. Ik kom graag bij de Brossards. Ze veranderen niet en dat doet een mens goed.

Monsieur Deschamps verandert ook niet, maar in zijn bestendigheid kun je je niet koesteren. Hij heeft een huis met kunststofvloeren en een kleine vrouw met hoog haar. Hij weet hoe de dingen moeten zijn en zorgt ervoor dat ze zo worden; zijn uniform hangt nooit scheef op het hangertje. Het is zijn taak om voor orde en rust te zorgen en hij gelooft zowel in het een als in het ander. Zijn heg knipt hij als niemand het ziet, het moet eruitzien of de heg vanzelf weet hoe het hoort. Hij kan zinnen zeggen die zich in zichzelf verstrengelen en toch hun doel bereiken; nu hij weet dat ik leraar ben, besluit hij ze soms met de vraag: 'Was dat juist, *professeur*?'

Zijn vrouw verricht goede daden en maakt bloemenschilderijen, er is geen groot verschil tussen beide activiteiten. Sinds ze heeft gehoord dat ik met Geneviève ga trouwen, is ze ervan overtuigd dat ik dat alleen uit grootmoedigheid doe en kan ze haar jaloezie niet goed verbergen. Het is alsof ik naast mijn huis ook een heg heb geplant, die nog mooier is dan de hare.

De boerderij van de paardenboer is overgenomen door de jonge Simonin; waar vroeger paarden stonden, is nu veel plaats voor zijn machines. Op zondag trekt hij soms een blauwe monteursoverall aan en zet een veiligheidsbril op, en als je langs het hek loopt, kun je hem een apparaat zien lassen, waarvan ik de functie niet kan verklaren. Misschien heeft ook de jonge Simonin een droom, misschien vertelt ook hij zichzelf een verhaal, een beroemde uitvinder die Simonin heet speelt daar de hoofdrol in, en de mensen komen van heinde en verre om zijn nieuwe machine te bewonderen die hen eindelijk overbodig maakt.

Midden in het dorp, waar de huizen met elkaar zijn vergroeid, in elkaar geschoven door de druk van hun herinneringen, hebben de mensen geen gezichten die ik uit elkaar kan houden. 's Morgens rijden ze met hun auto weg en 's avonds flikkeren de blauwe tv-schermen achter hun ramen. Ik ken hier maar één gezin, van gezicht en van het groeten. De vrouw gaat soms met twee kleine meisjes wandelen, maar alleen zolang het licht is. Zodra het donker wordt, weet ik zeker dat ze hun deur op slot doen, er zou een zedendelinquent voor kunnen staan, of een meisje dat vreemde beschuldigingen de nacht in roept en bij wie het schuim op de mond staat.

Dan komt de *mairie*, die zich heel belangrijk vindt met haar opgeschilderde zandsteenblokken, die samen met de pleisterlaag afbrokkelen. Ze gaan de voorgevel renoveren, heb ik gehoord, de grindafgraving heeft geld in de gemeentekas geschept en Ravallet wil bewijzen dat iedereen daar iets aan heeft. Zelf heeft hij carrière gemaakt, hij is eindelijk gekozen in het *conseil général*, daar moet hij subsidies verdelen en functies vergeven; in zijn nieuwe bureau verzamelen zich al de schuldbrieven waarmee hij op een gegeven moment een gedeputeerdenzetel in Parijs zal kopen. De *permanence*, elke week twee keer een halfuur, laat hij meestal over aan Bertrand, maar toch verbeeld ik me altijd dat ik zijn aftershave ruik als ik langs het gemeentehuis loop.

Bij de bocht in de straat, vijfhonderd passen van het ene einde van het dorp en vijfhonderd van het andere, staat nog steeds het huis van mademoiselle Millotte. Sinds haar kist naar buiten is gedragen, is er niemand meer binnen geweest; de achterneef uit Bordeaux heeft zich nooit in het dorp laten zien. Heel langzaam rankt er een nieuwe geschiedenis om het huis, die het op een gegeven moment zal overwoekeren: mademoiselle Millotte, zo wordt er gezegd, waart door de kamers, in stille nachten kun je horen hoe haar rolstoel zich een weg tussen de vele meubeltjes baant. Ze rangschikt haar souvenirs, wordt er gezegd, en soms laat ze er eentje vallen en kun je het horen rinkelen. 'Relmuizen,' zeggen de verstandige mensen, 'waarschijnlijk hadden ze op zolder hun nest en hebben ze nu het hele huis bezet.' Het zal wel kloppen, maar de ware verklaringen zijn niet altijd de juiste.

Ik loop niet graag meer langs de kerk, ik ken hem van te veel uitvaarten. Afgelopen week stopte er een vrachtwagen, en zes mannen – madame Simonin fladderde om hen heen als een moedervogel van wie de eieren uit het nest worden gestolen – sleepten het grote schilderij *De Moeder Gods in het bos* naar buiten. 'Het moet gerestaureerd worden,' vertelde madame Simonin nadat ze de kerkdeur weer op slot had gedaan, 'hoewel het niet echt nodig is, ik heb er altijd heel grote bloemen voor gezet.' Ze voelt zich persoonlijk aangevallen, alsof die restauratie een verwijt aan haar adres is: als zij beter had opgepast, was er niets met het schilderij gebeurd. Als ze het over een paar maanden weer ophangen, zal de Moeder Gods geen snor meer dragen, dan zal er weer een stuk wanorde zijn verwijderd en de orde opnieuw gelakt.

Maurice is een modelleerling geworden en wil geen schilder meer zijn.

Bij het monument voor de gevallenen uit de Grote Oorlog en uit de nog grotere die erop volgde, is niets veranderd. Niemand heeft de naam van de generaal erin gebeiteld, hoewel ook hij een slachtoffer was.

Een paar passen verder staat in de voortuin van Bertrand een bord: VOORDEEL! RESTPARTIJEN WEGENS LIQUIDATIE. Hij heeft geen zin meer om wijnhandelaar te zijn, 'in het toerisme valt nu geld te verdienen', zegt hij, trots op zijn vooruitziende blik. Op de camping – 'Hoe staat het met die Duitse prospectus?' – wil hij ook surfplanken en fietsen verhuren, hij wil visgerei verkopen, en de wijn die niemand in het dorp zich heeft laten aansmeren wil hij van nieuwe etiketten voorzien. Ook een mascotte heeft hij al bedacht, een uit hout gesneden vis, de rugvin is een hendel en met de bek kun je noten kraken. 'De mensen kopen alles wat naar traditie ruikt', zegt Bertrand.

De tuin van de oude Simonin heeft nog nooit zo mooi gebloeid als dit jaar, zelfs de vijgenboom die hij een paar jaar geleden heeft geplant en die het in ons klimaat eigenlijk helemaal niet goed doet, draagt zijn eerste vruchtjes. Ik heb hem een keer bij het werk geobserveerd toen op straat zijn zoon met een van zijn reusachtige machines langsreed. Hij keek hem na, schudde zijn hoofd en ramde toen de spade in de grond alsof hij daar iets moest doodslaan. Ook de oude Simonin heeft een verhaal, dat begint met 'vroeger was alles beter' en eindigt met 'als jullie er eenmaal spijt van hebben, is het te laat'.

De grote koeienstal meteen om de hoek is het nieuwste gebouw in Courtillon, maar het ziet er al zo verweerd uit dat het elke dag lijkt te kunnen instorten. De koeien die hier melk produceren, sterven jong; het kuilvoer maakt ze weliswaar winstgevend, maar ook ziek. Het zijn koeien zonder hoorns; die worden weggebrand zodat ze niet in het voedermechanisme blijven haken. Ik stel me graag voor dat ze hun eigen legenden hebben en elkaar 's nachts in het warme donker van de stal vertellen over een tijd dat koeien nog gevaarlijk waren en zich wisten te verweren.

Aan het eind van de Rue de la gare, waar bijna nooit iemand komt omdat de weg modderig is en het ook verder niet de moeite loont, staat nog altijd het stationnetje, dat zo uit een bouwdoos lijkt te komen. Er wonen nu weer drie mensen, Valentine is terug uit de kliniek, genezen, zeggen ze, maar in elk geval veranderd. Het kille stralen dat haar bijzonder maakte is ze kwijt, haar gezicht, dat altijd vluchtig leek, slechts gesuggereerd en daarom zo veranderlijk, heeft vaste lijnen gekregen, je kijkt er een keer naar en hoeft verder niets meer te weten. Altijd als je haar tegenkomt, heeft ze een sigaret tussen haar lippen en de as valt op haar blouse; wat er vroeger op een aantrekkelijke manier misplaatst uitzag, maakt nu alleen nog een onsmakelijke indruk. Ik heb gehoord dat ze bij Intermarché in Montigny achter de kassa zit, iemand als alle anderen, inwisselbaar en van gedaante verwisseld.

Haar ouders kunnen weer beter met elkaar overweg, soms gaat de *greluche* zelfs met haar man mee vissen, ze haalt de zware karpers voor hem van de haak en schrijft hun gewicht op in een klein zwart boekje van wasdoek, een succesverhaal voor het nageslacht, en mochten het steeds dezelfde vissen zijn die ze vangen, dan gaat dat niemand iets aan.

En dan komt mijn huis. Ons huis.

Het heeft zich aan het dorp aangepast, gordijnen voor de ramen en langs de muur een kaarsrechte rij donkergele bloemen, die eruitzien alsof ze zich in een bloempot beter op hun gemak zouden voelen. Het grind in de poort is altijd netjes geharkt, een van de vele nutteloze taken die Elodie zich stelt.

Alleen de opgebokte auto verstoort de keurige aanblik; nog altijd verzet ik me ertegen, maar natuurlijk zal ik ook op dat punt toegeven, we zullen van de stal een garage maken, Geneviève zal voor nieuwe banden zorgen – via het busbedrijf waarbij ze werkt, kan ze ze voordelig krijgen –, ze zal ze met haar sterke handen monteren en dan zal het laatste voorwendsel voor mijn immobiliteit me zijn ontnomen.

De eerste rit – dat heb ik mezelf beloofd – maak ik naar Jojo, ik ga hem eindelijk opzoeken in zijn tehuis voor geestelijk gehandicapten. (In het dorp noemen ze het anders.) Ik zal een groot pak lucifers voor hem meebrengen, ook al weet ik dat ze het hem weer zullen afpakken. Ik had het allang moeten doen; nu ben ik bang dat hij zich mij niet meer herinnert.

Ook in huis wint de normaliteit van Courtillon steeds meer terrein. Van de stenen vloer in de keuken zijn de laatste linoleumresten afgekrabd, het gat in de muur tussen de twee kamers op de benedenverdieping is onlangs dichtgemetseld en het metselwerk opnieuw gepleisterd, de contouren van de grote terrasdeuren zijn op de muur getekend en Geneviève zoekt al werklui die dat klusje goedkoop uitvoeren, betaling natuurlijk *en espèces*, zoals het bij Jean gebruikelijk was.

Elodie en Geneviève delen nog steeds een kamer, maar ze hebben te weinig plaats, ook al zijn de boekendozen verdwenen. (De nieuwe kasten inruimen was een van de weinige werkjes die ze me alleen lieten doen.) Op een gegeven moment zal Geneviève bij mij intrekken, dat is praktischer en het is zinvol. Het met krullen versierde ledikant van messing zal naar de zolder verhuizen, ook het leeuwenbad staat daar al, het is gewoon te groot en de boiler geeft niet genoeg water voor drie personen. Het voorstel om liever meteen een nieuw bed aan te schaffen kwam van Geneviève, ze vond het onderwerp pijnlijk en beet met de afgebroken tand in haar onderlip voordat ze stamelde: 'Ik denk dat jij dat ook liever hebt.' Ze struikelt nog steeds als ze me tutoyeert.

Elodie heeft drie vakantiedagen bij haar beste vriendin doorgebracht. Toen ze terugkwam keek ze ons, die drie nachten met elkaar alleen waren geweest, vol verwachting aan. Ze stelde de vraag niet, natuurlijk niet, maar het antwoord zou geluid hebben: 'We zullen wel aan elkaar wennen.'

Geneviève laat haar haar groeien; ze verandert erdoor en dat is goed.

Vanuit het raam van de slaapkamer zal ze op haar oude huis moeten uitkijken, en op het erf, waar dingen gebeurd zijn waaraan ze niet graag terugdenkt. De voorgevel is niet veranderd, de muren staan erbij als vroeger, alleen de raamopeningen zijn blind geworden, en waar ooit het dak zat steken verkoolde stukken balk als zwarte tandstompjes in de lucht. De ruïne zal nog wel een tijd zo blijven staan, eerst moet de strijd met de verzekering worden uitgevochten.

Als het regent, komt er nog steeds een zoetige lucht uit de puinhopen.

In de tuin achter het afgebrande huis groeit de groente beter dan ooit, as is goede mest. Als haar moeder daar iets heeft gehaald, weigert Elodie het te eten, maar Geneviève gaat ijverig door met inmaken. 'Het zou toch zonde zijn', zegt ze en ze plant met weckflessen de toekomst.

Voor het perceel van de generaal parkeren in het weekend auto's uit Duitsland en Zwitserland, ook een Nederlands kenteken heb ik al gezien. De vrouw van het makelaarskantoor leidt gegadigden rond in het huis en als ze weer naar buiten komt, rukt ze elke keer aan het tuinhek om te controleren of het bordje met A VENDRE nog goed vastzit. Tot nu toe heeft niemand besloten het huis te kopen. 'Er zou te veel aan gedaan moeten worden,' zeggen ze voor ze weer in hun auto stappen, 'er heeft te lang iemand gewoond die alles bij het oude heeft gelaten.'

Het stenen kruis naast de ingang van het kerkhof heeft Ravallet op kosten van de gemeente weer overeind laten zetten. De metalen banden waarmee het nu aan de sokkel is bevestigd, zien eruit als de beugels van iemand die kinderverlamming heeft.

Ook om het graf van zijn familie heeft de nieuwe *conseiller* zich bekommerd. RAV LLET stond er jarenlang boven de ingang, de tweede A was door de generaal weggeschoten. Een verdwaalde kogel, zei het dorp, maar de generaal was een goed schutter en wist waar zijn spoken vandaan kwamen. De nieuwe letter glanst nog vreemd in de avondzon, het zal wel een paar jaar duren voor hij verbleekt is en niet meer opvalt tussen de andere.

Waarom leggen we eigenlijk bloemen op graven? Ze kunnen toch niet bedekken wat eronder zit.

Als je het kerkhof verlaat en het dorp uit loopt, zie je een op een boom gespijkerd bordje: STATIONNEMENT INTERDIT AUX GENS DU VOYAGE. Courtillon houdt niet van mensen die alleen maar langskomen, die hun verhalen voor zich willen houden en niet met de anderen delen. Courtillon houdt niet van mensen die te veel vrijheid hebben.

De brandstapel van het Sint-Jansvuur werpt een lange schaduw. Volgend jaar zullen we hem aansteken en zal *Saint Jean* weer een dag op de kalender zijn, meer niet.

In de sporen van de tractorwielen staat water, er flitsen larfjes heen en weer, ze missen de rivier om verder te leven, de vrije weg naar zee. Ik sta ernaast en kijk naar Courtillon en ben thuis.

Duizend passen lang is de wereld.